**Sun** 公司核心技术 丛书

# Effective Java 中文版 第2版

## Effective Java Second Edition

（美）Joshua Bloch 著

杨春花 俞黎敏 译

机械工业出版社
China Machine Press

本书介绍了在Java编程中78条极具实用价值的经验规则，这些经验规则涵盖了大多数开发人员每天所面临的问题的解决方案。通过对Java平台设计专家所使用的技术的全面描述，揭示了应该做什么，不应该做什么才能产生清晰、健壮和高效的代码。第2版反映了Java 5中最重要的变化，并删去了过时的内容。

本书中的每条规则都以简短、独立的小文章形式出现，并通过示例代码加以进一步说明。本书内容全面，结构清晰，讲解详细。可作为技术人员的参考用书。

**本书版权登记号：图字：01-2008-2445**

**图书在版编目（CIP）数据**

Effective Java中文版　第2版 /（美）布洛克（Bloch, J.）著；杨春花，俞黎敏译. —北京：机械工业出版社，2009.1
书名原文：Effective Java Program Language Guide, 2E

ISBN 978-7-111-25583-3

Ⅰ. E…　Ⅱ①布…　②杨…　③俞…　Ⅲ. JAVA语言-程序设计　Ⅳ. TP312

中国版本图书馆CIP数据核字（2008）第178021号

机械工业出版社（北京市西城区百万庄大街22号　邮政编码 100037）
责任编辑：陈佳媛
北京京师印务有限公司印刷
2009年9月第2版第3次印刷
186 mm × 240 mm · 19印张
标准书号：ISBN 978-7-111-25583-3
定　　价：52.00元

凡购本书，如有倒页、脱页、缺页，由本社发行部调换
本社购书热线：(010) 68326294

# 译者序

Java从诞生到日趋完善，经过了不断的发展壮大，目前全世界拥有了成千上万的Java开发人员。如何编写出更清晰、更正确、更健壮且更易于重用的代码，是大家所追求的目标之一。作为经典Jolt获奖作品的新版书，它已经进行了彻底的更新，涵盖了自第1版之后所引入的Java SE 5和Java SE 6的新特性。作者探索了新的设计模式和语言习惯用法，介绍了如何充分利用从泛型到枚举、从注解到自动装箱的各种特性。本书的作者Joshua Bloch曾经是Sun公司的杰出工程师，带领团队设计和实现过无数的Java平台特性，包括JDK 5.0语言增强版和获奖的Java Collections Framework。他也是Jolt奖的获得者，现在担任Google公司的首席Java架构师。他为我们带来了共78条程序员必备的经验法则：针对你每天都会遇到的编程问题提出了最有效、最实用的解决方案。

书中的每一章都包含几个"条目"，以简洁的形式呈现，自成独立的短文，它们提出了具体的建议、对于Java平台精妙之处的独到见解，并提供优秀的代码范例。每个条目的综合描述和解释都阐明了应该怎么做、不应该怎么做，以及为什么。通过贯穿全书透彻的技术剖析与完整的示例代码，仔细研读并加以理解与实践，必定会从中受益匪浅。书中介绍的示例代码清晰易懂，也可以作为日常工作的参考指南。

## 适合人群

本书不是针对初学者的，读者至少需要熟悉Java程序设计语言。如果你连equals()、toString()、hashCode()都还不了解的话，建议先去看些优秀的Java入门书籍之后再来阅读本书。如果你现在已经在Java开发方面有了一定的经验，而且想更加深入地了解Java编程语言，成为一名更优秀、更高效的Java开发人员，那么，建议你用心地研读本书。

## 内容形式

本书分为11章共78个条目，涵盖了Java 5.0／6.0的种种技术要点。与第1版相比，本书删除了"C语言结构的替代"一章，增加了Java 5所引入的"泛型"、"枚举和注解"各一章。数量上从57个条目发展到了78个，不仅增加了23个条目，并对原来的所有资料都进行了全面的修改，删去了一些已经过时的条目。但是，各章节没有严格的前后顺序关系，你可以随意选

IV

择感兴趣的章节进行阅读。当然，如果你想马上知道第2版究竟有哪些变化，可以参阅附录中第2版与第1版详细的对照情况。

本书重点讲述了Java 5所引入的全新的泛型、枚举、注解、自动装箱、for-each循环、可变参数、并发机制，还包括对象、类、类库、方法和序列化这些经典主题的全新技术和最佳实践，如何避免Java编程语言中常被误解的细微之处：陷阱和缺陷，并重点关注Java语言本身和最基本的类库：java.lang、java.util，以及一些扩展：java.util.concurrent和java.io等等。

**章节简介**

第2章阐述何时以及如何创建对象，何时以及如何避免创建对象，如何确保它们能够被适时地销毁，以及如何管理销毁之前必须进行的所有清除动作。

第3章阐述对于所有对象都通用的方法，你会从中获知对equals、hashCode、toString、clone和finalize相当深入的分析，从而避免今后在这些问题上再次犯错。

第4章阐述作为Java程序设计语言的核心以及Java语言的基本抽象单元（类和接口），在使用上的一些指导原则，帮助你更好地利用这些元素，设计出更加有用、健壮和灵活的类和接口。

第5和第6章中分别阐述在Java 1.5发行版本中新增加的泛型（Generic）以及枚举和注解的最佳实践，教你如何最大限度地享有这些优势，又能使整个过程尽可能地简单化。

第7章讨论方法设计的几个方面：如何处理参数和返回值，如何设计方法签名，如何为方法编写文档。从而在可用性、健壮性和灵活性上有进一步的提升。

第8章主要讨论Java语言的具体细节，讨论了局部变量的处理、控制结构、类库的使用、各种数据类型的用法，以及两种不是由语言本身提供的机制（reflection和native method，反射机制和本地方法）的用法。并讨论了优化和命名惯例。

第9章阐述如何充分发挥异常的优点，可以提高程序的可读性、可靠性和可维护性，以及减少使用不当所带来的负面影响。并提供了一些关于有效使用异常的指导原则。

第10章阐述如何帮助你编写出清晰、正确、文档组织良好的并发程序。

第11章阐述序列化方面的技术，并且有一项值得特别提及的特性，就是序列化代理（serialization proxy）模式，它可以帮助你避免对象序列化的许多缺陷。

举个例子，就序列化技术来讲，HTTP会话状态为什么可以被缓存？RMI的异常为什么可以从服务器端传递到客户端呢？GUI组件为什么可以被发送、保存和恢复呢？是因为它们实现了Serializable接口吗？如果超类没有提供一个可访问的无参构造器，它的子类可以被序列化吗？当一个实例采用默认的序列化形式，并且给某些域标记为transient，那么当实例反序列化回来后，这些标志为transient域的值各是些什么呢？……这些问题如果你现在不能马上回答，或者不能很确定，没有关系，仔细阅读本书，你会对它们有更深入与透彻的理解。

## 技术范围

虽然本书是讨论更深层次的Java开发技术，讲述的内容深入，涉及面又相当广泛，但是它并没有涉及图形用户界面编程、企业级API以及移动设备方面的技术，不过在各个章节与条目中会不时地讨论到其他相关的类库。

这是一本分享经验与指引你避免走弯路的经典著作，针对如何编写高效、设计优良的程序提出了最实用、最权威的指导方针，是Java开发人员案头上的一本不可或缺的参考书。

本书由我组织进行翻译，第1章到第8章由杨春花负责，我负责前言、附录以及第9章到第11章的翻译，并负责本书所有章节的全面审校。参与翻译和审校的还有：荣浩、邱庆举、万国辉、陆志平、姜法有、王琳、林仪明、凌家亮、李勇、师文丽、刘传飞、王建旭、程旭文、罗兴、翟育明、黄华，在此深表感谢。

虽然我们在翻译过程中竭力追求信、达、雅，但限于自身水平，也许仍有不足，还望各位读者不吝指正。关于本书的翻译和翻译时采用的术语表以及相关的技术讨论大家可以访问我的博客http://blog.csdn.net/YuLimin，也可以发邮件到YuLimin @ 163.com与我交流。

在这里，我要感谢在翻译过程中一起讨论并帮助我的朋友们，他们是：崔毅，郑晖，左轻侯，郭晓刚，满江红开放技术研究组织创始人曹晓钢，Spring中文站创始人杨戈（Yanger），SpringSide创始人肖桦（江南白衣）和来自宝岛台湾的李日贵（jini）、林康司（koji）、林信良（caterpillar），还有责任编辑陈佳媛也为本书出版做了大量工作，在此再次深表感谢。

快乐分享，实践出真知，最后，祝大家能够像我一样在阅读中享受本书带来的乐趣！

Read a bit and take it out, then come back read some more.

俞黎敏

2008年11月

# 序

如果有一个同事这样对你说，"我的配偶今天晚上在家里制造了一顿不同寻常的晚餐，你愿意来参加吗？"（Spouse of me this night today manufactures the unusual meal in a home. You will join?）这时候你脑子里可能会浮现起三件事情：第一，满脑子的疑惑；第二，英语肯定不是这位同事的母语；第三，同事是在邀请你参加他的家庭晚宴。

如果你曾经学习过第二种语言，并且尝试过在课堂之外使用这种语言，你就该知道有三件事情是必须掌握的：这门语言的结构如何（语法），如何命名你想谈论的事物（词汇），以及如何以惯用和高效的方式来表达日常的事物（用法）。在课堂上大多只涉及前面两点，当你使出浑身解数想让对方明白你的意思时，常常会发现当地人对你的表述忍俊不禁。

程序设计语言也是如此。你需要理解语言的核心：它是面向算法的，还是面向函数的，或者是面向对象的？你需要知道词汇表：标准类库提供了哪些数据结构、操作和功能（Facility）？你还需要熟悉如何用习惯和高效的方式来构建代码。关于程序设计语言的书籍通常只是涉及前面两点，或者只是蜻蜓点水般地介绍一下用法。也许是因为前面两点比较容易编写。语法和词汇是语言本身固有的特性，但是，用法则反映了使用这门语言的群体的特征。

例如，Java程序设计语言是一门支持单继承的面向对象程序设计语言，在每个方法的内部，它也支持命令式的（面向语句的，Statement-Oriented）编码风格。Java类库提供了对图形显示、网络、分布式计算和安全性的支持。但是，如何把这门语言以最佳的方式运用到实践中呢？

还有一点：程序与口语中的句子以及大多数书籍和杂志都不同，它会随着时间的推移而发生变化。仅仅编写出能够有效地工作并且能够被别人理解的代码往往是不够的，我们还必须把代码组织成易于修改的形式。针对某个任务可能会有10种不同的编码方法，而在这10种方法中，有7种方法是笨拙的、低效的或者是难以理解的。而在剩下的3种编码方法中，哪一种会是最接近该任务的下一年度发行版本的代码呢？

目前有大量的书籍可以供你学习Java程序设计语言的语法，包括《The Java Programming Language》[Arnold05]（作者Arnold、Gosling和Holmes），以及《The Java Language Specification》

[JLS]（作者Gosling、Joy和Bracha）。同样，与Java程序设计语言相关的类库和API的书籍也不少。

　　本书解决了你的第三种需求：习惯和高效的用法。作者Joshua Bloch在Sun公司多年来一直从事Java语言的扩展、实现和使用的工作；他还大量地阅读了其他人的代码，包括我的代码。他在本书中提出了许多很好的建议，他系统地把这些建议组织起来，旨在告诉读者如何更好地构造代码以便它们能工作得更好，也便于其他人能够理解这些代码，便于将来对代码进行修改和改善的时候不至于那么头疼。甚至，你的程序也会因此而变得更加令人愉悦、更加优美和雅致。

Guy L. Steele Jr.
Burlington, Massachusetts
2001年4月

# 前　言

自从我于2001年写了本书的第1版之后，Java平台又发生了很多变化，是该出第2版的时候了。Java 5中最为重要的变化是增加了泛型、枚举类型、注解、自动装箱和for-each循环。其次是增加了新的并发类库：java.util.concurrent。我和Gilad Bracha一起，有幸带领团队设计了最新的语言特性。我还有幸参加了设计和开发并发类库的团队，这个团队由Doug Lea领导。

Java平台中另一个大的变化在于广泛采用了现代的IDE（Integrated Development Environment），例如Eclipse、IntelliJ IDEA和NetBeans，以及静态分析工具的IDE，如FindBugs。虽然我还未参与到这部分工作，但已经从中受益匪浅，并且很清楚它们对Java开发体验所带来的影响。

2004年，我离开Sun公司到了Google公司工作，但在过去的4年中，我仍然继续参与Java平台的开发，在Google公司和JCP（Java Community Process）的大力帮助下，继续并发和集合API的开发。我还有幸利用Java平台去开发供Google内部使用的类库。现在我了解了作为一名用户的感受。

我在2001年编写第1版的时候，主要目的是与读者分享我的经验，便于让大家能够避免我所走过的弯路，使大家更容易成功。新版仍然大量采用来自Java平台类库的真实范例。

第1版所带来的反应远远超出了我最大的预期。我在收集所有新的资料以使本书保持最新时，尽可能地保持了资料的真实。毫无疑问，本书的篇幅肯定会增加，从57个条目发展到了78个。我不仅增加了23个条目，并且修改了原来的所有资料，并删去了一些已经过时的条目。在附录中，你可以看到本书中的内容与第1版的内容的对照情况。

在第1版的前言中我说过：Java程序设计语言和它的类库非常有益于代码质量和效率的提高，并且使得用Java进行编码成为一种乐趣。Java 5和6发行版本中的变化是好事，也使得Java平台日趋完善。现在这个平台比2001年的要大得多，也复杂得多，但是一旦掌握了使用新特性的模式和习惯用法，它们就会使你的程序变得更完美，使你的工作变得更轻松。我希望第2版能够体现出我对Java平台持续的热情，并将这种热情传递给你，帮助你更加高效和愉快地使用Java平台及其新的特性。

Joshua Bloch
San Jose, California
2008年4月

# 致 谢

我要感谢本书第1版的读者给予本书如此热情的好评，感谢他们将书中的理念铭记在心，感谢他们让我知道该书给他们以及他们的工作带来了怎样积极的影响。我感谢许多教授在教学中采用了本书，感谢许多开发团队应用了本书。

我要感谢Addison-Wesley的整个团队，感谢他们的诚恳、专业、耐心，以及压力之下所体现出来的从容。编辑Greg Doench自始至终保持镇定自若：他是一名优秀的编辑，同时也是一位完美的绅士。产品经理Julie Nahil具备了产品经理应该具备的一切：勤奋、敏捷、训练有素，且待人和气。编审Barbara Wood一丝不苟，富有鉴赏能力。

我有幸再一次得到了所能想到的最佳审核团队的支持，我真诚地感谢他们中的每一位。核心团队负责审核每一个章节，他们包括：Lexi Baugher、Cindy Bloch、Beth Bottos、Joe Bowbeer、Brian Goetz、Tim Halloran、Brian Kernighan、Rob Konigsberg、Tim Peierls、Bill Pugh、Yoshiki Shibata、Peter Stout、Peter Weinberger以及Frank Yellin。其他审核人员包括：Pablo Bellver、Dan Bloch、Dan Bornstein、Kevin Bourrillion、Martin Buchholz、Joe Darcy、Neal Gafter、Laurence Gonsalves、Aaron Greenhouse、Barry Hayes、Peter Jones、Angelika Langer、Doug Lea、Bob Lee、Jeremy Manson、Tom May、Mike McCloskey、Andriy Tereshchenko以及Paul Tyma。这些审核人员再次提出了大量的建议，使本书得到了极大的改善，也让我避免了诸多尴尬。剩下的任何错误都是我自己的责任。

我要特别感谢Doug Lea和Tim Peierls，他们成了书中许多理念的倡导者。Doug和Tim为本书毫不吝惜地奉献了他们的时间和学识。

我要感谢我在Google公司的经理Prabha Krishna，感谢她持续不断的支持和鼓励。

最后，我要感谢我的妻子Cindy Bloch，她鼓励我写作，阅读了初稿中的每个条目，用Framemaker帮我排版，为我编写索引，在我写作的时候一直对我十分宽容。

# 目　录

# 第1章

# 引　言

**本**书的目标是帮助读者最有效地使用Java程序设计语言及其基本类库：java.lang、java.util，在某种程度上还包括java.util.concurrent和java.io。本书也会不时地讨论到其他的类库，但是没有涉及图形用户界面编程、企业级API以及移动设备相关的类库。

本书共包含78个条目，每个条目讨论一条规则。这些规则反映了最有经验的优秀程序员在实践中常用的一些有益做法。本书以一种比较自由的方式将这些条目组织成10章，每一章都涉及软件设计的一个主要方面。本书并不一定要按部就班地从头读到尾，因为每个条目都有一定程度的独立性。这些条目相互之间交叉引用，因此你可以很容易地在书中找到自己需要的内容。

Java 5（发行版本1.5）中增加了许多新特性。本书中大多数条目都以一定的方式用到了这些特性。表1-1列出了这些特性所在的主要章节或条目。

表1-1　新增特性所在章节或条目

| 特　　性 | 所在章节或条目 | 特　　性 | 所在章节或条目 |
|---|---|---|---|
| 泛型 | 第5章 | 自动装箱 | 第40、49条 |
| 枚举 | 第30～34条 | varargs | 第42条 |
| 注解 | 第35～37条 | 静态导入 | 第19条 |
| for-each循环 | 第46条 | java.util.concurrent | 第68、69条 |

大多数条目都通过程序示例进行说明。本书一个突出的特点是，包含了许多代码示例，这些例子说明了许多设计模式（Design Pattern）和习惯用法（Idiom）。当需要参考设计模式领域的标准参考书[Gamma 95]时，还为这些设计模式和习惯用法提供了交叉引用。

许多条目都包含有一个或多个应该在实践中避免的程序示例。像这样的例子，有时候也叫做"反模式（Antipattern）"，在注释中清楚地标注为"//Never do this!"。对于每种情况，条目中都解释了为什么此例不好，并提出了另外的解决方法。

　　本书并不是针对初学者的：本书假设读者已经熟悉Java程序设计语言。如果你还没有做到，请考虑先参阅一本很好的Java入门书籍[Arnold05, Sestoft05]。本书的目标是适用于任何具有实际Java工作经验的程序员，对于高级程序员，也应该能够提供一些发人深思的东西。

　　本书中大多数规则都源于少数几条基本的原则。清晰性和简洁性最为重要：模块的用户永远也不应该被模块的行为所迷惑（那样就不清晰了）；模块要尽可能小，但又不能太小〔本书中使用的术语模块（Module），是指任何可重用的软件组件，从单个方法，到包含多个包的复杂系统，都可以是一个模块〕。代码应该被重用，而不是被拷贝。模块之间的依赖性应该尽可能地降到最小。错误应该尽早被检测出来，最好是在编译时刻。

　　虽然本书中的规则不会百分之百地适用于任何时刻和任何场合，但是，它们确实体现了绝大多数情况下的最佳程序设计实践。你不应该盲目地遵从这些规则，但是，你应该只在偶尔的情况下，有了充分理由之后才去打破这些规则。同大多数学科一样，学习编程艺术首先要学会基本的规则，然后才能知道什么时候可以打破这些规则。

　　本书大部分内容都不是讨论性能的，而是关心如何编写出清晰、正确、可用、健壮、灵活和可维护的程序来。如果你能够做到这一点的话，那么要想获得所需要的性能往往就相对比较简单了（见第55条）。有些条目确实谈到了性能问题，甚至有的还提供了性能指标。但是，在提及这些指标的时候，也会出现"在我的机器上"这样的话，所以，你最好把这些指标视同近似值。

　　有必要提及的是，我的机器是一台过时的家用电脑，主机为2.2 GHz双核AMD Opteron 170，2G内存，在Microsoft Windows XP Professional SP2操作系统平台上运行Sun 1.6_05发行版本的Java SE Development Kit（JDK）。这个JDK有两台虚拟机：Java HotSpot Client和Server VM。性能指标是在Server VM上测量的。

　　讨论Java程序设计语言及其类库特性的时候，有时候必须要指明具体的发行版本。为了简单起见，本书使用了工程版本号（engineering version number），而不是正式的发行名称。表1-2列出了发行名称与工程版本号之间的对应关系。

表1-2　Java的工程版本号

| 正式发行名称 | 工程版本号 |
| --- | --- |
| JDK 1.1.x / JRE 1.1.x | 1.1 |
| Java 2 Platform, Standard Edition, v 1.2 | 1.2 |
| Java 2 Platform, Standard Edition, v 1.3 | 1.3 |
| Java 2 Platform, Standard Edition, v 1.4 | 1.4 |
| Java 2 Platform, Standard Edition, v 5.0 | 1.5 |
| Java Platform, Standard Edition 6 | 1.6 |

尽管这些例子都很完整，但是它们注重可读性更甚于注重完整性。它们直接使用了java.util和java.io包中的类。为了编译这些示例程序，可能需要在程序中加上一行或者多行这样的import语句：

```
import java.util.*;
import java.util.concurrent.*;
import java.io.*;
```

其他代码示例中也有类似被省略的情况。但是，在本书的Web站点：http://java.sun.com/docs/books/effective，提供了每个示例的完整版本，你可以直接编译和运行这些示例。

本书采用的大部分技术术语都与《*The Java Language Specification, Third Edition*》[JLS]⊖相同。有一些术语则值得特别提出来。Java语言支持四种类型：接口（interface）、类（class）、数组（array）和基本类型（primitive）。前三种类型通常被称为引用类型（reference type），类实例和数组是对象（object），而基本类型的值则不是对象。类的成员（member）由它的域（field）、方法（method）、成员类（member class）和成员接口（member interface）组成。方法的签名（signature）由它的名称和所有参数类型组成；签名不包括它的返回类型。

本书也使用了一些与《The Java Language Specification》不同的术语。与《The Java Language Specification》不同的是，本书用术语"继承（inheritance）"作为"子类化（subclassing）"的同义词。本书不再使用"接口继承"这种说法，而是简单地说，一个类实现（implement）了一个接口，或者一个接口扩展（extend）了另一个接口。为了描述"在没有指定访问级别的情况下所使用的访问级别"，本书使用了描述性的术语"包级私有（package-private）"，而不是如[JLS, 6.6.1]中所使用的技术性术语"缺省访问（default access）级别"。

本书也使用了一些在《The Java Language Specification》中没有定义的技术术语。术语"导出的API（exported API）"，或者简单地说API，是指类、接口、构造器（constructor）、成员和序列化形式（serialized form），程序员通过它们可以访问类、接口或者包。（术语API是Application Programming Interface的简写，这里之所以使用API而不用接口（interface），是为了不与Java语言中的interface类型相混淆）。使用API编写程序的程序员被称为该API的用户（user），在类的实现中使用了API的类被称为该API的客户（client）。

类、接口、构造器、成员以及序列化形式被统称为API元素（API element）。导出的API由所有可在定义该API的包之外访问的API元素组成。任何客户端都可以使用这些API元素，而API的创建者则负责支持这些API元素。Javadoc工具类在默认操作模式下也正是为这些元素生成文档，这绝非偶然。不严格地讲，一个包的导出的API是由该包中的每个公有（public）类或者接口中所有公有的或者受保护的（protected）成员和构造器组成。

---

⊖　该书影印版《Java语言规范》由机械工业出版社引进出版，书号是：7-111-18839。——编辑注

# 第2章
## 创建和销毁对象

**本**章的主题是创建和销毁对象：何时以及如何创建对象，何时以及如何避免创建对象，如何确保它们能够适时地销毁，以及如何管理对象销毁之前必须进行的各种清理动作。

### 第 1 条：考虑用静态工厂方法代替构造器

对于类而言，为了让客户端获取它自身的一个实例，最常用的方法就是提供一个公有的构造器。还有一种方法，也应该在每个程序员的工具箱中占有一席之地。类可以提供一个公有的*静态工厂方法*（static factory method），它只是一个返回类的实例的静态方法。下面是一个来自Boolean（基本类型boolean的包装类）的简单示例。这个方法将boolean基本类型值转换成了一个Boolean对象引用：

```
public static Boolean valueOf(boolean b) {
    return b ? Boolean.TRUE : Boolean.FALSE;
}
```

注意，静态工厂方法与设计模式[Gamma95, p.107]中的工厂方法模式不同。本条目中所指的静态工厂方法并不直接对应于设计模式中的工厂方法。

类可以通过静态工厂方法来提供它的客户端，而不是通过构造器。提供静态工厂方法而不是公有的构造器，这样做具有几大优势。

**静态工厂方法与构造器不同的第一大优势在于，它们有名称。**如果构造器的参数本身没有确切地描述正被返回的对象，那么具有适当名称的静态工厂会更容易使用，产生的客户端代码也更易于阅读。例如，构造器BigInteger（int, int, Random）返回的BigInteger可能为素数，如果用名为BigInteger.probablePrime的静态工厂方法来表示，显然更为清楚。（1.4的发行版本中最终增加了这个方法。）

一个类只能有一个带有指定签名的构造器。编程人员通常知道如何避开这一限制：通过提供两个构造器，它们的参数列表只在参数类型的顺序上有所不同。实际上这并不是个好主意。面对这样的API，用户永远也记不住该用哪个构造器，结果常常会调用错误的构造器。并且，读到使用了这些构造器的代码时，如果没有参考类的文档，往往不知所云。

由于静态工厂方法有名称，所以它们不受上述的限制。当一个类需要多个带有相同签名的构造器时，就用静态工厂方法代替构造器，并且慎重地选择名称以便突出它们之间的区别。

**静态工厂方法与构造器不同的第二大优势在于，不必在每次调用它们的时候都创建一个新对象**。这使得不可变类（见第15条）可以使用预先构建好的实例，或者将构建好的实例缓存起来，进行重复利用，从而避免创建不必要的重复对象。Boolean.valueOf(boolean)方法说明了这项技术：它从来不创建对象。这种方法类似于Flyweight模式[Gamma95，p.195]。如果程序经常请求创建相同的对象，并且创建对象的代价很高，则这项技术可以极大地提升性能。

静态工厂方法能够为重复的调用返回相同对象，这样有助于类总能严格控制在某个时刻哪些实例应该存在。这种类被称作实例受控的类（instance-controlled）。编写实例受控的类有几个原因。实例受控使得类可以确保它是一个Singleton（见第3条）或者是不可实例化的（见第4条）。它还使得不可变的类（见第15条）可以确保不会存在两个相等的实例，即当且仅当a==b的时候才有a.equals(b)为ture。如果类保证了这一点，它的客户端就可以使用==操作符来代替equals（Object）方法，这样可以提升性能。枚举（enum）类型（见第30条）保证了这一点。

**静态工厂方法与构造器不同的第三大优势在于，它们可以返回原返回类型的任何子类型的对象**。这样我们在选择返回对象的类时就有了更大的灵活性。

这种灵活性的一种应用是，API可以返回对象，同时又不会使对象的类变成公有的。以这种方式隐藏实现类会使API变得非常简洁。这项技术适用于基于接口的框架（interface-based framework，见第18条），因为在这种框架中，接口为静态工厂方法提供了自然返回类型。接口不能有静态方法，因此按照惯例，接口Type的静态工厂方法被放在一个名为Types的不可实例化的类（见第4条）中。

例如，Java Collections Framework的集合接口有32个便利实现，分别提供了不可修改的集合、同步集合等等。几乎所有这些实现都通过静态工厂方法在一个不可实例化的类（java.util.Collections）中导出。所有返回对象的类都是非公有的。

现在的Collections Framework API比导出32个独立公有类的那种实现方式要小得多，每种便利实现都对应一个类。这不仅仅是指API数量上的减少，也是概念意义上的减少。用户知道，被返回的对象是由相关的接口精确指定的，所以他们不需要阅读有关的类文档。使用这种静态工厂方法时，甚至要求客户端通过接口来引用被返回的对象，而不是通过它的实现类来引用被返回的对象，这是一种良好的习惯（见第52条）。

公有的静态工厂方法所返回的对象的类不仅可以是非公有的，而且该类还可以随着每次调用而发生变化，这取决于静态工厂方法的参数值。只要是已声明的返回类型的子类型，都是允许的。为了提升软件的可维护性和性能，返回对象的类也可能随着发行版本的不同而不同。

发行版本1.5中引入的类java.util.EnumSet（见第32条）没有公有构造器，只有静态工厂方法。它们返回两种实现类之一，具体则取决于底层枚举类型的大小：如果它的元素有64个或者更少，就像大多数枚举类型一样，静态工厂方法就会返回一个RegalarEumSet实例，用单个long进行支持；如果枚举类型有65个或者更多元素，工厂就返回JumboEnumSet实例，用long数组进行支持。

这两个实现类的存在对于客户端来说是不可见的。如果RegularEnumSet不能再给小的枚举类型提供性能优势，就可能从未来的发行版本中将它删除，不会造成不良的影响。同样地，如果事实证明对性能有好处，也可能在未来的发行版本中添加第三甚至第四个EnumSet实现。客户端永远不知道也不关心他们从工厂方法中得到的对象的类；他们只关心它是EnumSet的某个子类即可。

静态工厂方法返回的对象所属的类，在编写包含该静态工厂方法的类时可以不必存在。这种灵活的静态工厂方法构成了服务提供者框架（Service Provider Framework）的基础，例如JDBC（Java数据库连接，Java Database Connectivity）API。服务提供者框架是指这样一个系统：多个服务提供者实现一个服务，系统为服务提供者的客户端提供多个实现，并把他们从多个实现中解耦出来。

服务提供者框架中有三个重要的组件：服务接口（Service Interface），这是提供者实现的；提供者注册API（Provider Registration API），这是系统用来注册实现，让客户端访问它们的；服务访问API（Service Access API），是客户端用来获取服务的实例的。服务访问API一般允许但是不要求客户端指定某种选择提供者的条件。如果没有这样的规定，API就会返回默认实现的一个实例。服务访问API是"灵活的静态工厂"，它构成了服务提供者框架的基础。

服务提供者框架的第四个组件是可选的：服务提供者接口（Service Provider Interface），这些提供者负责创建其服务实现的实例。如果没有服务提供者接口，实现就按照类名称注册，并通过反射方式进行实例化（见第53条）。对于JDBC来说，Connection就是它的服务接口，DriverManager.registerDriver是提供者注册API，DriverManager.get Connection是服务访问API，Driver就是服务提供者接口。

服务提供者框架模式有着无数种变体。例如，服务访问API可以利用适配器（Adapter）模式[Gamma95，p.139]，返回比提供者需要的更丰富的服务接口。下面是一个简单的实现，包含一个服务提供者接口和一个默认提供者：

```
// Service provider framework sketch

// Service interface
public interface Service {
    ... // Service-specific methods go here
}

// Service provider interface
public interface Provider {
    Service newService();
}

// Noninstantiable class for service registration and access
public class Services {
    private Services() { }  // Prevents instantiation (Item 4)

    // Maps service names to services
    private static final Map<String, Provider> providers =
        new ConcurrentHashMap<String, Provider>();
    public static final String DEFAULT_PROVIDER_NAME = "<def>";
    // Provider registration API
    public static void registerDefaultProvider(Provider p) {
        registerProvider(DEFAULT_PROVIDER_NAME, p);
    }
    public static void registerProvider(String name, Provider p){
        providers.put(name, p);
    }

    // Service access API
    public static Service newInstance() {
        return newInstance(DEFAULT_PROVIDER_NAME);
    }
    public static Service newInstance(String name) {
        Provider p = providers.get(name);
        if (p == null)
            throw new IllegalArgumentException(
                "No provider registered with name: " + name);
        return p.newService();
    }
}
```

　　静态工厂方法的第四大优势在于，在创建参数化类型实例的时候，它们使代码变得更加简洁。遗憾的是，在调用参数化类的构造器时，即使类型参数很明显，也必须指明。这通常要求你接连两次提供类型参数：

```
Map<String, List<String>> m =
    new HashMap<String, List<String>>();
```

　　随着类型参数变得越来越长，越来越复杂，这一冗长的说明也很快变得痛苦起来。但是有了静态工厂方法，编译器就可以替你找到类型参数。这被称作类型推导（type inference）。例如，假设HashMap提供了这个静态工厂：

```
public static <K, V> HashMap<K, V> newInstance() {
    return new HashMap<K, V>();
}
```

　　你就可以用下面这句简洁的代码代替上面这段繁琐的声明：

```
Map<String, List<String>> m = HashMap.newInstance();
```

总有一天，Java将能够在构造器调用以及方法调用中执行这种类型推导，但到发行版本1.6为止暂时还无法这么做。

遗憾的是，到发行版本1.6为止，标准的集合实现如HashMap并没有工厂方法，但是可以把这些方法放在你自己的工具类中。更重要的是，可以把这样的静态工厂放在你自己的参数化的类中。

**静态工厂方法的主要缺点在于**，类如果不含公有的或者受保护的构造器，就不能被子类化。对于公有的静态工厂所返回的非公有类，也同样如此。例如，要想将Collections Framework中的任何方便的实现类子类化，这是不可能的。但是这样也许会因祸得福，因为它鼓励程序员使用复合（composition），而不是继承（见第16条）。

**静态工厂方法的第二个缺点在于**，它们与其他的静态方法实际上没有任何区别。在API文档中，它们没有像构造器那样在API文档中明确标识出来，因此，对于提供了静态工厂方法而不是构造器的类来说，要想查明如何实例化一个类，这是非常困难的。Javadoc工具总有一天会注意到静态工厂方法。同时，你通过在类或者接口注释中关注静态工厂，并遵守标准的命名习惯，也可以弥补这一劣势。下面是静态工厂方法的一些惯用名称：

- valueOf——不太严格地讲，该方法返回的实例与它的参数具有相同的值。这样的静态工厂方法实际上是类型转换方法。

- of——valueOf的一种更为简洁的替代，在EnumSet（见第32条）中使用并流行起来。

- getInstance——返回的实例是通过方法的参数来描述的，但是不能够说与参数具有同样的值。对于Singleton来说，该方法没有参数，并返回唯一的实例。

- newInstance——像getInstance一样，但newInstance能够确保返回的每个实例都与所有其他实例不同。

- get*Type*——像getInstance一样，但是在工厂方法处于不同的类中的时候使用。*Type*表示工厂方法所返回的对象类型。

- new*Type*——像newInstance一样，但是在工厂方法处于不同的类中的时候使用。*Type*表示工厂方法所返回的对象类型。

简而言之，静态工厂方法和公有构造器都各有用处，我们需要理解它们各自的长处。静态工厂通常更加合适，因此切忌第一反应就是提供公有的构造器，而不先考虑静态工厂。

## 第 2 条：遇到多个构造器参数时要考虑用构建器

　　静态工厂和构造器有个共同的局限性：它们都不能很好地扩展到大量的可选参数。考虑用一个类表示包装食品外面显示的营养成份标签。这些标签中有几个域是必需的：每份的含量、每罐的含量以及每份的卡路里，还有超过20个可选域：总脂肪量、饱和脂肪量、转化脂肪、胆固醇、钠等等。大多数产品在某几个可选域中都会有非零的值。

　　对于这样的类，应该用哪种构造器或者静态方法来编写呢？程序员一向习惯采用重叠构造器（telescoping constructor）模式，在这种模式下，你提供第一个只有必要参数的构造器，第二个构造器有一个可选参数，第三个有两个可选参数，依此类推，最后一个构造器包含所有可选参数。下面有个示例，为了简单起见，它只显示四个可选域：

```java
// Telescoping constructor pattern - does not scale well!
public class NutritionFacts {
    private final int servingSize;   // (mL)              required
    private final int servings;      // (per container)   required
    private final int calories;      //                   optional
    private final int fat;           // (g)               optional
    private final int sodium;        // (mg)              optional
    private final int carbohydrate;  // (g)               optional

    public NutritionFacts(int servingSize, int servings) {
        this(servingSize, servings, 0);
    }

    public NutritionFacts(int servingSize, int servings,
            int calories) {
        this(servingSize, servings, calories, 0);
    }

    public NutritionFacts(int servingSize, int servings,
            int calories, int fat) {
        this(servingSize, servings, calories, fat, 0);
    }

    public NutritionFacts(int servingSize, int servings,
            int calories, int fat, int sodium) {
        this(servingSize, servings, calories, fat, sodium, 0);
    }
    public NutritionFacts(int servingSize, int servings,
            int calories, int fat, int sodium, int carbohydrate) {
        this.servingSize  = servingSize;
        this.servings     = servings;
        this.calories     = calories;
        this.fat          = fat;
        this.sodium       = sodium;
        this.carbohydrate = carbohydrate;
    }
}
```

　　当你想要创建实例的时候，就利用参数列表最短的构造器，但该列表中包含了要设置的所有参数：

```
NutritionFacts cocaCola =
    new NutritionFacts(240, 8, 100, 0, 35, 27);
```

这个构造器调用通常需要许多你本不想设置的参数，但还是不得不为它们传递值。在这个例子中，我们给fat传递了一个值为0。如果"仅仅"是这6个参数，看起来还不算太糟，问题是随着参数数目的增加，它很快就失去了控制。

一句话：重叠构造器模式可行，但是当有许多参数的时候，客户端代码会很难编写，并且仍然较难以阅读。如果读者想知道那些值是什么意思，必须很仔细地数着这些参数来探个究竟。一长串类型相同的参数会导致一些微妙的错误。如果客户端不小心颠倒了其中两个参数的顺序，编译器也不会出错，但是程序在运行时会出现错误的行为。

遇到许多构造器参数的时候，还有第二种代替办法，即JavaBeans模式，在这种模式下，调用一个无参构造器来创建对象，然后调用setter方法来设置每个必要的参数，以及每个相关的可选参数：

```java
// JavaBeans Pattern - allows inconsistency, mandates mutability
public class NutritionFacts {
    // Parameters initialized to default values (if any)
    private int servingSize  = -1;  // Required; no default value
    private int servings      = -1;  //      "      "      "      "
    private int calories      = 0;
    private int fat           = 0;
    private int sodium        = 0;
    private int carbohydrate  = 0;

    public NutritionFacts() { }
    // Setters
    public void setServingSize(int val)  { servingSize = val; }
    public void setServings(int val)     { servings = val; }
    public void setCalories(int val)     { calories = val; }
    public void setFat(int val)          { fat = val; }
    public void setSodium(int val)       { sodium = val; }
    public void setCarbohydrate(int val) { carbohydrate = val; }
}
```

这种模式弥补了重叠构造器模式的不足。说得明白一点，就是创建实例很容易，这样产生的代码读起来也很容易：

```java
NutritionFacts cocaCola = new NutritionFacts();
cocaCola.setServingSize(240);
cocaCola.setServings(8);
cocaCola.setCalories(100);
cocaCola.setSodium(35);
cocaCola.setCarbohydrate(27);
```

遗憾的是，JavaBeans模式自身有着很严重的缺点。因为构造过程被分到了几个调用中，在构造过程中JavaBean可能处于不一致的状态。类无法仅仅通过检验构造器参数的有效性来保证一致性。试图使用处于不一致状态的对象，将会导致失败，这种失败与包含错误的代码大相径庭，因此它调试起来十分困难。与此相关的另一点不足在于，JavaBeans模式阻止了把类做成不可变的可能（见第15条），这就需要程序员付出额外的努力来确保它的线程安全。

当对象的构造完成，并且不允许在解冻之前使用时，通过手工"冻结"对象，可以弥补这些不足，但是这种方式十分笨拙，在实践中很少使用。此外，它甚至会在运行时导致错误，因为编译器无法确保程序员会在使用之前先在对象上调用freeze方法。

幸运的是，还有第三种替代方法，既能保证像重叠构造器模式那样的安全性，也能保证像JavaBeans模式那么好的的可读性。这就是Builder模式[Gamma95，p.97]的一种形式。不直接生成想要的对象，而是让客户端利用所有必要的参数调用构造器（或者静态工厂），得到一个builder对象。然后客户端在builder对象上调用类似于setter的方法，来设置每个相关的可选参数。最后，客户端调用无参的build方法来生成不可变的对象。这个builder是它构建的类的静态成员类（见第22条）。下面就是它的示例：

```java
// Builder Pattern
public class NutritionFacts {
    private final int servingSize;
    private final int servings;
    private final int calories;
    private final int fat;
    private final int sodium;
    private final int carbohydrate;

    public static class Builder {
        // Required parameters
        private final int servingSize;
        private final int servings;

        // Optional parameters - initialized to default values
        private int calories      = 0;
        private int fat           = 0;
        private int carbohydrate  = 0;
        private int sodium        = 0;

        public Builder(int servingSize, int servings) {
            this.servingSize = servingSize;
            this.servings    = servings;
        }

        public Builder calories(int val)
            { calories = val;      return this; }
        public Builder fat(int val)
            { fat = val;           return this; }
        public Builder carbohydrate(int val)
            { carbohydrate = val;  return this; }
        public Builder sodium(int val)
            { sodium = val;        return this; }

        public NutritionFacts build() {
            return new NutritionFacts(this);
        }
    }

    private NutritionFacts(Builder builder) {
        servingSize = builder.servingSize;
        servings    = builder.servings;
        calories    = builder.calories;
```

```
        fat         = builder.fat;
        sodium      = builder.sodium;
        carbohydrate = builder.carbohydrate;
    }
}
```

注意NutritionFacts是不可变的，所有的默认参数值都单独放在一个地方。builder的setter方法返回builder本身，以便可以把调用链接起来。下面就是客户端代码：

```
NutritionFacts cocaCola = new NutritionFacts.Builder(240, 8).
  calories(100).sodium(35).carbohydrate(27).build();
```

这样的客户端代码很容易编写，更为重要的是，易于阅读。**builder**模式模拟了具名的可选参数，就像Ada和Python中的一样。

builder像个构造器一样，可以对其参数强加约束条件。build方法可以检验这些约束条件。将参数从builder拷贝到对象中之后，并在对象域而不是builder域（见第39条）中对它们进行检验，这一点很重要。如果违反了任何约束条件，build方法就应该抛出IllegalStateException（见第60条）。异常的详细信息应该显示出违反了哪个约束条件（见第63条）。

对多个参数强加约束条件的另一种方法是，用多个setter方法对某个约束条件必须持有的所有参数进行检查。如果该约束条件没有得到满足，setter方法就会抛出IllegalArgumentException。这有个好处，就是一旦传递了无效的参数，立即就会发现约束条件失败，而不是等着调用build方法。

与构造器相比，builder的微略优势在于，builder可以有多个可变（varargs）参数。构造器就像方法一样，只能有一个可变参数。因为builder利用单独的方法来设置每个参数，你想要多少个可变参数，它们就可以有多少个，直到每个setter方法都有一个可变参数。

Builder模式十分灵活，可以利用单个builder构建多个对象。builder的参数可以在创建对象期间进行调整，也可以随着不同的对象而改变。builder可以自动填充某些域，例如每次创建对象时自动增加序列号。

设置了参数的builder生成了一个很好的抽象工厂（Abstract Factory）[Gamma95，p.87]。换句话说，客户端可以将这样一个builder传给方法，使该方法能够为客户端创建一个或者多个对象。要使用这种用法，需要有个类型来表示builder。如果使用的是发行版本1.5或者更新的版本，只要一个泛型（见第26条）就能满足所有的builder，无论它们在构建哪种类型的对象：

```
// A builder for objects of type T
public interface Builder<T> {
    public T build();
}
```

注意，可以声明NutritionFacts.Builder类来实现Builder<NutritionFacts>。

　　带有Builder实例的方法通常利用有限制的通配符类型（bounded wildcard type，见第28条）来约束构建器的类型参数。例如，下面就是构建每个节点的方法，它利用一个客户端提供的Builder实例来构建树：

```
Tree buildTree(Builder<? extends Node> nodeBuilder) { ... }
```

　　Java中传统的抽象工厂实现是Class对象，用newInstance方法充当build方法的一部分。这种用法隐含着许多问题。newInstance方法总是企图调用类的无参构造器，这个构造器甚至可能根本不存在。如果类没有可以访问的无参构造器，你也不会收到编译时错误。相反，客户端代码必须在运行时处理InstantiationException或者IllegalAccessException，这样既不雅观也不方便。newInstance方法还会传播由无参构造器抛出的任何异常，即使newInstance缺乏相应的throws子句。换句话说，**Class.newInstance**破坏了编译时的异常检查。上面讲过的Builder接口弥补了这些不足。

　　Builder模式的确也有它自身的不足。为了创建对象，必须先创建它的构建器。虽然创建构建器的开销在实践中可能不那么明显，但是在某些十分注重性能的情况下，可能就成问题了。Builder模式还比重叠构造器模式更加冗长，因此它只在有很多参数的时候才使用，比如4个或者更多个参数。但是记住，将来你可能需要添加参数。如果一开始就使用构造器或者静态工厂，等到类需要多个参数时才添加构建器，就会无法控制，那些过时的构造器或者静态工厂显得十分不协调。因此，通常最好一开始就使用构建器。

　　简而言之，如果类的构造器或者静态工厂中具有多个参数，设计这种类时，**Builder**模式就是种不错的选择，特别是当大多数参数都是可选的时候。与使用传统的重叠构造器模式相比，使用Builder模式的客户端代码将更易于阅读和编写，构建器也比JavaBeans更加安全。

## 第 3 条：用私有构造器或者枚举类型强化 Singleton 属性

Singleton指仅仅被实例化一次的类[Gamma95, p. 127]。Singleton通常被用来代表那些本质上唯一的系统组件，比如窗口管理器或者文件系统。使类成为**Singleton**会使它的客户端测试变得十分困难，因为无法给Singleton替换模拟实现，除非它实现一个充当其类型的接口。

在Java 1.5发行版本之前，实现Singleton有两种方法。这两种方法都要把构造器保持为私有的，并导出公有的静态成员，以便允许客户端能够访问该类的唯一实例。在第一种方法中，公有静态成员是个final域：

```
// Singleton with public final field
public class Elvis {
    public static final Elvis INSTANCE = new Elvis();
    private Elvis() { ... }

    public void leaveTheBuilding() { ... }
}
```

私有构造器仅被调用一次，用来实例化公有的静态final域Elvis.INSTANCE。由于缺少公有的或者受保护的构造器，所以保证了Elvis的全局唯一性：一旦Elvis类被实例化，只会存在一个Elvis实例，不多也不少。客户端的任何行为都不会改变这一点，但要提醒一点：享有特权的客户端可以借助AccessibleObject.setAccessible方法，通过反射机制（见第53条）调用私有构造器。如果需要抵御这种攻击，可以修改构造器，让它在被要求创建第二个实例的时候抛出异常。

在实现Singleton的第二种方法中，公有的成员是个静态工厂方法：

```
// Singleton with static factory
public class Elvis {
    private static final Elvis INSTANCE = new Elvis();
    private Elvis() { ... }
    public static Elvis getInstance() { return INSTANCE; }

    public void leaveTheBuilding() { ... }
}
```

对于静态方法Elvis.getInstance的所有调用，都会返回同一个对象引用，所以，永远不会创建其他的Elvis实例（上述提醒依然适用）。

公有域方法的主要好处在于，组成类的成员的声明很清楚地表明了这个类是一个Singleton：公有的静态域是final的，所以该域将总是包含相同的对象引用。公有域方法在性能上不再有任何优势：现代的JVM（Java虚拟机，Java Virtual Machine）实现几乎都能够将静态工厂方法的调用内联化。

工厂方法的优势之一在于，它提供了灵活性：在不改变其API的前提下，我们可以改变该类是否应该为Singleton的想法。工厂方法返回该类的唯一实例，但是，它可以很容易被修改，比如改成为每个调用该方法的线程返回一个唯一的实例。第二个优势与泛型（见第27条）有关。这些优势之间通常都不相关，public域（public-field）的方法比较简单。

为了使利用这其中一种方法实现的Singleton类变成是可序列化的（Serializable）（见第11章），仅仅在声明中加上"implements Serializable"是不够的。为了维护并保证Singleton，必须声明所有实例域都是瞬时（transient）的，并提供一个readResolve方法（见第77条）。否则，每次反序列化一个序列化的实例时，都会创建一个新的实例，比如说，在我们的例子中，会导致"假冒的Elvis"。为了防止这种情况，要在Elvis类中加入下面这个readResolve方法：

```java
// readResolve method to preserve singleton property
private Object readResolve() {
    // Return the one true Elvis and let the garbage collector
    // take care of the Elvis impersonator.
    return INSTANCE;
}
```

从Java 1.5发行版本起，实现Singleton还有第三种方法。只需编写一个包含单个元素的枚举类型：

```java
// Enum singleton - the preferred approach
public enum Elvis {
    INSTANCE;

    public void leaveTheBuilding() { ... }
}
```

这种方法在功能上与公有域方法相近，但是它更加简洁，无偿地提供了序列化机制，绝对防止多次实例化，即使是在面对复杂的序列化或者反射攻击的时候。虽然这种方法还没有广泛采用，但是单元素的枚举类型已经成为实现**Singleton**的最佳方法。

## 第 4 条：通过私有构造器强化不可实例化的能力

有时候，你可能需要编写只包含静态方法和静态域的类。这些类的名声很不好，因为有些人在面向对象的语言中滥用这样的类来编写过程化的程序。尽管如此，它们也确实有它们特有的用处。我们可以利用这种类，以java.lang.Math或者java.util.Arrays的方式，把基本类型的值或者数组类型上的相关方法组织起来。我们也可以通过java.util.Collections的方式，把实现特定接口的对象上的静态方法（包括工厂方法，见第1条）组织起来。最后，还可以利用这种类把final类上的方法组织起来，以取代扩展该类的做法。

这样的工具类（utility class）不希望被实例化，实例对它没有任何意义。然而，在缺少显式构造器的情况下，编译器会自动提供一个公有的、无参的缺省构造器（default constructor）。对于用户而言，这个构造器与其他的构造器没有任何区别。在已发行的API中常常可以看到一些被无意识地实例化的类。

企图通过将类做成抽象类来强制该类不可被实例化，这是行不通的。该类可以被子类化，并且该子类也可以被实例化。这样做甚至会误导用户，以为这种类是专门为了继承而设计的（见第17条）。然而，有一些简单的习惯用法可以确保类不可被实例化。由于只有当类不包含显式的构造器时，编译器才会生成缺省的构造器，因此我们只要让这个类包含私有构造器，它就不能被实例化了：

```
// Noninstantiable utility class
public class UtilityClass {
    // Suppress default constructor for noninstantiability
    private UtilityClass() {
        throw new AssertionError();
    }
    ... // Remainder omitted
}
```

由于显式的构造器是私有的，所以不可以在该类的外部访问它。AssertionError不是必需的，但是它可以避免不小心在类的内部调用构造器。它保证该类在任何情况下都不会被实例化。这种习惯用法有点违背直觉，好像构造器就是专门设计成不能被调用一样。因此，明智的做法就是在代码中增加一条注释，如上所示。

这种习惯用法也有副作用，它使得一个类不能被子类化。所有的构造器都必须显式或隐式地调用超类（superclass）构造器，在这种情形下，子类就没有可访问的超类构造器可调用了。

## 第5条：避免创建不必要的对象

一般来说，最好能重用对象而不是在每次需要的时候就创建一个相同功能的新对象。重用方式既快速，又流行。如果对象是不可变的（immutable）（见第15条），它就始终可以被重用。

作为一个极端的反面例子，考虑下面的语句：

```
String s = new String("stringette");  // DON'T DO THIS!
```

该语句每次被执行的时候都创建一个新的String实例，但是这些创建对象的动作全都是不必要的。传递给String构造器的参数（"stringette"）本身就是一个String实例，功能方面等同于构造器创建的所有对象。如果这种用法是在一个循环中，或者是在一个被频繁调用的方法中，就会创建出成千上万不必要的String实例。

改进后的版本如下所示：

```
String s = "stringette";
```

这个版本只用了一个String实例，而不是每次执行的时候都创建一个新的实例。而且，它可以保证，对于所有在同一台虚拟机中运行的代码，只要它们包含相同的字符串字面常量，该对象就会被重用[JLS, 3.10.5]。

对于同时提供了静态工厂方法（见第1条）和构造器的不可变类，通常可以使用静态工厂方法而不是构造器，以避免创建不必要的对象。例如，静态工厂方法Boolean.valueOf (String) 几乎总是优先于构造器Boolean(String)。构造器在每次被调用的时候都会创建一个新的对象，而静态工厂方法则从来不要求这样做，实际上也不会这样做。

除了重用不可变的对象之外，也可以重用那些已知不会被修改的可变对象。下面是一个比较微妙、也比较常见的反面例子，其中涉及可变的Date对象，它们的值一旦计算出来之后就不再变化。这个类建立了一个模型：其中有一个人，并有一个isBabyBoomer方法，用来检验这个人是否为一个"baby boomer（生育高峰期出生的小孩）"，换句话说，就是检验这个人是否出生于1946年至1964年期间。

```
public class Person {
    private final Date birthDate;

    // Other fields, methods, and constructor omitted
    // DON'T DO THIS!
    public boolean isBabyBoomer() {
        // Unnecessary allocation of expensive object
        Calendar gmtCal =
            Calendar.getInstance(TimeZone.getTimeZone("GMT"));
```

```
        gmtCal.set(1946, Calendar.JANUARY, 1, 0, 0, 0);
        Date boomStart = gmtCal.getTime();
        gmtCal.set(1965, Calendar.JANUARY, 1, 0, 0, 0);
        Date boomEnd = gmtCal.getTime();
        return birthDate.compareTo(boomStart) >= 0 &&
                birthDate.compareTo(boomEnd)   < 0;
    }
}
```

isBabyBoomer每次被调用的时候，都会新建一个Calendar、一个TimeZone和两个Date实例，这是不必要的。下面的版本用一个静态的初始化器（initializer），避免了这种效率低下的情况：

```
class Person {
    private final Date birthDate;
    // Other fields, methods, and constructor omitted

    /**
     * The starting and ending dates of the baby boom.
     */
    private static final Date BOOM_START;
    private static final Date BOOM_END;

    static {
        Calendar gmtCal =
            Calendar.getInstance(TimeZone.getTimeZone("GMT"));
        gmtCal.set(1946, Calendar.JANUARY, 1, 0, 0, 0);
        BOOM_START = gmtCal.getTime();
        gmtCal.set(1965, Calendar.JANUARY, 1, 0, 0, 0);
        BOOM_END = gmtCal.getTime();
    }

    public boolean isBabyBoomer() {
        return birthDate.compareTo(BOOM_START) >= 0 &&
                birthDate.compareTo(BOOM_END)   < 0;
    }
}
```

改进后的Person类只在初始化的时候创建Calendar、TimeZone和Date实例一次，而不是在每次调用isBabyBoomer的时候都创建这些实例。如果isBabyBoomer方法被频繁地调用，这种方法将会显著地提高性能。在我的机器上，每调用一千万次，原来的版本需要32 000ms，而改进后的版本只需130ms，大约快了250倍。除了提高性能之外，代码的含义也更加清晰了。把boomStart和boomEnd从局部变量改为final静态域，这些日期显然是被作为常量对待，从而使得代码更易于理解。但是，这种优化带来的效果并不总是那么明显，因为Calendar实例的创建代价特别昂贵。

如果改进后的Person类被初始化了，它的isBabyBoomer方法却永远不会被调用，那就没有必要初始化BOOM_START和BOOM_END域。通过延迟初始化（lazily initializing）（见第71条），即把对这些域的初始化延迟到isBabyBoomer方法第一次被调用的时候进行，则有可能消除这些不必要的初始化工作，但是不建议这样做。正如延迟初始化中常见的情况一样，这样做会使方法的实现更加复杂，从而无法将性能显著提高到超过已经达到的水平（见第55条）。

在本条目前面的例子中，所讨论到的对象显然都是能够被重用的，因为它们被初始化之后不会再改变。其他有些情形则并不总是这么明显了。考虑适配器（**adapter**）的情形[Gamma95, p. 139]，有时也叫做视图（**view**）。适配器是指这样一个对象：它把功能委托给一个后备对象（backing object），从而为后备对象提供一个可以替代的接口。由于适配器除了后备对象之外，没有其他的状态信息，所以针对某个给定对象的特定适配器而言，它不需要创建多个适配器实例。

例如，Map接口的keySet方法返回该Map对象的Set视图，其中包含该Map中所有的键（key）。粗看起来，好像每次调用keySet都应该创建一个新的Set实例，但是，对于一个给定的Map对象，实际上每次调用keySet都返回同样的Set实例。虽然被返回的Set实例一般是可改变的，但是所有返回的对象在功能上是等同的：当其中一个返回对象发生变化的时候，所有其他的返回对象也要发生变化，因为它们是由同一个Map实例支撑的。虽然创建keySet视图对象的多个实例并无害处，却也是没有必要的。

在Java 1.5发行版本中，有一种创建多余对象的新方法，称作自动装箱（**autoboxing**），它允许程序员将基本类型和装箱基本类型（Boxed Primitive Type）混用，按需要自动装箱和拆箱。自动装箱使得基本类型和装箱基本类型之间的差别变得模糊起来，但是并没有完全消除。它们在语义上还有着微妙的差别，在性能上也有着比较明显的差别（见第49条）。考虑下面的程序，它计算所有int正值的总和。为此，程序必须使用long算法，因为int不够大，无法容纳所有int正值的总和：

```
// Hideously slow program! Can you spot the object creation?
public static void main(String[] args) {
    Long sum = 0L;
    for (long i = 0; i < Integer.MAX_VALUE; i++) {
        sum += i;
    }
    System.out.println(sum);
}
```

这段程序算出的答案是正确的，但是比实际情况要更慢一些，只因为打错了一个字符。变量sum被声明成Long而不是long，意味着程序构造了大约$2^{31}$个多余的Long实例（大约每次往Long sum中增加long时构造一个实例）。将sum的声明从Long改成long，在我的机器上使运行时间从43秒减少到了6.8秒。结论很明显：要优先使用基本类型而不是装箱基本类型，要当心无意识的自动装箱。

不要错误地认为本条目所介绍的内容暗示着"创建对象的代价非常昂贵，我们应该要尽可能地避免创建对象"。相反，由于小对象的构造器只做很少量的显式工作，所以，小对象的创建和回收动作是非常廉价的，特别是在现代的JVM实现上更是如此。通过创建附加的对象，提升程序的清晰性、简洁性和功能性，这通常是件好事。

反之，通过维护自己的对象池（**object pool**）来避免创建对象并不是一种好的做法，除非池中的对象是非常重量级的。真正正确使用对象池的典型对象示例就是数据库连接池。建立数据库连接的代价是非常昂贵的，因此重用这些对象非常有意义。而且，数据库的许可可能限制你只能使用一定数量的连接。但是，一般而言，维护自己的对象池必定会把代码弄得很乱，同时增加内存占用（footprint），并且还会损害性能。现代的JVM实现具有高度优化的垃圾回收器，其性能很容易就会超过轻量级对象池的性能。

与本条目对应的是第39条中有关"保护性拷贝（**defensive copying**）"的内容。本条目提及"当你应该重用现有对象的时候，请不要创建新的对象"，而第39条则说"当你应该创建新对象的时候，请不要重用现有的对象"。注意，在提倡使用保护性拷贝的时候，因重用对象而付出的代价要远远大于因创建重复对象而付出的代价。必要时如果没能实施保护性拷贝，将会导致潜在的错误和安全漏洞；而不必要地创建对象则只会影响程序的风格和性能。

## 第 6 条：消除过期的对象引用

当你从手工管理内存的语言（比如C或C++）转换到具有垃圾回收功能的语言的时候，程序员的工作会变得更加容易，因为当你用完了对象之后，它们会被自动回收。当你第一次经历对象回收功能的时候，会觉得这简直有点不可思议。这很容易给你留下这样的印象，认为自己不再需要考虑内存管理的事情了。其实不然。

考虑下面这个简单的栈实现的例子：

```java
// Can you spot the "memory leak"?
public class Stack {
    private Object[] elements;
    private int size = 0;
    private static final int DEFAULT_INITIAL_CAPACITY = 16;

    public Stack() {
        elements = new Object[DEFAULT_INITIAL_CAPACITY];
    }

    public void push(Object e) {
        ensureCapacity();
        elements[size++] = e;
    }

    public Object pop() {
        if (size == 0)
            throw new EmptyStackException();
        return elements[--size];
    }

    /**
     * Ensure space for at least one more element, roughly
     * doubling the capacity each time the array needs to grow.
     */
    private void ensureCapacity() {
        if (elements.length == size)
            elements = Arrays.copyOf(elements, 2 * size + 1);
    }
}
```

这段程序（它的泛型版本请见第26条）中并没有很明显的错误。无论如何测试，它都会成功地通过每一项测试，但是这个程序中隐藏着一个问题。不严格地讲，这段程序有一个"内存泄漏"，随着垃圾回收器活动的增加，或者由于内存占用的不断增加，程序性能的降低会逐渐表现出来。在极端的情况下，这种内存泄漏会导致磁盘交换（Disk Paging），甚至导致程序失败（OutOfMemoryError错误），但是这种失败情形相对比较少见。

那么，程序中哪里发生了内存泄漏呢？如果一个栈先是增长，然后再收缩，那么，从栈中弹出来的对象将不会被当作垃圾回收，即使使用栈的程序不再引用这些对象，它们也不会被回收。这是因为，栈内部维护着对这些对象的过期引用（obsolete reference）。所谓的过期引

22

用，是指永远也不会再被解除的引用。在本例中，凡是在elements数组的"活动部分（active portion）"之外的任何引用都是过期的。活动部分是指elements中下标小于size的那些元素。

在支持垃圾回收的语言中，内存泄漏是很隐蔽的（称这类内存泄漏为"无意识的对象保持（unintentional object retention）"更为恰当）。如果一个对象引用被无意识地保留起来了，那么，垃圾回收机制不仅不会处理这个对象，而且也不会处理被这个对象所引用的所有其他对象。即使只有少量的几个对象引用被无意识地保留下来，也会有许许多多的对象被排除在垃圾回收机制之外，从而对性能造成潜在的重大影响。

这类问题的修复方法很简单：一旦对象引用已经过期，只需清空这些引用即可。对于上述例子中的Stack类而言，只要一个单元被弹出栈，指向它的引用就过期了。pop方法的修订版本如下所示：

```java
public Object pop() {
    if (size == 0)
        throw new EmptyStackException();
    Object result = elements[--size];
    elements[size] = null; // Eliminate obsolete reference
    return result;
}
```

清空过期引用的另一个好处是，如果它们以后又被错误地解除引用，程序就会立即抛出NullPointerException异常，而不是悄悄地错误运行下去。尽快地检测出程序中的错误总是有益的。

当程序员第一次被类似这样的问题困扰的时候，他们往往会过分小心：对于每一个对象引用，一旦程序不再用到它，就把它清空。其实这样做既没必要，也不是我们所期望的，因为这样做会把程序代码弄得很乱。清空对象引用应该是一种例外，而不是一种规范行为。消除过期引用最好的方法是让包含该引用的变量结束其生命周期。如果你是在最紧凑的作用域范围内定义每一个变量（见第45条），这种情形就会自然而然地发生。

那么，何时应该清空引用呢？Stack类的哪方面特性使它易于遭受内存泄漏的影响呢？简而言之，问题在于，Stack类自己管理内存（manage its own memory）。存储池（storage pool）包含了elements数组（对象引用单元，而不是对象本身）的元素。数组活动区域（同前面的定义）中的元素是已分配的（allocated），而数组其余部分的元素则是自由的（free）。但是垃圾回收器并不知道这一点；对于垃圾回收器而言，elements数组中的所有对象引用都同等有效。只有程序员知道数组的非活动部分是不重要的。程序员可以把这个情况告知垃圾回收器，做法很简单：一旦数组元素变成了非活动部分的一部分，程序员就手工清空这些数组元素。

一般而言，只要类是自己管理内存，程序员就应该警惕内存泄漏问题。一旦元素被释放掉，则该元素中包含的任何对象引用都应该被清空。

内存泄漏的另一个常见来源是缓存。一旦你把对象引用放到缓存中，它就很容易被遗忘掉，从而使得它不再有用之后很长一段时间内仍然留在缓存中。对于这个问题，有几种可能的解决方案。如果你正好要实现这样的缓存：只要在缓存之外存在对某个项的键的引用，该项就有意义，那么就可以用WeakHashMap代表缓存；当缓存中的项过期之后，它们就会自动被删除。记住只有当所要的缓存项的生命周期是由该键的外部引用而不是由值决定时，WeakHashMap才有用处。

更为常见的情形则是，"缓存项的生命周期是否有意义"并不是很容易确定，随着时间的推移，其中的项会变得越来越没有价值。在这种情况下，缓存应该时不时地清除掉没用的项。这项清除工作可以由一个后台线程（可能是Timer或者ScheduledThreadPoolExecutor）来完成，或者也可以在给缓存添加新条目的时候顺便进行清理。LinkedHashMap类利用它的removeEldestEntry方法可以很容易地实现后一种方案。对于更加复杂的缓存，必须直接使用java.lang.ref。

内存泄漏的第三个常见来源是监听器和其他回调。如果你实现了一个API，客户端在这个API中注册回调，却没有显式地取消注册，那么除非你采取某些动作，否则它们就会积聚。确保回调立即被当作垃圾回收的最佳方法是只保存它们的弱引用（weak reference），例如，只将它们保存成WeakHashMap中的键。

由于内存泄漏通常不会表现成明显的失败，所以它们可以在一个系统中存在很多年。往往只有通过仔细检查代码，或者借助于Heap剖析工具（Heap Profiler）才能发现内存泄漏问题。因此，如果能够在内存泄漏发生之前就知道如何预测此类问题，并阻止它们发生，那是最好不过的了。

## 第 7 条：避免使用终结方法

终结方法（finalizer）通常是不可预测的，也是很危险的，一般情况下是不必要的。使用终结方法会导致行为不稳定、降低性能，以及可移植性问题。当然，终结方法也有其可用之处，我们将在本条目的最后再做介绍；但是根据经验，应该避免使用终结方法。

C++的程序员被告知"不要把终结方法当作是C++中析构器（destructors）的对应物"。在C++中，析构器是回收一个对象所占用资源的常规方法，是构造器所必需的对应物。在Java中，当一个对象变得不可到达的时候，垃圾回收器会回收与该对象相关联的存储空间，并不需要程序员做专门的工作。C++的析构器也可以被用来回收其他的非内存资源。而在Java中，一般用try-finally块来完成类似的工作。

终结方法的缺点在于不能保证会被及时地执行[JLS, 12.6]。从一个对象变得不可到达开始，到它的终结方法被执行，所花费的这段时间是任意长的。这意味着，注重时间（time-critical）的任务不应该由终结方法来完成。例如，用终结方法来关闭已经打开的文件，这是严重错误，因为打开文件的描述符是一种很有限的资源。由于JVM会延迟执行终结方法，所以大量的文件会保留在打开状态，当一个程序再不能打开文件的时候，它可能会运行失败。

及时地执行终结方法正是垃圾回收算法的一个主要功能，这种算法在不同的JVM实现中会大相径庭。如果程序依赖于终结方法被执行的时间点，那么这个程序的行为在不同的JVM中运行的表现可能就会截然不同。一个程序在你测试用的JVM平台上运行得非常好，而在你最重要顾客的JVM平台上却根本无法运行，这是完全有可能的。

延迟终结过程并不只是一个理论问题。在很少见的情况下，为类提供终结方法，可能会随意地延迟其实例的回收过程。一位同事最近在调试一个长期运行的GUI应用程序的时候，该应用程序莫名其妙地出现OutOfMemoryError错误而死掉。分析表明，该应用程序死掉的时候，其终结方法队列中有数千个图形对象正在等待被终结和回收。遗憾的是，终结方法线程的优先级比该应用程序的其他线程的要低得多，所以，图形对象的终结速度达不到它们进入队列的速度。Java语言规范并不保证哪个线程将会执行终结方法，所以，除了不使用终结方法之外，并没有很轻便的办法能够避免这样的问题。

Java语言规范不仅不保证终结方法会被及时地执行，而且根本就不保证它们会被执行。当一个程序终止的时候，某些已经无法访问的对象上的终结方法却根本没有被执行，这是完全有可能的。结论是：不应该依赖终结方法来更新重要的持久状态。例如，依赖终结方法来释放共享资源（比如数据库）上的永久锁，很容易让整个分布式系统垮掉。

不要被System.gc和System.runFinalization这两个方法所诱惑，它们确实增加了终结方法被执行的机会，但是它们并不保证终结方法一定会被执行。唯一声称保证终结方法被执行的方法是System.runFinalizersOnExit，以及它臭名昭著的孪生兄弟Runtime.runFinalizersOnExit。这两个方法都有致命的缺陷，已经被废弃了[ThreadStop]。

当你并不确定是否应该避免使用终结方法的时候，这里还有一种值得考虑的情形：如果未被捕获的异常在终结过程中被抛出来，那么这种异常可以被忽略，并且该对象的终结过程也会终止[JLS, 12.6]。未被捕获的异常会使对象处于破坏的状态（a corrupt state），如果另一个线程企图使用这种被破坏的对象，则可能发生任何不确定的行为。正常情况下，未被捕获的异常将会使线程终止，并打印出栈轨迹（Stack Trace），但是，如果异常发生在终结方法之中，则不会如此，甚至连警告都不会打印出来。

还有一点：使用终结方法有一个非常严重的（Severe）性能损失。在我的机器上，创建和销毁一个简单对象的时间大约为5.6ns。增加一个终结方法使时间增加到了2 400ns。换句话说，用终结方法创建和销毁对象慢了大约430倍。

那么，如果类的对象中封装的资源（例如文件或者线程）确实需要终止，应该怎么做才能不用编写终结方法呢？只需提供一个显式的终止方法，并要求该类的客户端在每个实例不再有用的时候调用这个方法。值得提及的一个细节是，该实例必须记录下自己是否已经被终止了：显式的终止方法必须在一个私有域中记录下"该对象已经不再有效"。如果这些方法是在对象已经终止之后被调用，其他的方法就必须检查这个域，并抛出IllegalStateException异常。

显式终止方法的典型例子是InputStream、OutputStream和java.sql.Connection上的close方法。另一个例子是java.util.Timer上的cancel方法，它执行必要的状态改变，使得与Timer实例相关联的该线程温和地终止自己。java.awt中的例子还包括Graphics.dispose和Window.dispose。这些方法通常由于性能不好而不被人们关注。一个相关的方法是Image.flush，它会释放所有与Image实例相关联的资源，但是该实例仍然处于可用的状态，如果有必要的话，会重新分配资源。

显式的终止方法通常与**try-finally**结构结合起来使用，以确保及时终止。在finally子句内部调用显式的终止方法，可以保证即使在使用对象的时候有异常抛出，该终止方法也会执行：

```
// try-finally block guarantees execution of termination method
Foo foo = new Foo(...);
try {
    // Do what must be done with foo
    ...
} finally {
    foo.terminate();  // Explicit termination method
}
```

那么终结方法有什么好处呢？它们有两种合法用途。第一种用途是，当对象的所有者忘记调用前面段落中建议的显式终止方法时，终结方法可以充当"安全网（safety net）"。虽然这样做并不能保证终结方法会被及时地调用，但是在客户端无法通过调用显式的终止方法来正常结束操作的情况下（希望这种情形尽可能地少发生），迟一点释放关键资源总比永远不释放要好。但是如果终结方法发现资源还未被终止，则应该在日志中记录一条警告，因为这表示客户端代码中的一个Bug，应该得到修复。如果你正考虑编写这样的安全网终结方法，就要认真考虑清楚，这种额外的保护是否值得你付出这份额外的代价。

显式终止方法模式的示例中所示的四个类（FileInputStream、FileOutputStream、Timer和Connection），都具有终结方法，当它们的终止方法未能被调用的情况下，这些终结方法充当了安全网。

终结方法的第二种合理用途与对象的本地对等体（**native peer**）有关。本地对等体是一个本地对象（native object），普通对象通过本地方法（native method）委托给一个本地对象。因为本地对等体不是一个普通对象，所以垃圾回收器不会知道它，当它的Java对等体被回收的时候，它不会被回收。在本地对等体并不拥有关键资源的前提下，终结方法正是执行这项任务最合适的工具。如果本地对等体拥有必须被及时终止的资源，那么该类就应该具有一个显式的终止方法，如前所述。终止方法应该完成所有必要的工作以便释放关键的资源。终止方法可以是本地方法，或者它也可以调用本地方法。

值得注意的很重要一点是，"终结方法链（finalizer chaining）"并不会被自动执行。如果类（不是Object）有终结方法，并且子类覆盖了终结方法，子类的终结方法就必须手工调用超类的终结方法。你应该在一个try块中终结子类，并在相应的finally块中调用超类的终结方法。这样做可以保证：即使子类的终结过程抛出异常，超类的终结方法也会得到执行。反之亦然。代码示例如下。注意这个示例使用了Override注解（@Override），这是Java 1.5发行版本将它增加到Java平台中的。你现在可以不管Override注解，或者到第36条查阅一下它们表示什么意思：

```
// Manual finalizer chaining
@Override protected void finalize() throws Throwable {
    try {
        ... // Finalize subclass state
    } finally {
        super.finalize();
    }
}
```

如果子类实现者覆盖了超类的终结方法，但是忘了手工调用超类的终结方法（或者有意选择不调用超类的终结方法），那么超类的终结方法将永远也不会被调用到。要防范这样粗心大意或者恶意的子类是有可能的，代价就是为每个将被终结的对象创建一个附加的对象。不是把终结方法放在要求终结处理的类中，而是把终结方法放在一个匿名的类（见第22条）中，该匿名类的唯一用途就是终结它的外围实例（enclosing instance）。该匿名类的单个实例被称为终结方法守卫者（**finalizer guardian**），外围类的每个实例都会创建这样一个守卫者。外围实例在它的私有实例域中保存着一个对其终结方法守卫者的唯一引用，因此终结方法守卫者与外围实例可以同时启动终结过程。当守卫者被终结的时候，它执行外围实例所期望的终结行为，就好像它的终结方法是外围对象上的一个方法一样：

```
// Finalizer Guardian idiom
public class Foo {
    // Sole purpose of this object is to finalize outer Foo object
    private final Object finalizerGuardian = new Object() {
        @Override protected void finalize() throws Throwable {
            ... // Finalize outer Foo object
        }
    };
    ...   // Remainder omitted
}
```

注意，公有类Foo并没有终结方法（除了它从Object中继承了一个无关紧要的之外），所以子类的终结方法是否调用super.finalize并不重要。对于每一个带有终结方法的非final公有类，都应该考虑使用这种方法。

总之，除非是作为安全网，或者是为了终止非关键的本地资源，否则请不要使用终结方法。在这些很少见的情况下，既然使用了终结方法，就要记住调用super.finalize。如果用终结方法作为安全网，要记得记录终结方法的非法用法。最后，如果需要把终结方法与公有的非final类关联起来，请考虑使用终结方法守卫者，以确保即使子类的终结方法未能调用super.finalize，该终结方法也会被执行。

# 第3章

# 对于所有对象都通用的方法

尽管Object是一个具体类，但是设计它主要是为了扩展。它所有的非final方法（equals、hashCode、toString、clone和finalize）都有明确的通用约定（**general contract**），因为它们被设计成是要被覆盖（override）的。任何一个类，它在覆盖这些方法的时候，都有责任遵守这些通用约定；如果不能做到这一点，其他依赖于这些约定的类（例如HashMap和HashSet）就无法结合该类一起正常运作。

本章将讲述何时以及如何覆盖这些非final的Object方法。本章不再讨论finalize方法，因为第7条已经讨论过这个方法了。而Comparable.compareTo虽然不是Object方法，但是本章也对它进行讨论，因为它具有类似的特征。

## 第 8 条：覆盖 equals 时请遵守通用约定

覆盖equals方法看起来似乎很简单，但是有许多覆盖方式会导致错误，并且后果非常严重。最容易避免这类问题的办法就是不覆盖equals方法，在这种情况下，类的每个实例都只与它自身相等。如果满足了以下任何一个条件，这就正是所期望的结果：

- 类的每个实例本质上都是唯一的。对于代表活动实体而不是值（value）的类来说确实如此，例如Thread。Object提供的equals实现对于这些类来说正是正确的行为。

- 不关心类是否提供了"逻辑相等（logical equality）"的测试功能。例如，java.util.Random覆盖了equals，以检查两个Random实例是否产生相同的随机数序列，但是设计者并不认为客户需要或者期望这样的功能。在这样的情况下，从Object继承得到的equals实现已经足够了。

- 超类已经覆盖了equals，从超类继承过来的行为对于子类也是合适的。例如，大多数的Set实现都从AbstractSet继承equals实现，List实现从AbstractList继承equals实现，Map

实现从AbstractMap继承equals实现。

- 类是私有的或是包级私有的，可以确定它的equals方法永远不会被调用。在这种情况下，无疑是应该覆盖equals方法的，以防它被意外调用：

```
@Override public boolean equals(Object o) {
    throw new AssertionError(); // Method is never called
}
```

那么，什么时候应该覆盖Object.equals呢？如果类具有自己特有的"逻辑相等"概念（不同于对象等同的概念），而且超类还没有覆盖equals以实现期望的行为，这时我们就需要覆盖equals方法。这通常属于"值类（value class）"的情形。值类仅仅是一个表示值的类，例如Integer或者Date。程序员在利用equals方法来比较值对象的引用时，希望知道它们在逻辑上是否相等，而不是想了解它们是否指向同一个对象。为了满足程序员的要求，不仅必需覆盖equals方法，而且这样做也使得这个类的实例可以被用做映射表（map）的键（key），或者集合（set）的元素，使映射或者集合表现出预期的行为。

有一种"值类"不需要覆盖equals方法，即用实例受控（见第1条）确保"每个值至多只存在一个对象"的类。枚举类型（见第30条）就属于这种类。对于这样的类而言，逻辑相同与对象等同是一回事，因此Object的equals方法等同于逻辑意义上的equals方法。

在覆盖equals方法的时候，你必须要遵守它的通用约定。下面是约定的内容，来自Object的规范[JavaSE6]：

equals方法实现了等价关系（**equivalence relation**）：

- **自反性（reflexive）**。对于任何非null的引用值x，x.equals(x)必须返回true。

- **对称性（symmetric）**。对于任何非null的引用值x和y，当且仅当y.equals(x)返回true时，x.equals(y)必须返回true。

- **传递性（transitive）**。对于任何非null的引用值x、y和z，如果x.equals(y)返回true，并且y.equals(z)也返回true，那么x.equals(z)也必须返回true。

- **一致性（consistent）**。对于任何非null的引用值x和y，只要equals的比较操作在对象中所用的信息没有被修改，多次调用x.equals(y)就会一致地返回true，或者一致地返回false。

- 对于任何非null的引用值x，x.equals(null)必须返回false。

除非你对数学特别感兴趣，否则这些规定看起来可能有点让人感到恐惧，但是绝对不要忽视这些规定！如果你违反了它们，就会发现你的程序将会表现不正常，甚至崩溃，而且很难找到失败的根源。用John Donne的话说，没有哪个类是孤立的。一个类的实例通常会被频繁地传递给另一个类的实例。有许多类，包括所有的集合类（collection class）在内，都依赖于传递给它们的对象是否遵守了equals约定。

现在你已经知道了违反equals约定有多么可怕，现在我们就来更细致地讨论这些约定。值得欣慰的是，这些约定虽然看起来很吓人，实际上并不十分复杂。一旦理解了这些约定，要遵守它们并不困难。现在我们按照顺序逐一查看以下5个要求：

**自反性**（reflexivity）——第一个要求仅仅说明对象必须等于其自身。很难想像会无意识地违反这一条。假如违背了这一条，然后把该类的实例添加到集合（collection）中，该集合的contains方法将果断地告诉你，该集合不包含你刚刚添加的实例。

**对称性**（symmetry）——第二个要求是说，任何两个对象对于"它们是否相等"的问题都必须保持一致。与第一个要求不同，若无意中违反这一条，这种情形倒是不难想像。例如，考虑下面的类，它实现了一个区分大小写的字符串。字符串由toString保存，但在比较操作中被忽略。

```java
// Broken - violates symmetry!
public final class CaseInsensitiveString {
    private final String s;

    public CaseInsensitiveString(String s) {
        if (s == null)
            throw new NullPointerException();
        this.s = s;
    }

    // Broken - violates symmetry!
    @Override public boolean equals(Object o) {
        if (o instanceof CaseInsensitiveString)
            return s.equalsIgnoreCase(
                ((CaseInsensitiveString) o).s);
        if (o instanceof String)  // One-way interoperability!
            return s.equalsIgnoreCase((String) o);
        return false;
    }
    ...  // Remainder omitted
}
```

在这个类中，equals方法的意图非常好，它企图与普通的字符串（String）对象进行互操作。假设我们有一个不区分大小写的字符串和一个普通的字符串：

```java
CaseInsensitiveString cis = new CaseInsensitiveString("Polish");
String s = "polish";
```

正如所料，cis.equals(s)返回true。问题在于，虽然CaseInsensitiveString类中的equals方

法知道普通的字符串（String）对象，但是，String类中的equals方法却并不知道不区分大小写的字符串。因此，s.equals(cis)返回false，显然违反了对称性。假设你把不区分大小写的字符串对象放到一个集合中：

```
List<CaseInsensitiveString> list =
    new ArrayList<CaseInsensitiveString>();
list.add(cis);
```

此时list.contains(s)会返回什么结果呢？没人知道。在Sun的当前实现中，它碰巧返回false，但这只是这个特定实现得出的结果而已。在其他的实现中，它有可能返回true，或者抛出一个运行时（runtime）异常。一旦违反了**equals**约定，当其他对象面对你的对象时，你完全不知道这些对象的行为会怎么样。

为了解决这个问题，只需把企图与String互操作的这段代码从equals方法中去掉就可以了。这样做之后，就可以重构该方法，使它变成一条单独的返回语句：

```
@Override public boolean equals(Object o) {
    return o instanceof CaseInsensitiveString &&
        ((CaseInsensitiveString) o).s.equalsIgnoreCase(s);
}
```

**传递性**（transitivity）——equals约定的第三个要求是，如果一个对象等于第二个对象，并且第二个对象又等于第三个对象，则第一个对象一定等于第三个对象。同样地，无意识地违反这条规则的情形也不难想像。考虑子类的情形，它将一个新的值组件（value component）添加到了超类中。换句话说，子类增加的信息会影响到equals的比较结果。我们首先以一个简单的不可变的二维整数型Point类作为开始：

```
public class Point {
    private final int x;
    private final int y;
    public Point(int x, int y) {
        this.x = x;
        this.y = y;
    }

    @Override public boolean equals(Object o) {
        if (!(o instanceof Point))
            return false;
        Point p = (Point)o;
        return p.x == x && p.y == y;
    }

    ...  // Remainder omitted
}
```

假设你想要扩展这个类，为一个点添加颜色信息：

```
public class ColorPoint extends Point {
```

```
    private final Color color;

    public ColorPoint(int x, int y, Color color) {
        super(x, y);
        this.color = color;
    }

    ...  // Remainder omitted
}
```

equals方法会怎么样呢？如果完全不提供equals方法，而是直接从Point继承过来，在
equals做比较的时候颜色信息就被忽略掉了。虽然这样做不会违反equals约定，但是很明显这
是无法接受的。假设你编写了一个equals方法，只有当它的参数是另一个有色点，并且具有同
样的位置和颜色时，它才会返回true：

```
// Broken - violates symmetry!
@Override public boolean equals(Object o) {
    if (!(o instanceof ColorPoint))
        return false;
    return super.equals(o) && ((ColorPoint) o).color == color;
}
```

这个方法的问题在于，你在比较普通点和有色点，以及相反的情形时，可能会得到不同的
结果。前一种比较忽略了颜色信息，而后一种比较则总是返回false，因为参数的类型不正确。
为了直观地说明问题所在，我们创建一个普通点和一个有色点：

```
Point p = new Point(1, 2);
ColorPoint cp = new ColorPoint(1, 2, Color.RED);
```

然后，p.equals(cp)返回true，cp.equals(p)则返回false。你可以做这样的尝试来修正这个
问题，让ColorPoint.equals在进行"混合比较"时忽略颜色信息：

```
// Broken - violates transitivity!
@Override public boolean equals(Object o) {
    if (!(o instanceof Point))
        return false;

    // If o is a normal Point, do a color-blind comparison
    if (!(o instanceof ColorPoint))
        return o.equals(this);

    // o is a ColorPoint; do a full comparison
    return super.equals(o) && ((ColorPoint)o).color == color;
}
```

这种方法确实提供了对称性，但是却牺牲了传递性：

```
ColorPoint p1 = new ColorPoint(1, 2, Color.RED);
Point p2 = new Point(1, 2);
ColorPoint p3 = new ColorPoint(1, 2, Color.BLUE);
```

此时，p1.equals(p2)和p2.equals(p3)都返回true，但是p1.equals(p3)则返回false，很显然违反了传递性。前两种比较不考虑颜色信息（"色盲"），而第三种比较则考虑了颜色信息。

怎么解决呢？事实上，这是面向对象语言中关于等价关系的一个基本问题。我们无法在扩展可实例化的类的同时，既增加新的值组件，同时又保留**equals**约定，除非愿意放弃面向对象的抽象所带来的优势。

你可能听说，在equals方法中用getClass测试代替instanceof测试，可以扩展可实例化的类和增加新的值组件，同时保留equals约定：

```
// Broken - violates Liskov substitution principle (page 40)
@Override public boolean equals(Object o) {
    if (o == null || o.getClass() != getClass())
        return false;
    Point p = (Point) o;
    return p.x == x && p.y == y;
}
```

这段程序只有当对象具有相同的实现时，才能使对象等同。虽然这样也不算太糟糕，但是结果却是无法接受的。

假设我们要编写一个方法，以检验某个整值点是否处在单位圆中。下面是可以采用的其中一种方法：

```
// Initialize UnitCircle to contain all Points on the unit circle
private static final Set<Point> unitCircle;
static {
    unitCircle = new HashSet<Point>();
    unitCircle.add(new Point( 1,  0));
    unitCircle.add(new Point( 0,  1));
    unitCircle.add(new Point(-1,  0));
    unitCircle.add(new Point( 0, -1));
}

public static boolean onUnitCircle(Point p) {
    return unitCircle.contains(p);
}
```

虽然这可能不是实现这种功能的最快方式，不过它的效果很好。但是假设你通过某种不添加值组件的方式扩展了Point，例如让它的构造器记录创建了多少个实例：

```
public class CounterPoint extends Point {
    private static final AtomicInteger counter =
        new AtomicInteger();

    public CounterPoint(int x, int y) {
        super(x, y);
        counter.incrementAndGet();
    }
    public int numberCreated() { return counter.get(); }
}
```

里氏替换原则（*Liskov substitution principle*）认为，一个类型的任何重要属性也将适用于它的子类型，因此为该类型编写的任何方法，在它的子类型上也应该同样运行得很好[Liskov87]。但是假设我们将CounterPoint实例传给了onUnitCircle方法。如果Point类使用了基于getClass的equals方法，无论CounterPoint实例的x和y值是什么，onUnitCircle方法都会返回false。之所以如此，是因为像onUnitCircle方法所用的HashSet这样的集合，利用equals方法检验包含条件，没有任何CounterPoint实例与任何Point对应。但是，如果在Point上使用适当的基于instanceof的equals方法，当遇到CounterPoint时，相同的onUnitCircle方法就会工作得很好。

虽然没有一种令人满意的办法可以既扩展不可实例化的类，又增加值组件，但还是有一种不错的权宜之计（workaround）。根据第16条的建议：复合优先于继承。我们不再让ColorPoint扩展Point，而是在ColorPoint中加入一个私有的Point域，以及一个公有的视图（view）方法（见第5条），此方法返回一个与该有色点处在相同位置的普通Point对象：

```java
// Adds a value component without violating the equals contract
public class ColorPoint {
    private final Point point;
    private final Color color;

    public ColorPoint(int x, int y, Color color) {
        if (color == null)
            throw new NullPointerException();
        point = new Point(x, y);
        this.color = color;
    }

    /**
     * Returns the point-view of this color point.
     */
    public Point asPoint() {
        return point;
    }

    @Override public boolean equals(Object o) {
        if (!(o instanceof ColorPoint))
            return false;
        ColorPoint cp = (ColorPoint) o;
        return cp.point.equals(point) && cp.color.equals(color);
    }

    ... // Remainder omitted
}
```

在Java平台类库中，有一些类扩展了可实例化的类，并添加了新的值组件。例如，java.sql.Timestamp对java.util.Date进行了扩展，并增加了nanoseconds域。Timestamp的equals实现确实违反了对称性，如果Timestamp和Date对象被用于同一个集合中，或者以其他方式被混合在一起，则会引起不正确的行为。Timestamp类有一个免责声明，告诫程序员不要混合使用Date和Timestamp对象。只要你不把它们混合在一起，就不会有麻烦，除此之外没有其他的措施可以防止你这么做，而且结果导致的错误将很难调试。Timestamp类的这种行为是个错误，不值得仿效。

注意，你可以在一个抽象（**abstract**）类的子类中增加新的值组件，而不会违反equals约定。对于根据第20条的建议"用类层次（class hierarchies）代替标签类（tagged class）"而得到的那种类层次结构来说，这一点非常重要。例如，你可能有一个抽象的Shape类，它没有任何值组件，Circle子类添加了一个radius域，Rectangle子类添加了length和width域。只要不可能直接创建超类的实例，前面所述的种种问题就都不会发生。

**一致性（consistency）**——equals约定的第四个要求是，如果两个对象相等，它们就必须始终保持相等，除非它们中有一个对象（或者两个都）被修改了。换句话说，可变对象在不同的时候可以与不同的对象相等，而不可变对象则不会这样。当你在写一个类的时候，应该仔细考虑它是否应该是不可变的（见第15条）。如果认为它应该是不可变的，就必须保证equals方法满足这样的限制条件：相等的对象永远相等，不相等的对象永远不相等。

无论类是否是不可变的，都不要使**equals**方法依赖于不可靠的资源。如果违反了这条禁令，要想满足一致性的要求就十分困难了。例如，java.net.URL的equals方法依赖于对URL中主机IP地址的比较。将一个主机名转变成IP地址可能需要访问网络，随着时间的推移，不确保会产生相同的结果。这样会导致URL的equals方法违反equals约定，在实践中有可能引发一些问题。（遗憾的是，因为兼容性的要求，这一行为无法被改变。）除了极少数的例外情况，equals方法都应该对驻留在内存中的对象执行确定性的计算。

**非空性（Non-nullity）**——最后一个要求没有名称，我姑且称它为"非空性（Non-nullity）"，意思是指所有的对象都必须不等于null。尽管很难想像什么情况下o.equals（null）调用会意外地返回true，但是意外抛出NullPointerException异常的情形却不难想像。通用约定不允许抛出NullPointerException异常。许多类的equals方法都通过一个显式的null测试来防止这种情况：

```
@Override public boolean equals(Object o) {
    if (o == null)
        return false;
    ...
}
```

这项测试是不必要的。为了测试其参数的等同性，equals方法必须先把参数转换成适当的类型，以便可以调用它的访问方法（accessor），或者访问它的域。在进行转换之前，equals方法必须使用instanceof操作符，检查其参数是否为正确的类型：

```
@Override public boolean equals(Object o) {
    if (!(o instanceof MyType))
        return false;
    MyType mt = (MyType) o;
    ...
```

}

如果漏掉了这一步的类型检查，并且传递给equals方法的参数又是错误的类型，那么equals方法将会抛出ClassCastException异常，这就违反了equals的约定。但是，如果instanceof的第一个操作数为null，那么，不管第二个操作数是哪种类型，instanceof操作符都指定应该返回false[JLS, 15.20.2]。因此，如果把null传给equals方法，类型检查就会返回false，所以不需要单独的null检查。

结合所有这些要求，得出了以下实现高质量equals方法的诀窍：

1. 使用==操作符检查"参数是否为这个对象的引用"。如果是，则返回true。这只不过是一种性能优化，如果比较操作有可能很昂贵，就值得这么做。

2. 使用instanceof操作符检查"参数是否为正确的类型"。如果不是，则返回false。一般说来，所谓"正确的类型"是指equals方法所在的那个类。有些情况下，是指该类所实现的某个接口。如果类实现的接口改进了equals约定，允许在实现了该接口的类之间进行比较，那么就使用接口。集合接口（collection interface）如Set、List、Map和Map.Entry具有这样的特性。

3. 把参数转换成正确的类型。因为转换之前进行过instanceof测试，所以确保会成功。

4. 对于该类中的每个"关键（significant）"域，检查参数中的域是否与该对象中对应的域相匹配。如果这些测试全部成功，则返回true；否则返回false。如果第2步中的类型是个接口，就必须通过接口方法访问参数中的域；如果该类型是个类，也许就能够直接访问参数中的域，这要取决于它们的可访问性。

对于既不是float也不是double类型的基本类型域，可以使用==操作符进行比较；对于对象引用域，可以递归地调用equals方法；对于float域，可以使用Float.compare方法；对于double域，则使用Double.compare。对float和double域进行特殊的处理是有必要的，因为存在着Float.NaN、-0.0f以及类似的double常量；详细信息请参考Float.equals的文档。对于数组域，则要把以上这些指导原则应用到每个元素上。如果数组域中的每个元素都很重要，就可以使用发行版本1.5中新增的其中一个Arrays.equals方法。

有些对象引用域包含null可能是合法的，所以，为了避免可能导致NullPointerException异常，则使用下面的习惯用法来比较这样的域：

```
(field == null ? o.field == null : field.equals(o.field))
```

如果field和o.field通常是相同的对象引用，那么下面的做法就会更快一些：

```
(field == o.field || (field != null && field.equals(o.field)))
```

对于有些类，比如前面提到的CaseInsensitiveString类，域的比较要比简单的等同性测试复杂得多。如果是这种情况，可能会希望保存该域的一个"范式（canonical form）"，这样equals方法就可以根据这些范式进行低开销的精确比较，而不是高开销的非精确比较。这种方法对于不可变类（见第15条）是最为合适的；如果对象可能发生变化，就必须使其范式保持最新。

域的比较顺序可能会影响到equals方法的性能。为了获得最佳的性能，应该最先比较最有可能不一致的域，或者是开销最低的域，最理想的情况是两个条件同时满足的域。你不应该去比较那些不属于对象逻辑状态的域，例如用于同步操作的Lock域。也不需要比较冗余域（redundant field），因为这些冗余域可以由"关键域"计算获得，但是这样做有可能提高equals方法的性能。如果冗余域代表了整个对象的综合描述，比较这个域可以节省当比较失败时去比较实际数据所需要的开销。例如，假设有一个Polygon类，并缓存了该区域。如果两个多边形有着不同的区域，就没有必要去比较它们的边和至高点。

5. **当你编写完成了equals方法之后，应该问自己三个问题：它是否是对称的、传递的、一致的？** 并且不要只是自问，还要编写单元测试来检验这些特性！如果答案是否定的，就要找出原因，再相应地修改equals方法的代码。当然，equals方法也必须满足其他两个特性（自反性和非空性），但是这两种特性通常会自动满足。

根据上面的诀窍构建的equals方法的具体例子，请参看第9条的PhoneNumber. equals。下面是最后的一些告诫：

- **覆盖equals时总要覆盖hashCode**（见第9条）。

- **不要企图让equals方法过于智能**。如果只是简单地测试域中的值是否相等，则不难做到遵守equals约定。如果想过度地去寻求各种等价关系，则很容易陷入麻烦之中。把任何一种别名形式考虑到等价的范围内，往往不会是个好主意。例如，File类不应该试图把指向同一个文件的符号链接（symbolic link）当作相等的对象来看待。所幸File类没有这样做。

- **不要将equals声明中的Object对象替换为其他的类型**。程序员编写出下面这样的equals方法并不鲜见，这会使程序员花上数个小时都搞不清为什么它不能正常工作：

```
public boolean equals(MyClass o) {
    ...
}
```

问题在于，这个方法并没有覆盖Object.equals，因为它的参数应该是Object类型，相反，它重载（overload）了Object.equals（见第41条）。在原有equals方法的基础上，再提供一个"强类型（strongly typed）"的equals方法，只要这两个方法返回同样的结果（没有强制的理由必须这样做），那么这就是可以接受的。在某些特定的情况下，它也许能够稍微改善性能，但是与增加的复杂性相比，这种做法是不值得的（见第55条）。

@Override注解的用法一致，就如本条目中所示，可以防止犯这种错误（见第36条）。这个equals方法不能编译，错误消息会告诉你到底哪里出了问题：

```
@Override public boolean equals(MyClass o) {
    ...
}
```

## 第 9 条：覆盖 equals 时总要覆盖 hashCode

一个很常见的错误根源在于没有覆盖hashCode方法。在每个覆盖了**equals**方法的类中，也必须覆盖**hashCode**方法。如果不这样做的话，就会违反Object.hashCode的通用约定，从而导致该类无法结合所有基于散列的集合一起正常运作，这样的集合包括HashMap、HashSet和Hashtable。

下面是约定的内容，摘自Object规范[JavaSE6]：

- 在应用程序的执行期间，只要对象的equals方法的比较操作所用到的信息没有被修改，那么对这同一个对象调用多次，hashCode方法都必须始终如一地返回同一个整数。在同一个应用程序的多次执行过程中，每次执行所返回的整数可以不一致。

- 如果两个对象根据equals(Object)方法比较是相等的，那么调用这两个对象中任意一个对象的hashCode方法都必须产生同样的整数结果。

- 如果两个对象根据equals(Object)方法比较是不相等的，那么调用这两个对象中任意一个对象的hashCode方法，则不一定要产生不同的整数结果。但是程序员应该知道，给不相等的对象产生截然不同的整数结果，有可能提高散列表（hash table）的性能。

因没有覆盖**hashCode**而违反的关键约定是第二条：相等的对象必须具有相等的散列码（hash code）。根据类的equals方法，两个截然不同的实例在逻辑上有可能是相等的，但是，根据Object类的hashCode方法，它们仅仅是两个没有任何共同之处的对象。因此，对象的hashCode方法返回两个看起来是随机的整数，而不是根据第二个约定所要求的那样，返回两个相等的整数。

例如，考虑下面这个极为简单的PhoneNumber类，它的equals方法是根据第8条中给出的"诀窍"构造出来的：

```java
public final class PhoneNumber {
    private final short areaCode;
    private final short prefix;
    private final short lineNumber;

    public PhoneNumber(int areaCode, int prefix,
                       int lineNumber) {
        rangeCheck(areaCode,    999, "area code");
        rangeCheck(prefix,      999, "prefix");
        rangeCheck(lineNumber, 9999, "line number");
        this.areaCode   = (short) areaCode;
        this.prefix     = (short) prefix;
        this.lineNumber = (short) lineNumber;
    }
```

```
    private static void rangeCheck(int arg, int max,
                                    String name) {
        if (arg < 0 || arg > max)
            throw new IllegalArgumentException(name +": " + arg);
    }

    @Override public boolean equals(Object o) {
        if (o == this)
            return true;
        if (!(o instanceof PhoneNumber))
            return false;
        PhoneNumber pn = (PhoneNumber)o;
        return pn.lineNumber == lineNumber
            && pn.prefix    == prefix
            && pn.areaCode   == areaCode;
    }

    // Broken - no hashCode method!

    ... // Remainder omitted
}
```

假设你企图将这个类与HashMap一起使用：

```
Map<PhoneNumber, String> m
    = new HashMap<PhoneNumber, String>();
m.put(new PhoneNumber(707, 867, 5309), "Jenny");
```

这时候，你可能期望m.get(new PhoneNumber(408, 867, 5309))会返回"Jenny"，但它实际上返回的是null。注意，这里涉及两个PhoneNumber实例：第一个被用于插入到HashMap中，第二个实例与第一个相等，被用于（试图用于）获取。由于PhoneNumber类没有覆盖hashCode方法，从而导致两个相等的实例具有不相等的散列码，违反了hashCode的约定。因此，put方法把电话号码对象存放在一个散列桶（hash bucket）中，get方法却在另一个散列桶中查找这个电话号码。即使这两个实例正好被放到同一个散列桶中，get方法也必定会返回null，因为HashMap有一项优化，可以将与每个项相关联的散列码缓存起来，如果散列码不匹配，也不必检验对象的等同性。

修正这个问题非常简单，只需为PhoneNumber类提供一个适当的hashCode方法即可。那么，hashCode方法应该是什么样的呢？编写一个合法但并不好用的hashCode方法没有任何价值。例如，下面这个方法总是合法，但是永远都不应该被正式使用：

```
// The worst possible legal hash function - never use!
@Override public int hashCode() { return 42; }
```

上面这个hashCode方法是合法的，因为它确保了相等的对象总是具有同样的散列码。但它也极为恶劣，因为它使得每个对象都具有同样的散列码。因此，每个对象都被映射到同一个散列桶中，使散列表退化为链表（linked list）。它使得本该线性时间运行的程序变成了以平方级时间在运行。对于规模很大的散列表而言，这会关系到散列表能否正常工作。

一个好的散列函数通常倾向于"为不相等的对象产生不相等的散列码"。这正是hashCode约定中第三条的含义。理想情况下,散列函数应该把集合中不相等的实例均匀地分布到所有可能的散列值上。要想完全达到这种理想的情形是非常困难的。幸运的是,相对接近这种理想情形则并不太困难。下面给出一种简单的解决办法:

1. 把某个非零的常数值,比如说17,保存在一个名为result的int类型的变量中。

2. 对于对象中每个关键域f(指equals方法中涉及的每个域),完成以下步骤:

   a. 为该域计算int类型的散列码c:

     i. 如果该域是boolean类型,则计算(f ? 1 : 0)。

     ii. 如果该域是byte、char、short或者int类型,则计算(int)f。

     iii. 如果该域是long类型,则计算(int)(f ^ (f >>> 32))。

     iv. 如果该域是float类型,则计算Float.floatToIntBits(f)。

     v. 如果该域是double类型,则计算Double.doubleToLongBits(f),然后按照步骤2.a.iii,为得到的long类型值计算散列值。

     vi. 如果该域是一个对象引用,并且该类的equals方法通过递归地调用equals的方式来比较这个域,则同样为这个域递归地调用hashCode。如果需要更复杂的比较,则为这个域计算一个"范式(canonical representation)",然后针对这个范式调用hashCode。如果这个域的值为null,则返回0(或者其他某个常数,但通常是0)。

     vii. 如果该域是一个数组,则要把每一个元素当做单独的域来处理。也就是说,递归地应用上述规则,对每个重要的元素计算一个散列码,然后根据步骤2.b中的做法把这些散列值组合起来。如果数组域中的每个元素都很重要,可以利用发行版本1.5中增加的其中一个Arrays.hashCode方法。

   b. 按照下面的公式,把步骤2.a中计算得到的散列码c合并到result中:

```
result = 31 * result + c;
```

3. 返回result。

4. 写完了hashCode方法之后,问问自己"相等的实例是否都具有相等的散列码"。要编写单元测试来验证你的推断。如果相等的实例有着不相等的散列码,则要找出原因,并修正错误。

在散列码的计算过程中，可以把冗余域（**redundant field**）排除在外。换句话说，如果一个域的值可以根据参与计算的其他域值计算出来，则可以把这样的域排除在外。必须排除equals比较计算中没有用到的任何域，否则很有可能违反hashCode约定的第二条。

上述步骤1中用到了一个非零的初始值，因此步骤2.a中计算的散列值为0的那些初始域，会影响到散列值。如果步骤1中的初始值为0，则整个散列值将不受这些初始域的影响，因为这些初始域会增加冲突的可能性。值17则是任选的。

步骤2.b中的乘法部分使得散列值依赖于域的顺序，如果一个类包含多个相似的域，这样的乘法运算就会产生一个更好的散列函数。例如，如果String散列函数省略了这个乘法部分，那么只是字母顺序不同的所有字符串都会有相同的散列码。之所以选择31，是因为它是一个奇素数。如果乘数是偶数，并且乘法溢出的话，信息就会丢失，因为与2相乘等价于移位运算。使用素数的好处并不很明显，但是习惯上都使用素数来计算散列结果。31有个很好的特性，即用移位和减法来代替乘法，可以得到更好的性能：$31 * i == (i << 5) - i$。现代的VM可以自动完成这种优化。

现在我们要把上述的解决办法用到PhoneNumber类中。它有三个关键域，都是short类型：

```
@Override public int hashCode() {
    int result = 17;
    result = 31 * result + areaCode;
    result = 31 * result + prefix;
    result = 31 * result + lineNumber;
    return result;
}
```

因为这个方法返回的结果是一个简单的、确定的计算结果，它的输入只是PhoneNumber实例中的三个关键域，因此相等的PhoneNumber显然都会有相等的散列码。实际上，对于PhoneNumber的hashCode实现而言，上面这个方法是非常合理的，相当于Java平台类库中的实现。它的做法非常简单，也相当快捷，恰当地把不相等的电话号码分散到不同的散列桶中。

如果一个类是不可变的，并且计算散列码的开销也比较大，就应该考虑把散列码缓存在对象内部，而不是每次请求的时候都重新计算散列码。如果你觉得这种类型的大多数对象会被用做散列键（hash keys），就应该在创建实例的时候计算散列码。否则，可以选择"延迟初始化（**lazily initialize**）"散列码，一直到hashCode被第一次调用的时候才初始化（见第71条）。现在尚不清楚我们的PhoneNumber类是否值得这样处理，但可以通过它来说明这种方法该如何实现：

```
// Lazily initialized, cached hashCode
private volatile int hashCode;  // (See Item 71)

@Override public int hashCode() {
    int result = hashCode;
```

```
        if (result == 0) {
            result = 17;
            result = 31 * result + areaCode;
            result = 31 * result + prefix;
            result = 31 * result + lineNumber;
            hashCode = result;
        }
        return result;
    }
```

    虽然本条目中前面给出的hashCode实现方法能够获得相当好的散列函数，但是它并不能产生最新的散列函数，截止发行版本1.6，Java平台类库也没有提供这样的散列函数。编写这种散列函数是个研究课题，最好留给数学家和理论方面的计算机科学家来完成。也许Java平台的下一个发行版本将会为它的类提供这种最佳的散列函数，并提供一些实用方法来帮助普通的程序员构造出这样的散列函数。与此同时，本条目中介绍的方法对于绝大多数应用程序而言已经足够了。

    **不要试图从散列码计算中排除掉一个对象的关键部分来提高性能。** 虽然这样得到的散列函数运行起来可能更快，但是它的效果不见得会好，可能会导致散列表慢到根本无法使用。特别是在实践中，散列函数可能面临大量的实例，在你选择忽略的区域之中，这些实例仍然区别非常大。如果是这样，散列函数就会把所有这些实例映射到极少数的散列码上，基于散列的集合将会显示出平方级的性能指标。这不仅仅是个理论问题。在Java 1.2发行版本之前实现的String散列函数至多只检查16个字符，从第一个字符开始，在整个字符串中均匀选取。对于像URL这种层次状名字的大型集合，该散列函数正好表现出了这里所提到的病态行为。

    Java平台类库中的许多类，比如String、Integer和Date，都可以把它们的hashCode方法返回的确切值规定为该实例值的一个函数。一般来说，这并不是个好主意，因为这样做严格地限制了在将来的版本中改进散列函数的能力。如果没有规定散列函数的细节，那么当你发现了它的内部缺陷时，就可以在后面的发行版本中修正它，确信没有任何客户端会依赖于散列函数返回的确切值。

## 第 10 条：始终要覆盖 toString

虽然jave.lang.Object提供了toString方法的一个实现，但它返回的字符串通常并不是类的用户所期望看到的。它包含类的名称，以及一个"@"符号，接着是散列码的无符号十六进制表示法，例如"PhoneNumber@163b91"。toString的通用约定指出，被返回的字符串应该是一个"简洁的，但信息丰富，并且易于阅读的表达形式"[JavaSE6]。尽管有人认为"PhoneNumber@163b91"算得上是简洁和易于阅读了，但是与"(707)867-5309"比较起来，它还算不上是信息丰富的。toString的约定进一步指出，"建议所有的子类都覆盖这个方法。"这是一个很好的建议，真的！

虽然遵守toString的约定并不像遵守equals和hashCode的约定（见第8条和第9条）那么重要，但是，提供好的**toString**实现可以使类用起来更加舒适。当对象被传递给println、printf、字符串联操作符（+）以及assert或者被调试器打印出来时，toString方法会被自动调用。（Java 1.5发行版本在平台中增加了printf方法，还提供了包括String.format的相关方法，与C语言中的sprintf相似。）

如果为PhoneNumber提供了好的toString方法，那么，要产生有用的诊断消息会非常容易：

```
System.out.println("Failed to connect: " + phoneNumber);
```

不管是否覆盖了toString方法，程序员都将以这种方式来产生诊断消息，但是如果没有覆盖toString方法，产生的消息将难以理解。提供好的toString方法，不仅有益于这个类的实例，同样也有益于那些包含这些实例的引用的对象，特别是集合对象。打印Map时有下面这两条消息："Jenny=PhoneNumber@163b91"和"Jenny=(408) 867-5309"，你更愿意看到哪一个？

在实际应用中，**toString**方法应该返回对象中包含的所有值得关注的信息，譬如上述电话号码例子那样。如果对象太大，或者对象中包含的状态信息难以用字符串来表达，这样做就有点不切实际。在这种情况下，toString应该返回一个摘要信息，例如"Manhattan white pages (1487536 listings)"或者"Thread[main, 5, main]"。理想情况下，字符串应该是自描述的（self-explanatory），（Thread例子不满足这样的要求。）

在实现toString的时候，必须要做出一个很重要的决定：是否在文档中指定返回值的格式。对于值类（value class），比如电话号码类、矩阵类，也建议这么做。指定格式的好处是，它可以被用做一种标准的、明确的、适合人阅读的对象表示法。这种表示法可以用于输入和输出，以及用在永久的适合于人类阅读的数据对象中，例如XML文档。如果你指定了格式，最好再提供一个相匹配的静态工厂或者构造器，以便程序员可以很容易地在对象和它的字符串表示法之间来回转换。Java平台类库中的许多值类都采用了这种做法，包括BigInteger、BigDecimal和绝大多数的基本类型包装类（boxed primitive class）。

指定toString返回值的格式也有不足之处：如果这个类已经被广泛使用，一旦指定格式，就必须始终如一地坚持这种格式。程序员将会编写出相应的代码来解析这种字符串表示法、产生字符串表示法，以及把字符串表示法嵌入到持久的数据中。如果将来的发行版本中改变了这种表示法，就会破坏他们的代码和数据，他们当然会抱怨。如果不指定格式，就可以保留灵活性，便于在将来的发行版本中增加信息，或者改进格式。

无论你是否决定指定格式，都应该在文档中明确地表明你的意图。如果你要指定格式，则应该严格地这样去做。例如，下面是第9条中PhoneNumber类的toString方法：

```
/**
 * Returns the string representation of this phone number.
 * The string consists of fourteen characters whose format
 * is "(XXX) YYY-ZZZZ", where XXX is the area code, YYY is
 * the prefix, and ZZZZ is the line number. (Each of the
 * capital letters represents a single decimal digit.)
 *
 * If any of the three parts of this phone number is too small
 * to fill up its field, the field is padded with leading zeros.
 * For example, if the value of the line number is 123, the last
 * four characters of the string representation will be "0123".
 *
 * Note that there is a single space separating the closing
 * parenthesis after the area code from the first digit of the
 * prefix.
 */
@Override public String toString() {
    return String.format("(%03d) %03d-%04d",
                         areaCode, prefix, lineNumber);
}
```

如果你决定不指定格式，那么文档注释部分也应该有如下所示的指示信息：

```
/**
 * Returns a brief description of this potion. The exact details
 * of the representation are unspecified and subject to change,
 * but the following may be regarded as typical:
 *
 * "[Potion #9: type=love, smell=turpentine, look=india ink]"
 */
@Override public String toString() { ... }
```

对于那些依赖于格式的细节进行编程或者产生永久数据的程序员，在读到这段注释之后，一旦格式被改变，则只能自己承担后果。

无论是否指定格式，都为**toString**返回值中包含的所有信息，提供一种编程式的访问途径。例如，PhoneNumber类应该包含针对area code、prefix和line number的访问方法。如果不这么做，就会迫使那些需要这些信息的程序员不得不自己去解析这些字符串。除了降低了程序的性能，使得程序员们去做这些不必要的工作之外，这个解析过程也很容易出错，会导致系统不稳定，如果格式发生变化，还会导致系统崩溃。如果没有提供这些访问方法，即使你已经指明了字符串的格式是可以变化的，这个字符串格式也成了事实上的API。

## 第 11 条：谨慎地覆盖 clone

    Cloneable接口的目的是作为对象的一个mixin接口（**mixin interface**）（见第18条），表明这样的对象允许克隆（clone）。遗憾的是，它并没有成功地达到这个目的。其主要的缺陷在于，它缺少一个clone方法，Object的clone方法是受保护的。如果不借助于反射（**reflection**）（见第53条），就不能仅仅因为一个对象实现了Cloneable，就可以调用clone方法。即使是反射调用也可能会失败，因为不能保证该对象一定具有可访问的clone方法。尽管存在这样那样的缺陷，这项设施仍然被广泛地使用着，因此值得我们进一步地了解。本条目将告诉你如何实现一个行为良好的clone方法，并讨论何时适合这样做，同时也简单地讨论了其他的可替换做法。

    既然Cloneable并没有包含任何方法，那么它到底有什么作用呢？它决定了Object中受保护的clone方法实现的行为：如果一个类实现了Cloneable，Object的clone方法就返回该对象的逐域拷贝，否则就会抛出CloneNotSupportedException异常。这是接口的一种极端非典型的用法，也不值得仿效。通常情况下，实现接口是为了表明类可以为它的客户做些什么。然而，对于Cloneable接口，它改变了超类中受保护的方法的行为。

    如果实现Cloneable接口是要对某个类起到作用，类和它的所有超类都必须遵守一个相当复杂的、不可实施的，并且基本上没有文档说明的协议。由此得到一种语言之外的（**extralinguistic**）机制：无需调用构造器就可以创建对象。

    Clone方法的通用约定是非常弱的，下面是来自java.lang.Object规范中的约定内容[JavaSE6]：

    创建和返回该对象的一个拷贝。这个"拷贝"的精确含义取决于该对象的类。一般的含义是，对于任何对象x，表达式

```
x.clone() != x
```

将会是true，并且，表达式

```
x.clone().getClass() == x.getClass()
```

将会是true，但这些都不是绝对的要求。虽然通常情况下，表达式

```
x.clone().equals(x)
```

将会是true，但是，这也不是一个绝对的要求。拷贝对象往往会导致创建它的类的一个新实例，但它同时也会要求拷贝内部的数据结构。这个过程中没有调用构造器。

这个约定存在几个问题。"不调用构造器"的规定太强硬了。行为良好的clone方法可以调用构造器来创建对象，构造之后再复制内部数据。如果这个类是final的，clone甚至可能会返回一个由构造器创建的对象。

然而，"x.clone().getClass()通常应该等同于x.getClass()"的规定又太软弱了。在实践中，程序员会假设：如果他们扩展了一个类，并且从子类中调用了super.clone，返回的对象就将是该子类的实例。超类能够提供这种功能的唯一途径是，返回一个通过调用super.clone而得到的对象。如果clone方法返回一个由构造器创建的对象，它就得到有错误的类。因此，如果你覆盖了非**final**类中的**clone**方法，则应该返回一个通过调用**super.clone**而得到的对象。如果类的所有超类都遵守这条规则，那么调用super.clone最终会调用Object的clone方法，从而创建出正确类的实例。这种机制大体上类似于自动的构造器调用链，只不过它不是强制要求的。

从1.6发行版本开始，Cloneable接口并没有清楚地指明，一个类在实现这个接口时应该承担哪些责任。实际上，对于实现了**Cloneable**的类，我们总是期望它也提供一个功能适当的公有的**clone**方法。通常情况下，除非该类的所有超类都提供了行为良好的clone实现，无论是公有的还是受保护的，否则，都不可能这么做。

假设你希望在一个类中实现Cloneable，并且它的超类都提供行为良好的clone方法。你从super.clone()中得到的对象可能会接近于最终要返回的对象，也可能相差甚远，这要取决于这个类的本质。从每个超类的角度来看，这个对象将是原始对象功能完整的克隆（clone）。在这个类中声明的域（如果有的话）将等同于被克隆对象中相应的域。如果每个域包含一个基本类型的值，或者包含一个指向不可变对象的引用，那么被返回的对象则可能正是你所需要的对象，在这种情况下不需要再做进一步处理。例如，第9条中的PhoneNumber类正是如此。在这种情况下，你所需要做的，除了声明实现了Cloneable之外，就是对Object中受保护的clone方法提供公有的访问途径：

```
@Override public PhoneNumber clone() {
    try {
        return (PhoneNumber) super.clone();
    } catch(CloneNotSupportedException e) {
        throw new AssertionError();  // Can't happen
    }
}
```

注意上述的clone方法返回的是PhoneNumber，而不是返回Object。从Java 1.5发行版本开始，这么做是合法的，也是我们所期待的，因为1.5发行版本中引入了协变返回类型（**covariant return type**）作为泛型。换句话说，目前覆盖方法的返回类型可以是被覆盖方法的返回类型的子类了。这样有助于覆盖方法提供更多关于被返回对象的信息，并且在客户端中不必进行转换。由于Object.clone返回Object，PhoneNumber.clone必须在返回super.clone()的结果之前将它转换。这里体现了一条通则：*永远不要让客户去做任何类库能够替客户完成*

的事情。

如果对象中包含的域引用了可变的对象，使用上述这种简单的clone实现可能会导致灾难性的后果。例如，考虑第6条中的Stack类：

```
public class Stack {
    private Object[] elements;
    private int size = 0;
    private static final int DEFAULT_INITIAL_CAPACITY = 16;

    public Stack() {
        this.elements = new Object[DEFAULT_INITIAL_CAPACITY];
    }

    public void push(Object e) {
        ensureCapacity();
        elements[size++] = e;
    }

    public Object pop() {
        if (size == 0)
            throw new EmptyStackException();
        Object result = elements[--size];
        elements[size] = null; // Eliminate obsolete reference
        return result;
    }

    // Ensure space for at least one more element.
    private void ensureCapacity() {
        if (elements.length == size)
            elements = Arrays.copyOf(elements, 2 * size + 1);
    }
}
```

假设你希望把这个类做成可克隆的（cloneable）。如果它的clone方法仅仅返回super.clone()，这样得到的Stack实例，在其size域中具有正确的值，但是它的elements域将引用与原始Stack实例相同的数组。修改原始的实例会破坏被克隆对象中的约束条件，反之亦然。很快你就会发现，这个程序将产生毫无意义的结果，或者抛出NullPointerException异常。

如果调用Stack类中唯一的构造器，这种情况就永远不会发生。实际上，**clone**方法就是另一个构造器；你必须确保它不会伤害到原始的对象，并确保正确地创建被克隆对象中的约束条件（**invariant**）。为了使Stack类中的clone方法正常地工作，它必须要拷贝栈的内部信息。最容易的做法是，在elements数组中递归地调用clone：

```
@Override public Stack clone() {
    try {
        Stack result = (Stack) super.clone();
        result.elements = elements.clone();
        return result;
    } catch (CloneNotSupportedException e) {
        throw new AssertionError();
    }
}
```

注意，我们不一定要将elements.clone()的结果转换成Object[]。自Java 1.5发行版本起，在数组上调用clone返回的数组，其编译时类型与被克隆数组的类型相同。

还要注意，如果elements域是final的，上述方案就不能正常工作，因为clone方法是被禁止给elements域赋新值的。这是个根本的问题：**clone**架构与引用可变对象的**final**域的正常用法是不相兼容的，除非在原始对象和克隆对象之间可以安全地共享此可变对象。为了使类成为可克隆的，可能有必要从某些域中去掉final修饰符。

递归地调用clone有时还不够。例如，假设你正在为一个散列表编写clone方法，它的内部数据包含一个散列桶数组，每个散列桶都指向"键-值"对链表的第一个项，如果桶是空的，则为null。出于性能方面的考虑，该类实现了它自己的轻量级单向链表，而没有使用Java内部的java.util.LinkedList。该类如下：

```java
public class HashTable implements Cloneable {
    private Entry[] buckets = ...;
    private static class Entry {
        final Object key;
        Object value;
        Entry  next;

        Entry(Object key, Object value, Entry next) {
            this.key   = key;
            this.value = value;
            this.next  = next;
        }
    }

    ... // Remainder omitted
}
```

假设你仅仅递归地克隆这个散列桶数组，就像我们对Stack类所做的那样：

```java
// Broken - results in shared internal state!
@Override public HashTable clone() {
    try {
        HashTable result = (HashTable) super.clone();
        result.buckets = buckets.clone();
        return result;
    } catch (CloneNotSupportedException e) {
        throw new AssertionError();
    }
}
```

虽然被克隆对象有它自己的散列桶数组，但是，这个数组引用的链表与原始对象是一样的，从而很容易引起克隆对象和原始对象中不确定的行为。为了修正这个问题，必须单独地拷贝并组成每个桶的链表。下面是一种常见的做法：

```java
public class HashTable implements Cloneable {
    private Entry[] buckets = ...;
```

```
    private static class Entry {
        final Object key;
        Object value;
        Entry  next;

        Entry(Object key, Object value, Entry next) {
            this.key   = key;
            this.value = value;
            this.next  = next;
        }
        // Recursively copy the linked list headed by this Entry
        Entry deepCopy() {
            return new Entry(key, value,
                next == null ? null : next.deepCopy());
        }
    }

    @Override public HashTable clone() {
        try {
            HashTable result = (HashTable) super.clone();
            result.buckets = new Entry[buckets.length];
            for (int i = 0; i < buckets.length; i++)
                if (buckets[i] != null)
                    result.buckets[i] = buckets[i].deepCopy();
            return result;
        } catch (CloneNotSupportedException e) {
            throw new AssertionError();
        }
    }
    ... // Remainder omitted
}
```

私有类HashTable.Entry被加强了，它支持一个"深度拷贝（deep copy）"方法。HashTable上的clone方法分配了一个大小适中的、新的buckets数组，并且遍历原始的buckets数组，对每一个非空散列桶进行深度拷贝。Entry类中的深度拷贝方法递归地调用它自身，以便拷贝整个链表（它是链表的头节点）。虽然这种方法很灵活，如果散列桶不是很长的话，也会工作得很好，但是，这样克隆一个链表并不是一种好办法，因为针对列表中的每个元素，它都要消耗一段栈空间。如果链表比较长，这很容易导致栈溢出。为了避免发生这种情况，你可以在deepCopy中用迭代（iteration）代替递归（recursion）：

```
// Iteratively copy the linked list headed by this Entry
Entry deepCopy() {
    Entry result = new Entry(key, value, next);

    for (Entry p = result; p.next != null; p = p.next)
        p.next = new Entry(p.next.key, p.next.value, p.next.next);

    return result;
}
```

克隆复杂对象的最后一种办法是，先调用super.clone，然后把结果对象中的所有域都设置成它们的空白状态（virgin state），然后调用高层（higher-level）的方法来重新产生对象的状态。在我们的HashTable例子中，buckets域将被初始化为一个新的散列桶数组，然后，对于正在被克隆的散列表中的每一个键-值映射，都调用put（key, value）方法（上面没有给出其代码）。这种做法往往会产生一个简单、合理且相当优美的clone方法，但是它运行起来通常没有"直接操作对象及其克隆对象的内部状态的clone方法"快。

如同构造器一样，clone方法不应该在构造的过程中，调用新对象中任何非final的方法（见第17条）。如果clone调用了一个被覆盖的方法，那么在该方法所在的子类有机会修正它在克隆对象中的状态之前，该方法就会先被执行，这样很有可能会导致克隆对象和原始对象之间的不一致。因此，上一段落中讨论到的put(key, value)方法应该要么是final的，要么是私有的（如果是私有的，它应该算是非final公有方法的"辅助方法[helper method]"）。

Object的clone方法被声明为可抛出CloneNotSupportedException异常，但是，覆盖版本的clone方法可能会忽略这个声明。公有的clone方法应该省略这个声明，因为不会抛出受检异常（checked exception）的方法与会抛出异常的方法相比，使用起来更加轻松（见第59条）。如果专门为了继承而设计的类[见第17条]覆盖了clone方法，覆盖版本的clone方法就应该模拟Object.clone的行为：它应该被声明为protected、抛出CloneNotSupportedException异常，并且该类不应该实现Cloneable接口。这样做可以使子类具有实现或不实现Cloneable接口的自由，就仿佛它们直接扩展了Object一样。

还有一点值得注意。如果你决定用线程安全的类实现Cloneable接口，要记得它的clone方法必须得到很好的同步，就像任何其他方法一样（见第66条）。Object的clone方法没有同步，因此即使很满意，可能也必须编写同步的clone方法来调用super.clone()。

简而言之，所有实现了Cloneable接口的类都应该用一个公有的方法覆盖clone。此公有方法首先调用super.clone，然后修正任何需要修正的域。一般情况下，这意味着要拷贝任何包含内部"深层结构"的可变对象，并用指向新对象的引用代替原来指向这些对象的引用。虽然，这些内部拷贝操作往往可以通过递归地调用clone来完成，但这通常并不是最佳方法。如果该类只包含基本类型的域，或者指向不可变对象的引用，那么多半的情况是没有域需要修正。这条规则也有例外，譬如，代表序列号或其他唯一ID值的域，或者代表对象的创建时间的域，不管这些域是基本类型还是不可变的，它们也都需要被修正。

真的有必要这么复杂吗？很少有这种必要。如果你扩展一个实现了Cloneable接口的类，那么你除了实现一个行为良好的clone方法外，没有别的选择。否则，最好提供某些其他的途径来代替对象拷贝，或者干脆不提供这样的功能。例如，对于不可变类，支持对象拷贝并没有太大的意义，因为被拷贝的对象与原始对象并没有实质的不同。

另一个实现对象拷贝的好办法是提供一个拷贝构造器（copy constructor）或拷贝工厂（copy factory）。拷贝构造器只是一个构造器，它唯一的参数类型是包含该构造器的类，例如：

```
public Yum(Yum yum);
```

拷贝工厂是类似于拷贝构造器的静态工厂：

```
public static Yum newInstance(Yum yum);
```

拷贝构造器的做法，及其静态工厂方法的变形，都比Cloneable/clone方法具有更多的优势：它们不依赖于某一种很有风险的、语言之外的对象创建机制；它们不要求遵守尚未制定好文档的规范；它们不会与final域的正常使用发生冲突；它们不会抛出不必要的受检异常（checked exception）；它们不需要进行类型转换。虽然你不可能把拷贝构造器或者静态工厂放到接口中，但是由于Cloneable接口缺少一个公有的clone方法，所以它也没有提供一个接口该有的功能。因此，使用拷贝构造器或者拷贝工厂来代替clone方法时，并没有放弃接口的功能特性。

更进一步，拷贝构造器或者拷贝工厂可以带一个参数，参数类型是通过该类实现的接口。例如，按照惯例，所有通用集合实现都提供了一个拷贝构造器，它的参数类型为Collection或者Map。基于接口的拷贝构造器和拷贝工厂（更准确的叫法应该是"转换构造器（conversion constructor）"和转换工厂（conversion factory）），允许客户选择拷贝的实现类型，而不是强迫客户接受原始的实现类型。例如，假设你有一个HashSet，并且希望把它拷贝成一个TreeSet。clone方法无法提供这样的功能，但是用转换构造器很容易实现：new TreeSet(s)。

既然Cloneable具有上述那么多问题，可以肯定地说，其他的接口都不应该扩展（extend）这个接口，为了继承而设计的类（见第17条）也不应该实现（implement）这个接口。由于它具有这么多缺点，有些专家级的程序员干脆从来不去覆盖clone方法，也从来不去调用它，除非拷贝数组。你必须清楚一点，对于一个专门为了继承而设计的类，如果你未能提供行为良好的受保护的（protected）clone方法，它的子类就不可能实现Cloneable接口。

## 第 12 条：考虑实现 Comparable 接口

与本章中讨论的其他方法不同，compareTo方法并没有在Object中声明。相反，它是Comparable接口中唯一的方法。compareTo方法不但允许进行简单的等同性比较，而且允许执行顺序比较，除此之外，它与Object的equals方法具有相似的特征，它还是个泛型。类实现了Comparable接口，就表明它的实例具有内在的排序关系（natural ordering）。为实现Comparable接口的对象数组进行排序就这么简单：

```
Arrays.sort(a);
```

对存储在集合中的Comparable对象进行搜索、计算极限值以及自动维护也同样简单。例如，下面的程序依赖于String实现了Comparable接口，它去掉了命令行参数列表中的重复参数，并按字母顺序打印出来：

```
public class WordList {
    public static void main(String[] args) {
        Set<String> s = new TreeSet<String>();
        Collections.addAll(s, args);
        System.out.println(s);
    }
}
```

一旦类实现了Comparable接口，它就可以跟许多泛型算法（generic algorithm）以及依赖于该接口的集合实现（collection implementation）进行协作。你付出很小的努力就可以获得非常强大的功能。事实上，Java平台类库中的所有值类（value classes）都实现了Comparable接口。如果你正在编写一个值类，它具有非常明显的内在排序关系，比如按字母顺序、按数值顺序或者按年代顺序，那你就应该坚决考虑实现这个接口：

```
public interface Comparable<T> {
    int compareTo(T t);
}
```

compareTo方法的通用约定与equals方法的相似：

将这个对象与指定的对象进行比较。当该对象小于、等于或大于指定对象的时候，分别返回一个负整数、零或者正整数。如果由于指定对象的类型而无法与该对象进行比较，则抛出ClassCastException异常。

在下面的说明中，符号**sgn**（表达式）表示数学中的**signum**函数，它根据表达式（expression）的值为负值、零和正值，分别返回 $-1$、$0$或$1$。

- 实现者必须确保所有的x和y都满足sgn(x.compareTo(y)) == -sgn (y.compareTo(x))。（这也暗示着，当且仅当y.compareTo(x)抛出异常时，x.compareTo(y)才必须抛出异常。）

- 实现者还必须确保这个比较关系是可传递的：(x.compareTo(y) > 0 && y.compareTo(z) > 0) 暗示着x.compareTo(z) > 0。

- 最后，实现者必须确保x.compareTo(y) == 0暗示着所有的z都满足sgn(x. compareTo(z)) == sgn(y.compareTo(z))。

- 强烈建议(x.compareTo(y) == 0) == (x.equals(y))，但这并非绝对必要。一般说来，任何实现了Comparable接口的类，若违反了这个条件，都应该明确予以说明。推荐使用这样的说法："注意：该类具有内在的排序功能，但是与equals不一致。"

千万不要被上述约定中的数学关系所迷惑。如同equals约定（见第8条）一样，compareTo约定并没有它看起来的那么复杂。在类的内部，任何合理的顺序关系都可以满足compareTo约定。与equals不同的是，在跨越不同类的时候，cornpareTo可以不做比较：如果两个被比较的对象引用不同类的对象，compareTo可以抛出ClassCastException异常。通常，这正是compareTo在这种情况下应该做的事情，如果类设置了正确的参数，这也正是它所要做的事情。虽然以上约定并没有把跨类之间的比较排除在外，但是从Java 1.6发行版本开始，Java平台类库中就没有哪个类有支持这种特性了。

就好像违反了hashCode约定的类会破坏其他依赖于散列做法的类一样，违反compareTo约定的类也会破坏其他依赖于比较关系的类。依赖于比较关系的类包括有序集合类TreeSet和TreeMap，以及工具类Collections和Arrays，它们内部包含有搜索和排序算法。

现在我们来回顾一下compareTo约定中的条款。第一条指出，如果颠倒了两个对象引用之间的比较方向，就会发生下面的情况：如果第一个对象小于第二个对象，则第二个对象一定大于第一个对象；如果第一个对象等于第二个对象，则第二个对象一定等于第一个对象；如果第一个对象大于第二个对象，则第二个对象一定小于第一个对象。第二条指出，如果一个对象大于第二个对象，并且第二个对象又大于第三个对象，那么第一个对象一定大于第三个对象。最后一条指出，在比较时被认为相等的所有对象，它们跟别的对象做比较时一定会产生同样的结果。

这三个条款的一个直接结果是，由compareTo方法施加的等同性测试（equality test），也一定遵守相同于equals约定所施加的限制条件：自反性、对称性和传递性。因此，下面的告诫也同样适用：无法在用新的值组件扩展可实例化的类时，同时保持compareTo约定，除非愿意放弃面向对象的抽象优势（见第8条）。针对equals的权宜之计也同样适用于compareTo方法。如果你想为一个实现了Comparable接口的类增加值组件，请不要扩展这个类；而是要编写一个不相关的类，其中包含第一个类的一个实例。然后提供一个"视图（view）"方法返回这个实例。这样既可以让你自由地在第二个类上实现compareTo方法，同时也允许它的客户端在必要的时候，把第二个类的实例视同第一个类的实例。

compareTo约定的最后一段是一个强烈的建议，而不是真正的规则，只是说明了compareTo方法施加的等同性测试，在通常情况下应该返回与equals方法同样的结果。如果遵守了这一条，那么由compareTo方法所施加的顺序关系就被认为"与**equals一致（consistent with equals）**"。如果违反了这条规则，顺序关系就被认为"与**equals不一致（inconsistent with equals）**"。如果一个类的compareTo方法施加了一个与equals方法不一致的顺序关系，它仍然能够正常工作，但是，如果一个有序集合（sorted collection）包含了该类的元素，这个集合就可能无法遵守相应集合接口（Collection、Set或Map）的通用约定。这是因为，对于这些接口的通用约定是按照equals方法来定义的，但是有序集合使用了由compareTo方法而不是equals方法所施加的等同性测试。尽管出现这种情况不会造成灾难性的后果，但是应该有所了解。

例如，考虑BigDecimal类，它的compareTo方法与equals不一致。如果你创建了一个HashSet实例，并且添加new BigDecimal（"1.0"）和new BigDecimal（"1.00"），这个集合就将包含两个元素，因为新增到集合中的两个BigDecimal实例，通过equals方法来比较时是不相等的。然而，如果你使用TreeSet而不是HashSet来执行同样的过程，集合中将只包含一个元素，因为这两个BigDecimal实例在通过compareTo方法进行比较时是相等的。（详情请参阅BigDecimal的文档。）

编写compareTo方法与编写equals方法非常相似，但也存在几处重大的差别。因为Comparable接口是参数化的，而且comparable方法是静态的类型，因此不必进行类型检查，也不必对它的参数进行类型转。如果参数的类型不合适，这个调用甚至无法编译。如果参数为null，这个调用应该抛出NullPointerException异常，并且一旦该方法试图访问它的成员时就应该抛出。

CompareTo方法中域的比较是顺序的比较，而不是等同性的比较。比较对象引用域可以是通过递归地调用compareTo方法来实现。如果一个域并没有实现Comparable接口，或者你需要使用一个非标准的排序关系，就可以使用一个显式的Comparator来代替。或者编写自己的Comparator，或者使用已有的Comparator，譬如针对第8条中CaseInsensitiveString类的这个compareTo方法使用一个已有的Comparator：

```
public final class CaseInsensitiveString
        implements Comparable<CaseInsensitiveString> {
    public int compareTo(CaseInsensitiveString cis) {
        return String.CASE_INSENSITIVE_ORDER.compare(s, cis.s);
    }
    ... // Remainder omitted
}
```

注意CaseInsensitiveString类实现了Comparable<CaseInsensitiveString>接口。由此可见，CaseInsensitiveString引用只能与其他的Comparable<CaseInsensitiveString>引用进行比较。在声明类去实现Comparable接口时，这是常用的模式。还要注意compareTo方法的参数是CaseInsensitiveString，而不是Object。这是上述的类声明所要求的。

比较整数型基本类型的域，可以使用关系操作符 < 和 > 。例如，浮点域用Double.compare或者Float.compare，而不用关系操作符，当应用到浮点值时，它们没有遵守compareTo的通用约定。对于数组域，则要把这些指导原则应用到每个元素上。

如果一个类有多个关键域，那么，按什么样的顺序来比较这些域是非常关键的。你必须从最关键的域开始，逐步进行到所有的重要域。如果某个域的比较产生了非零的结果（零代表相等），则整个比较操作结束，并返回该结果。如果最关键的域是相等的，则进一步比较次最关键的域，以此类推。如果所有的域都是相等的，则对象就是相等的，并返回零。下面通过第9条中的PhoneNumber类的compareTo方法来说明这种方法：

```
public int compareTo(PhoneNumber pn) {
    // Compare area codes
    if (areaCode < pn.areaCode)
        return -1;
    if (areaCode > pn.areaCode)
        return  1;
    // Area codes are equal, compare prefixes
    if (prefix < pn.prefix)
        return -1;
    if (prefix > pn.prefix)
        return  1;

    // Area codes and prefixes are equal, compare line numbers
    if (lineNumber < pn.lineNumber)
        return -1;
    if (lineNumber > pn.lineNumber)
        return  1;

    return 0;  // All fields are equal
}
```

虽然这个方法可行，但它还可以进行改进。回想一下，compareTo方法的约定并没有指定返回值的大小（magnitude），而只是指定了返回值的符号。你可以利用这一点来简化代码，或许还能提高它的运行速度：

```
public int compareTo(PhoneNumber pn) {
    // Compare area codes
    int areaCodeDiff = areaCode - pn.areaCode;
    if (areaCodeDiff != 0)
        return areaCodeDiff;

    // Area codes are equal, compare prefixes
    int prefixDiff = prefix - pn.prefix;
    if (prefixDiff != 0)
        return prefixDiff;
```

```
        // Area codes and prefixes are equal, compare line numbers
        return lineNumber - pn.lineNumber;
}
```

　　这项技巧在这里能够工作得很好，但是用起来要非常小心。除非你确信相关的域不会为负值，或者更一般的情况：最小和最大的可能域值之差小于或等于INTEGER.MAX_VALUE($2^{31}-1$)，否则就不要使用这种方法。这项技巧有时不能正常工作的原因在于，一个有符号的32位的整数还没有大到足以表达任意两个32位整数的差。如果i是一个很大的正整数（int类型），而j是一个很大的负整数（int类型），那么（i-j）将会溢出，并返回一个负值。这样就使得compareTo方法将对某些参数返回错误的结果，违反了compareTo约定的第一条和第二条。这不是一个纯粹的理论问题：它已经在实际的系统中导致了失败。这些失败可能非常难以调试，因为这样的compareTo方法对于大多数的输入值都能正常工作。

# 第4章
# 类 和 接 口

类和接口是Java程序设计语言的核心，它们也是Java语言的基本抽象单元。Java语言提供了许多强大的基本元素，供程序员用来设计类和接口。本章阐述的一些指导原则，可以帮助你更好地利用这些元素，设计出更加有用、健壮和灵活的类和接口。

## 第 13 条：使类和成员的可防问性最小化

要区别设计良好的模块与设计不好的模块，最重要的因素在于，这个模块对于外部的其他模块而言，是否隐藏其内部数据和其他实现细节。设计良好的模块会隐藏所有的实现细节，把它的API与它的实现清晰地隔离开来。然后，模块之间只通过它们的API进行通信，一个模块不需要知道其他模块的内部工作情况。这个概念被称为信息隐藏（**information hiding**）或封装（**encapsulation**），是软件设计的基本原则之一[Parnas72]。

信息隐藏之所以非常重要有许多原因，其中大多数理由都源于这样一个事实：它可以有效地解除组成系统的各模块之间的耦合关系，使得这些模块可以独立地开发、测试、优化、使用、理解和修改。这样可以加快系统开发的速度，因为这些模块可以并行开发。它也减轻了维护的负担，因为程序员可以更快地理解这些模块，并且在调试它们的时候可以不影响其他的模块。虽然信息隐藏本身无论是对内还是对外，都不会带来更好的性能，但是它可以有效地调节性能：一旦完成一个系统，并通过剖析确定了哪些模块影响了系统的性能（见第55条），那些模块就可以被进一步优化，而不会影响到其他模块的正确性。信息隐藏提高了软件的可重用性，因为模块之间并不紧密相连，除了开发这些模块所使用的环境之外，它们在其他的环境中往往也很有用。最后，信息隐藏也降低了构建大型系统的风险，因为即使整个系统不可用，但是这些独立的模块却有可能是可用的。

Java程序设计语言提供了许多机制（facility）来协助信息隐藏。访问控制（**access control**）机制[JLS, 6.6]决定了类、接口和成员的可访问性（**accessibility**）。实体的可访问性是由该实体声明所在的位置，以及该实体声明中所出现的访问修饰符（private、protected和public）共同决定的。正确地使用这些修饰符对于实现信息隐藏是非常关键的。

第一规则很简单：尽可能地使每个类或者成员不被外界访问。换句话说，应该使用与你正在编写的软件的对应功能相一致的、尽可能最小的访问级别。

对于顶层的（非嵌套的）类和接口，只有两种可能的访问级别：包级私有的（**package-private**）和公有的（**public**）。如果你用public修饰符声明了顶层类或者接口，那它就是公有的；否则，它将是包级私有的。如果类或者接口能够被做成包级私有的，它就应该被做成包级私有。通过把类或者接口做成包级私有，它实际上成了这个包的实现的一部分，而不是该包导出的API的一部分，在以后的发行版本中，可以对它进行修改、替换，或者删除，而无需担心会影响到现有的客户端程序。如果你把它做成公有的，你就有责任永远支持它，以保持它们的兼容性。

如果一个包级私有的顶层类（或者接口）只是在某一个类的内部被用到，就应该考虑使它成为唯一使用它的那个类的私有嵌套类（见第22条）。这样可以将它的可访问范围从包中的所有类缩小到了使用它的那个类。然而，降低不必要公有类的可访问性，比降低包级私有的顶层类的更重要得多：因为公有类是包的API的一部分，而包级私有的顶层类则已经是这个包的实现的一部分。

对于成员（域、方法、嵌套类和嵌套接口）有四种可能的访问级别，下面按照可访问性的递增顺序罗列出来：

- **私有的（private）**——只有在声明该成员的顶层类内部才可以访问这个成员。

- **包级私有的（package-private）**——声明该成员的包内部的任何类都可以访问这个成员。从技术上讲，它被称为"缺省（**default**）访问级别"，如果没有为成员指定访问修饰符，就采用这个访问级别。

- **受保护的（protected）**——声明该成员的类的子类可以访问这个成员（但有一些限制[JLS, 6.6.2]），并且，声明该成员的包内部的任何类也可以访问这个成员。

- **公有的（public）**——在任何地方都可以访问该成员。

当你仔细地设计了类的公有API之后，可能觉得应该把所有其他的成员都变成私有的。其实，只有当同一个包内的另一个类真正需要访问一个成员的时候，你才应该删除private修饰符，使该成员变成包级私有的。如果你发现自己经常要做这样的事情，就应该重新检查你的系统设计，看看是否另一种分解方案所得到的类，与其他类之间的耦合度会更小。也就是说，私有成员和包级私有成员都是一个类的实现中的一部分，一般不会影响它的导出的API。然而，如果这个类实现了Serializable接口（见第74和75条），这些域就有可能会被"泄漏（leak）"到导出的API中。

对于公有类的成员，当访问级别从包级私有变成保护级别时，会大大增强可访问性。受保护的成员是类的导出的API的一部分，必须永远得到支持。导出的类的受保护成员也代表了该类对于某个实现细节的公开承诺（见第17条）。受保护的成员应该尽量少用。

有一条规则限制了降低方法的可访问性的能力。如果方法覆盖了超类中的一个方法，子类中的访问级别就不允许低于超类中的访问级别[JLS, 8.4.8.3]。这样可以确保任何可使用超类的实例的地方也都可以使用子类的实例。如果你违反了这条规则，那么当你试图编译该子类的时候，编译器就会产生一条错误消息。这条规则有种特殊的情形：如果一个类实现了一个接口，那么接口中所有的类方法在这个类中也都必须被声明为公有的。之所以如此，是因为接口中的所有方法都隐含着公有访问级别[JLS，9.1.5]。

为了便于测试，你可以试着使类、接口或者成员变得更容易访问。这么做在一定程度上来说是好的。为了测试而将一个公有类的私有成员变成包级私有的，这还可以接受，但是要将访问级别提高到超过它，这就无法接受了。换句话说，不能为了测试，而将类、接口或者成员变成包的导出的API的一部分。幸运的是，也没有必要这么做，因为可以让测试作为被测试的包的一部分来运行，从而能够访问它的包级私有的元素。

实例域决不能是公有的（见第14条）。如果域是非final的，或者是一个指向可变对象的final引用，那么一旦使这个域成为公有的，就放弃了对存储在这个域中的值进行限制的能力；这意味着，你也放弃了强制这个域不可变的能力。同时，当这个域被修改的时候，你也失去了对它采取任何行动的能力。因此，包含公有可变域的类并不是线程安全的。即使域是final的，并且引用不可变的对象，当把这个域变成公有的时候，也就放弃了"切换到一种新的内部数据表示法"的灵活性。

同样的建议也适用于静态域，只是有一种例外情况。假设常量构成了类提供的整个抽象中的一部分，可以通过公有的静态final域来暴露这些常量。按惯例，这种域的名称由大写字母组成，单词之间用下划线隔开（见第56条）。很重要的一点是，这些域要么包含基本类型的值，要么包含指向不可变对象的引用（见第15条）。如果final域包含可变对象的引用，它便具有非final域的所有缺点。虽然引用本身不能被修改，但是它所引用的对象却可以被修改——这会导致灾难性的后果。

注意，长度非零的数组总是可变的，所以，类具有公有的静态final数组域，或者返回这种域的访问方法，这几乎总是错误的。如果类具有这样的域或者访问方法，客户端将能够修改数组中的内容。这是安全漏洞的一个常见根源：

```
// Potential security hole!
public static final Thing[] VALUES = { ... };
```

要注意，许多IDE会产生返回指向私有数组域的引用的访问方法，这样就会产生这个问题。修正这个问题有两种方法。可以使公有数组变成私有的，并增加一个公有的不可变列表：

```
private static final Thing[] PRIVATE_VALUES = { ... };
public static final List<Thing> VALUES =
    Collections.unmodifiableList(Arrays.asList(PRIVATE_VALUES));
```

另一种方法是，可以使数组变成私有的，并添加一个公有方法，它返回私有数组的一个备份：

```
private static final Thing[] PRIVATE_VALUES = { ... };
public static final Thing[] values() {
    return PRIVATE_VALUES.clone();
}
```

要在这两种方法之间做出选择，得考虑客户端可能怎么处理这个结果。哪种返回类型会更加方便？哪种会得到更好的性能？

总而言之，你应该始终尽可能地降低可访问性。你在仔细地设计了一个最小的公有API之后，应该防止把任何散乱的类、接口和成员变成API的一部分。除了公有静态final域的特殊情形之外，公有类都不应该包含公有域。并且要确保公有静态final域所引用的对象都是不可变的。

## 第 14 条：在公有类中使用访问方法而非公有域

有时候，可能会编写一些退化类（degenerate classes），没有什么作用，只是用来集中实例域：

```
// Degenerate classes like this should not be public!
class Point {
    public double x;
    public double y;
}
```

由于这种类的数据域是可以被直接访问的，这些类没有提供封装（encapsulation）的功能（见第13条）。如果不改变API，就无法改变它的数据表示法，也无法强加任何约束条件；当域被访问的时候，无法采取任何辅助的行动。坚持面向对象程序设计的程序员对这种类深恶痛绝，认为应该用包含私有域和公有访问方法（getter）的类代替。对于可变的类来说，应该用包含私有域和公有设值方法（setter）的类代替：

```
// Encapsulation of data by accessor methods and mutators
class Point {
    private double x;
    private double y;

    public Point(double x, double y) {
        this.x = x;
        this.y = y;
    }

    public double getX() { return x; }
    public double getY() { return y; }

    public void setX(double x) { this.x = x; }
    public void setY(double y) { this.y = y; }
}
```

毫无疑问，说到公有类的时候，坚持面向对象程序设计思想的看法是正确的：如果类可以在它所在的包的外部进行访问，就提供访问方法，以保留将来改变该类的内部表示法的灵活性。如果公有类暴露了它的数据域，要想在将来改变其内部表示法是不可能的，因为公有类的客户端代码已经遍布各处了。

然而，如果类是包级私有的，或者是私有的嵌套类，直接暴露它的数据域并没有本质的错误——假设这些数据域确实描述了该类所提供的抽象。这种方法比访问方法的做法更不会产生视觉混乱，无论是在类定义中，还是在使用该类的客户端代码中。虽然客户端代码与该类的内部表示法紧密相连，但是这些代码被限定在包含该类的包中。如有必要，不改变包之外的任何代码而只改变内部数据表示法也是可以的。在私有嵌套类的情况下，改变的作用范围被进一步限制在外围类中。

Java平台类库中有几个类违反了"公有类不应该直接暴露数据域"的告诫。显著的例子包括java.awt包中的Point和Dimension类。它们是不值得仿效的例子，相反，这些类应该被当作反面的警告示例。正如第55条中所讲述的，决定暴露Dimension类的内部数据造成了严重的性能问题，而且，这个问题至今依然存在。

让公有类直接暴露域虽然从来都不是种好办法，但是如果域是不可变的，这种做法的危害就比较小一些。如果不改变类的API，就无法改变这种类的表示法，当域被读取的时候，你也无法采取辅助的行动，但是可以强加约束条件。例如，这个类确保了每个实例都表示一个有效的时间：

```java
// Public class with exposed immutable fields - questionable
public final class Time {
    private static final int HOURS_PER_DAY    = 24;
    private static final int MINUTES_PER_HOUR = 60;

    public final int hour;
    public final int minute;

    public Time(int hour, int minute) {
        if (hour < 0 || hour >= HOURS_PER_DAY)
            throw new IllegalArgumentException("Hour: " + hour);
        if (minute < 0 || minute >= MINUTES_PER_HOUR)
            throw new IllegalArgumentException("Min: " + minute);
        this.hour = hour;
        this.minute = minute;
    }
    ... // Remainder omitted
}
```

总之，公有类永远都不应该暴露可变的域。虽然还是有问题，但是让公有类暴露不可变的域其危害比较小。但是，有时候会需要用包级私有的或者私有的嵌套类来暴露域，无论这个类是可变还是不可变的。

## 第15条：使可变性最小化

不可变类只是其实例不能被修改的类。每个实例中包含的所有信息都必须在创建该实例的时候就提供，并在对象的整个生命周期（lifetime）内固定不变。Java平台类库中包含许多不可变的类，其中有String、基本类型的包装类、BigInteger和BigDecimal。存在不可变的类有许多理由：不可变的类比可变类更加易于设计、实现和使用。它们不容易出错，且更加安全。

为了使类成为不可变，要遵循下面五条规则：

**1. 不要提供任何会修改对象状态的方法**（也称为mutator）。[⊖]

**2. 保证类不会被扩展。**这样可以防止粗心或者恶意的子类假装对象的状态已经改变，从而破坏该类的不可变行为。为了防止子类化，一般做法是使这个类成为final的，但是后面我们还会讨论到其他的做法。

**3. 使所有的域都是final的。**通过系统的强制方式，这可以清楚地表明你的意图。而且，如果一个指向新创建实例的引用在缺乏同步机制的情况下，从一个线程被传递到另一个线程，就必需确保正确的行为，正如内存模型（**memory model**）中所述[JLS，17.5；Goetz06 16]。

**4. 使所有的域都成为私有的。**这样可以防止客户端获得访问被域引用的可变对象的权限，并防止客户端直接修改这些对象。虽然从技术上讲，允许不可变的类具有公有的final域，只要这些域包含基本类型的值或者指向不可变对象的引用，但是不建议这样做，因为这样会使得在以后的版本中无法再改变内部的表示法（见第13条）。

**5. 确保对于任何可变组件的互斥访问。**如果类具有指向可变对象的域，则必须确保该类的客户端无法获得指向这些对象的引用。并且，永远不要用客户端提供的对象引用来初始化这样的域，也不要从任何访问方法（accessor）中返回该对象引用。在构造器、访问方法和**readObject**方法（见第76条）中请使用保护性拷贝（**defensive copy**）技术（见第39条）。

前面条目中的许多例子都是不可变的，其中一个例子是第9条中的PhoneNumber，它针对每个属性都有访问方法（accessor），但是没有对应的设值方法（mutator）。下面是个稍微复杂一点的例子：

```
public final class Complex {
    private final double re;
    private final double im;

    public Complex(double re, double im) {
```

---

⊖ 即改变对象属性的方法。——编辑注。

```java
        this.re = re;
        this.im = im;
    }

    // Accessors with no corresponding mutators
    public double realPart()      { return re; }
    public double imaginaryPart() { return im; }

    public Complex add(Complex c) {
        return new Complex(re + c.re, im + c.im);
    }

    public Complex subtract(Complex c) {
        return new Complex(re - c.re, im - c.im);
    }

    public Complex multiply(Complex c) {
        return new Complex(re * c.re - im * c.im,
                           re * c.im + im * c.re);
    }

    public Complex divide(Complex c) {
        double tmp = c.re * c.re + c.im * c.im;
        return new Complex((re * c.re + im * c.im) / tmp,
                           (im * c.re - re * c.im) / tmp);
    }

    @Override public boolean equals(Object o) {
        if (o == this)
            return true;
        if (!(o instanceof Complex))
            return false;
        Complex c = (Complex) o;

        // See page 43 to find out why we use compare instead of ==
        return Double.compare(re, c.re) == 0 &&
               Double.compare(im, c.im) == 0;
    }
    @Override public int hashCode() {
        int result = 17 + hashDouble(re);
        result = 31 * result + hashDouble(im);
        return result;
    }

    private int hashDouble(double val) {
        long longBits = Double.doubleToLongBits(re);
        return (int) (longBits ^ (longBits >>> 32));
    }

    @Override public String toString() {
        return "(" + re + " + " + im + "i)";
    }
}
```

这个类表示一个复数（**complex number**，具有实部和虚部）。除了标准的Object方法之外，它还提供了针对实部和虚部的访问方法，以及4种基本的算术运算：加法、减法、乘法和除法。注意这些算术运算是如何创建并返回新的Complex实例，而不是修改这个实例。大多数重要的不可变类都使用了这种模式。它被称为函数的（**functional**）做法，因为这些方法返回了一个函数的结果，这些函数对操作数进行运算但并不修改它。与之相对应的更常见的是过程的

（procedural）或者命令式的（imperative）做法，使用这些方式时，将一个过程作用在它们的操作数上，会导致它的状态发生改变。

如果你对函数方式的做法还不太熟悉，可能会觉得它显得不太自然，但是它带来了不可变性，具有许多优点。不可变对象比较简单。不可变对象可以只有一种状态，即被创建时的状态。如果你能够确保所有的构造器都建立了这个类的约束关系，就可以确保这些约束关系在整个生命周期内永远不再发生变化，你和使用这个类的程序员都无需再做额外的工作来维护这些约束关系。另一方面，可变的对象可以有任意复杂的状态空间。如果文档中没有对mutator方法所执行的状态转换提供精确的描述，要可靠地使用一个可变类是非常困难的，甚至是不可能的。

不可变对象本质上是线程安全的，它们不要求同步。当多个线程并发访问这样的对象时，它们不会遭到破坏。这无疑是获得线程安全最容易的办法。实际上，没有任何线程会注意到其他线程对于不可变对象的影响。所以，不可变对象可以被自由地共享。不可变类应该充分利用这种优势，鼓励客户端尽可能地重用现有的实例。要做到这一点，一个很简便的办法就是，对于频繁用到的值，为它们提供公有的静态final常量。例如，Complex类有可能会提供下面的常量：

```
public static final Complex ZERO = new Complex(0, 0);
public static final Complex ONE  = new Complex(1, 0);
public static final Complex I    = new Complex(0, 1);
```

这种方法可以被进一步扩展。不可变的类可以提供一些静态工厂（见第1条），它们把频繁被请求的实例缓存起来，从而当现有实例可以符合请求的时候，就不必创建新的实例。所有基本类型的包装类和BigInteger都有这样的静态工厂。使用这样的静态工厂也使得客户端之间可以共享现有的实例，而不用创建新的实例，从而降低内存占用和垃圾回收的成本。在设计新的类时，选择用静态工厂代替公有的构造器可以让你以后有添加缓存的灵活性，而不必影响客户端。

"不可变对象可以被自由地共享"导致的结果是，永远也不需要进行保护性拷贝（见第39条）。实际上，你根本无需做任何拷贝，因为这些拷贝始终等于原始的对象。因此，你不需要，也不应该为不可变的类提供clone方法或者拷贝构造器（copy constructor，见第11条）。这一点在Java平台的早期并不好理解，所以String类仍然具有拷贝构造器，但是应该尽量少用它（见第5条）。

不仅可以共享不可变对象，甚至也可以共享它们的内部信息。例如，BigInteger类内部使用了符号数值表示法。符号用一个int类型的值来表示，数值则用一个int数组表示。negate方法产生一个新的BigInteger，其中数值是一样的，符号则是相反的。它并不需要拷贝数组；新建的BigInteger也指向原始实例中的同一个内部数组。

不可变对象为其他对象提供了大量的构件（**building blocks**），无论是可变的还是不可变的对象。如果知道一个复杂对象内部的组件对象不会改变，要维护它的不变性约束是比较容易的。这条原则的一种特例在于，不可变对象构成了大量的映射键（map key）和集合元素（set element）；一旦不可变对象进入到映射（map）或者集合（set）中，尽管这破坏了映射或者集合的不变性约束，但是也不用担心它们的值会发生变化。

不可变类真正唯一的缺点是，对于每个不同的值都需要一个单独的对象。创建这种对象的代价可能很高，特别是对于大型对象的情形。例如，假设你有一个上百万位的BigInteger，想要改变它的低位：

```
BigInteger moby = ...;
moby = moby.flipBit(0);
```

flipBit方法创建了一个新的BigInteger实例，也有上百万位长，它与原来的对象只差一位不同。这项操作所消耗的时间和空间与BigInteger的成正比。我们拿它与java.util.BitSet进行比较。与BigInteger类似，BitSet代表一个任意长度的位序列，但是与BigInteger不同的是，BitSet是可变的。BitSet类提供了一个方法，允许在固定时间（constant time）内改变此"百万位"实例中单个位的状态。

如果你执行一个多步骤的操作，并且每个步骤都会产生一个新的对象，除了最后的结果之外其他的对象最终都会被丢弃，此时性能问题就会显露出来。处理这种问题有两种办法。第一种办法，先猜测一下会经常用到哪些多步骤的操作，然后将它们作为基本类型提供。如果某个多步骤操作已经作为基本类型提供，不可变的类就可以不必在每个步骤单独创建一个对象。不可变的类在内部可以更加灵活。例如，BigInteger有一个包级私有的可变"配套类（companing class）"，它的用途是加速诸如"模指数（modular exponentiation）"这样的多步骤操作。由于前面提到的诸多原因，使用可变的配套类比使用BigInteger要困难得多，但幸运的是，你并不需要这样做。因为BigInteger的实现者已经替你完成了所有的困难工作。

如果能够精确地预测出客户端将要在不可变的类上执行哪些复杂的多阶段操作，这种包级私有的可变配套类的方法就可以工作得很好。如果无法预测，最好的办法是提供一个公有的可变配套类。在Java平台类库中，这种方法的主要例子是String类，它的可变配套类是StringBuilder（和基本上已经废弃的StringBuffer）。可以这样认为，在特定的环境下，相对于BigInteger而言，BitSet同样扮演了可变配套类的角色。

现在你已经知道了如何构建不可变的类，并且了解了不可变性的优点和缺点，现在我们来讨论其他的一些设计方案。前面提到过，为了确保不可变性，类绝对不允许自身被子类化。除了"使类成为final的"这种方法之外，还有另外一种更加灵活的办法可以做到这一点。让不可变的类变成final的另一种办法就是，让类的所有构造器都变成私有的或者包级私有的，并添加公有的静态工厂（**static factory**）来代替公有的构造器（见第1条）。

为了具体说明这种方法，下面以Complex为例，看看如何使用这种方法：

```
// Immutable class with static factories instead of constructors
public class Complex {
    private final double re;
    private final double im;

    private Complex(double re, double im) {
        this.re = re;
        this.im = im;
    }

    public static Complex valueOf(double re, double im) {
        return new Complex(re, im);
    }

    ... // Remainder unchanged
}
```

虽然这种方法并不常用，但它经常是最好的替代方法。它最灵活，因为它允许使用多个包级私有的实现类。对于处在它的包外部的客户端而言，不可变的类实际上是final的，因为不可能把来自另一个包的类、缺少公有的或受保护的构造器的类进行扩展。除了允许多个实现类的灵活性之外，这种方法还使得有可能通过改善静态工厂的对象缓存能力，在后续的发行版本中改进该类的性能。

静态工厂与构造器相比具有许多其他的优势，正如在第1条中所讨论的。例如，假设你希望提供一种"基于极坐标创建复数"的方式。如果使用构造器来实现这样的功能，可能会使得这个类很零乱，因为这样的构造器与已用的构造器Complex(double, double)具有相同的签名。通过静态工厂，这很容易做到。只需添加第二个静态工厂，并且工厂的名字清楚地表明了它的功能即可：

```
public static Complex valueOfPolar(double r, double theta) {
    return new Complex(r * Math.cos(theta),
                       r * Math.sin(theta));
}
```

当BigInteger和BigDecimal刚被编写出来的时候，对于"不可变的类必须为final的"还没有得到广泛地理解，所以它们的所有方法都有可能会被覆盖。遗憾的是，为了保持向后兼容，这个问题一直无法得以修正。如果你在编写一个类，它的安全性依赖于（来自不可信客户端的）BigInteger或者BigDecimal参数的不可变性，就必须进行检查，以确定这个参数是否为"真正的"的BigInteger或者BigDecimal，而不是不可信任子类的实例。如果是后者的话，就必须在假设它可能是可变的前提下对它进行保护性拷贝（见第39条）：

```
public static BigInteger safeInstance(BigInteger val) {
```

```
        if (val.getClass() != BigInteger.class)
            return new BigInteger(val.toByteArray());
        return val;
    }
```

本条目开头处关于不可变类的诸多规则指出，没有方法会修改对象，并且它的所有域都必须是final的。实际上，这些规则比真正的要求更强硬了一点，为了提高性能可以有所放松。事实上应该是这样：没有一个方法能够对对象的状态产生外部可见（**externally visible**）的改变。然而，许多不可变的类拥有一个或者多个非final的域，它们在第一次被请求执行这些计算的时候，把一些开销昂贵的计算结果缓存在这些域中。如果将来再次请求同样的计算，就直接返回这些缓存的值，从而节约了重新计算所需要的开销。这种技巧可以很好地工作，因为对象是不可变的，它的不可变性保证了这些计算如果被再次执行，就会产生同样的结果。

例如，PhoneNumber类的hashCode方法（见第9条）在第一次被调用的时候，计算出散列码，然后把它缓存起来，以备将来被再次调用时使用。这种方法是延迟初始化（**lazy initialization**）（见第71条）的一个例子，String类也用到了。

有关序列化功能的一条告诫有必要在这里提出来。如果你选择让自己的不可变类实现Serializable接口，并且它包含一个或者多个指向可变对象的域，就必须提供一个显式的readObject或者readResolve方法，或者使用ObjectOutputStream.writeUnshared和ObjectInputStream.readUnshared方法，即使默认的序列化形式是可以接受的，也是如此。否则攻击者可能从不可变的类创建可变的实例。这个话题的详细内容请参见第76条。

总之，坚决不要为每个get方法编写一个相应的set方法。除非有很好的理由要让类成为可变的类，否则就应该是不可变的。不可变的类有许多优点，唯一缺点是在特定的情况下存在潜在的性能问题。你应该总是使一些小的值对象，比如PhoneNumber和Complex，成为不可变的（在Java平台类库中，有几个类如java.util.Date和java.awt.Point，它们本应该是不可变的，但实际上却不是）。你也应该认真考虑把一些较大的值对象做成不可变的，例如String和BigInteger。只有当你确认有必要实现令人满意的性能时（见第55条），才应该为不可变的类提供公有的可变配套类。

对于有些类而言，其不可变性是不切实际的。如果类不能被做成是不可变的，仍然应该尽可能地限制它的可变性。降低对象可以存在的状态数，可以更容易地分析该对象的行为，同时降低出错的可能性。因此，除非有令人信服的理由要使域变成是非**final**的，否则要使每个域都是**final**的。

构造器应该创建完全初始化的对象，并建立起所有的约束关系。不要在构造器或者静态工厂之外再提供公有的初始化方法，除非有令人信服的理由必须这么做。同样地，也不应该提供"重新初始化"方法（它使得对象可以被重用，就好像这个对象是由另一不同的初始状态构造出来的一样）。与所增加的复杂性相比，"重新初始化"方法通常并没有带来太多的性能优势。

可以通过TimerTask类来说明这些原则。它是可变的，但是它的状态空间被有意地设计得非常小。你可以创建一个实例，对它进行调度使它执行起来，也可以随意地取消它。一旦一个定时器任务（timer task）已经完成，或者已经被取消，就不可能再对它重新调度。

最后值得注意的一点与本条目中的Complex类有关。这个例子只是被用来演示不可变性的，它不是一个工业强度（即产品级）的复数实现。它对复数乘法和除法使用标准的计算公式，会进行不正确的舍入，并对复数NaN和无穷大没有提供很好的语义[Kahan91, Smith62, Thomas94]。

## 第 16 条：复合优先于继承

继承（inheritance）是实现代码重用的有力手段，但它并非永远是完成这项工作的最佳工具。使用不当会导致软件变得很脆弱。在包的内部使用继承是非常安全的，在那里，子类和超类的实现都处在同一个程序员的控制之下。对于专门为了继承而设计、并且具有很好的文档说明的类来说（见第17条），使用继承也是非常安全的。然而，对普通的具体类（concrete class）进行跨越包边界的继承，则是非常危险的。提示一下，本书使用"继承"一词，含义是实现继承（**implementation inheritance**，当一个类扩展另一个类的时候）。本条目中讨论的问题并不适用于接口继承（**interface inheritance**，当一个类实现一个接口的时候，或者当一个接口扩展另一个接口的时候）。

与方法调用不同的是，继承打破了封装性[Snyder86]。换句话说，子类依赖于其超类中特定功能的实现细节。超类的实现有可能会随着发行版本的不同而有所变化，如果真的发生了变化，子类可能会遭到破坏，即使它的代码完全没有改变。因而，子类必须要跟着其超类的更新而演变，除非超类是专门为了扩展而设计的，并且具有很好的文档说明。

为了说明得更加具体一点，我们假设有一个程序使用了HashSet。为了调优该程序的性能，需要查询HashSet，看一看自从它被创建以来曾经添加了多少个元素（不要与它当前的元素混淆起来，元素数目会随着元素的删除而递减）。为了提供这种功能，我们得编写一个HashSet变量，它记录下试图插入的元素数量，并针对该计数值导出一个访问方法。HashSet类包含两个可以增加元素的方法：add和addAll，因此这两个方法都要被覆盖：

```java
// Broken - Inappropriate use of inheritance!
public class InstrumentedHashSet<E> extends HashSet<E> {
    // The number of attempted element insertions
    private int addCount = 0;

    public InstrumentedHashSet() {
    }

    public InstrumentedHashSet(int initCap, float loadFactor) {
        super(initCap, loadFactor);
    }
    @Override public boolean add(E e) {
        addCount++;
        return super.add(e);
    }
    @Override public boolean addAll(Collection<? extends E> c) {
        addCount += c.size();
        return super.addAll(c);
    }
    public int getAddCount() {
        return addCount;
    }
}
```

这个类看起来非常合理，但是它并不能正常工作。假设我们创建了一个实例，并利用addAll方法添加了三个元素：

```
InstrumentedHashSet<String> s =
    new InstrumentedHashSet<String>();
s.addAll(Arrays.asList("Snap", "Crackle", "Pop"));
```

这时候，我们期望getAddCount方法将会返回3，但是它实际上返回的是6。哪里出错了呢？在HashSet的内部，addAll方法是基于它的add方法来实现的，即使HashSet的文档中并没有说明这样的实现细节，这也是合理的。InstrumentedHashSet中的addAll方法首先给addCount增加3，然后利用supper.addAll来调用HashSet的addAll实现。然后又依次调用到被InstrumentedHashSet覆盖了的add方法，每个元素调用一次。这三次调用又分别给addCount加了1，所以，总共增加了6：通过addAll方法增加的每个元素都被计算了两次。

我们只要去掉被覆盖的addAll方法，就可以"修正"这个子类。虽然这样得到的类可以正常工作，但是，它的功能正确性则需要依赖于这样的事实：HashSet的addAll方法是在它的add方法上实现的。这种"自用性（self-use）"是实现细节，不是承诺，不能保证在Java平台的所有实现中都保持不变，不能保证随着发行版本的不同而不发生变化。因此，这样得到的InstrumentedHashSet类将是非常脆弱的。

稍微好一点的做法是，覆盖addAll方法来遍历指定的集合，为每个元素调用一次add方法。这样做可以保证得到正确的结果，不管HashSet的addAll方法是否是在add方法的基础上实现，因为HashSet的addAll实现将不会再被调用到。然而，这项技术并没有解决所有的问题，它相当于重新实现了超类的方法，这些超类的方法可能是自用的（self-use），也可能不是自用的，这种方法很困难，也非常耗时，并且容易出错。此外，这样做并不总是可行的，因为无法访问对于子类来说的私有域，所以有些方法就无法实现。

导致子类脆弱的一个相关的原因是，它们的超类在后续的发行版本中可以获得新的方法。假设一个程序的安全性依赖于这样的事实：所有被插入到某个集合中的元素都满足某个先决条件。下面的做法就可以确保这一点：对集合进行子类化，并覆盖所有能够添加元素的方法，以便确保在加入每个元素之前它是满足这个先决条件的。如果在后续的发行版本中，超类中没有增加能插入元素的新方法，这种做法就可以正常工作。然而，一旦超类增加了这样的新方法，则很可能仅仅由于调用了这个未被子类覆盖的新方法，而将"非法的"元素添加到子类的实例中。这不是个纯粹的理论问题。在把Hashtable和Vector加入到Collections Framework中的时候，就修正了几个这类性质的安全漏洞。

上面这两个问题都来源于覆盖（overriding）动作。如果在扩展一个类的时候，仅仅是增加新的方法，而不覆盖现有的方法，你可能会认为这是安全的。虽然这种扩展方式比较安全一些，但是也并非完全没有风险。如果超类在后续的发行版本中获得了一个新的方法，并且不幸的是，你给子类提供了一个签名相同但返回类型不同的方法，那么这样的子类将无法通过编译[JLS, 8.4.6.3]。如果给子类提供的方法带有与新的超类方法完全相同的签名和返回类型，实际上就覆盖了超类中的方法，因此又回到上述的两个问题上去了。此外，你的方法是否能够遵守新的超类方法的约定，这也是很值得怀疑的，因为当你在编写子类方法的时候，这个约定根本没有面世。

幸运的是，有一种办法可以避免前面提到的所有问题。不用扩展现有的类，而是在新的类中增加一个私有域，它引用现有类的一个实例。这种设计被称做"复合（composition）"，因为现有的类变成了新类的一个组件。新类中的每个实例方法都可以调用被包含的现有类实例中对应的方法，并返回它的结果。这被称为转发（forwarding），新类中的方法被称为转发方法（forwarding method）。这样得到的类将会非常稳固，它不依赖于现有类的实现细节。即使现有的类添加了新的方法，也不会影响新的类。为了进行更具体的说明，请看下面的例子，它用复合/转发的方法来代替InstrumentedHashSet类。注意这个实现分为两部分：类本身和可重用的转发类（forwarding class），包含了所有的转发方法，没有其他方法。

```java
// Wrapper class - uses composition in place of inheritance
public class InstrumentedSet<E> extends ForwardingSet<E> {
    private int addCount = 0;

    public InstrumentedSet(Set<E> s) {
        super(s);
    }

    @Override public boolean add(E e) {
        addCount++;
        return super.add(e);
    }
    @Override public boolean addAll(Collection<? extends E> c) {
        addCount += c.size();
        return super.addAll(c);
    }
    public int getAddCount() {
        return addCount;
    }
}

// Reusable forwarding class
public class ForwardingSet<E> implements Set<E> {
    private final Set<E> s;
    public ForwardingSet(Set<E> s) { this.s = s; }

    public void clear()                 { s.clear();            }
    public boolean contains(Object o) { return s.contains(o); }
    public boolean isEmpty()            { return s.isEmpty();   }
    public int size()                   { return s.size();      }
    public Iterator<E> iterator()       { return s.iterator();  }
    public boolean add(E e)             { return s.add(e);      }
    public boolean remove(Object o)   { return s.remove(o);   }
    public boolean containsAll(Collection<?> c)
                                        { return s.containsAll(c); }
    public boolean addAll(Collection<? extends E> c)
```

```
                               { return s.addAll(c);      }
    public boolean removeAll(Collection<?> c)
                               { return s.removeAll(c);   }
    public boolean retainAll(Collection<?> c)
                               { return s.retainAll(c);   }
    public Object[] toArray()        { return s.toArray();  }
    public <T> T[] toArray(T[] a)    { return s.toArray(a); }
    @Override public boolean equals(Object o)
                               { return s.equals(o);  }
    @Override public int hashCode()    { return s.hashCode(); }
    @Override public String toString() { return s.toString(); }
}
```

Set接口的存在使得InstrumentedSet类的设计成为可能，因为Set接口保存了HashSet类的功能特性。除了获得健壮性之外，这种设计也带来了格外的灵活性。InstrumentedSet类实现了Set接口，并且拥有单个构造器，它的参数也是Set类型。从本质上讲，这个类把一个Set转变成了另一个Set，同时增加了计数的功能。前面提到的基于继承的方法只适用于单个具体的类，并且对于超类中所支持的每个构造器都要求有一个单独的构造器，与此不同的是，这里的包装类（wrapper class）可以被用来包装任何Set实现，并且可以结合任何先前存在的构造器一起工作。例如：

```
Set<Date> s = new InstrumentedSet<Date>(new TreeSet<Date>(cmp));
Set<E> s2 = new InstrumentedSet<E>(new HashSet<E>(capacity));
```

InstrumentedSet类甚至也可以用来临时替换一个原本没有计数特性的Set实例：

```
static void walk(Set<Dog> dogs) {
    InstrumentedSet<Dog> iDogs = new InstrumentedSet<Dog>(dogs);
    ... // Within this method use iDogs instead of dogs
}
```

因为每一个InstrumentedSet实例都把另一个Set实例包装起来了，所以InstrumentedSet类被称做包装类（**wrapper class**）。这也正是Decorator模式[Gamma95, p.175]，因为InstrumentedSet类对一个集合进行了修饰，为它增加了计数特性。有时候，复合和转发的结合也被错误地称为"委托（**delegation**）"。从技术的角度而言，这不是委托，除非包装对象把自身传递给被包装的对象[Gamma95, p. 20]。

包装类几乎没有什么缺点。需要注意的一点是，包装类不适合用在回调框架（**callback framework**）中；在回调框架中，对象把自身的引用传递给其他的对象，用于后续的调用（"回调"）。因为被包装起来的对象并不知道它外面的包装对象，所以它传递一个指向自身的引用（this），回调时避开了外面的包装对象。这被称为SELF问题[Lieberman86]。有些人担心转发方法调用所带来的性能影响，或者包装对象导致的内存占用。在实践中，这两者都不会造成很大的影响。编写转发方法倒是有点琐碎，但是只需要给每个接口编写一次构造器，转发类则可以通过包含接口的包替你提供。

只有当子类真正是超类的子类型（subtype）时，才适合用继承。换句话说，对于两个类A和B，只有当两者之间确实存在"is-a"关系的时候，类B才应该扩展类A。如果你打算让类B扩展类A，就应该问问自己：每个B确实也是A吗？如果你不能够确定这个问题的答案是肯定的，那么B就不应该扩展A。如果答案是否定的，通常情况下，B应该包含A的一个私有实例，并且暴露一个较小的、较简单的API：A本质上不是B的一部分，只是它的实现细节而已。

在Java平台类库中，有许多明显违反这条原则的地方。例如，栈（stack）并不是向量（vector），所以Stack不应该扩展Vector。同样地，属性列表也不是散列表，所以Properties不应该扩展Hashtable。在这两种情况下，复合模式才是恰当的。

如果在适合于使用复合的地方使用了继承，则会不必要地暴露实现细节。这样得到的API会把你限制在原始的实现上，永远限定了类的性能。更为严重的是，由于暴露了内部的细节，客户端就有可能直接访问这些内部细节。这样至少会导致语义上的混淆。例如，如果p指向Properties实例，那么p.getProperty(key) 就有可能产生与p.get(key)不同的结果：前者考虑了默认的属性表，而后者是继承自Hashtable的，它则没有考虑默认属性列表。最严重的是，客户有可能直接修改超类，从而破坏子类的约束条件。在Properties的情形中，设计者的目标是，只允许字符串作为键（key）和值（value），但是直接访问底层的Hashtable就可以违反这种约束条件。一旦违反了约束条件，就不可能再使用Properties API的其他部分（load和store）了。等到发现这个问题时，要改正它已经太晚了，因为客户端依赖于使用非字符串的键和值了。

在决定使用继承而不是复合之前，还应该问自己最后一组问题。对于你正试图扩展的类，它的API中有没有缺陷呢？如果有，你是否愿意把那些缺陷传播到类的API中？继承机制会把超类API中的所有缺陷传播到子类中，而复合则允许设计新的API来隐藏这些缺陷。

简而言之，继承的功能非常强大，但是也存在诸多问题，因为它违背了封装原则。只有当子类和超类之间确实存在子类型关系时，使用继承才是恰当的。即便如此，如果子类和超类处在不同的包中，并且超类并不是为了继承而设计的，那么继承将会导致脆弱性（fragility）。为了避免这种脆弱性，可以用复合和转发机制来代替继承，尤其是当存在适当的接口可以实现包装类的时候。包装类不仅比子类更加健壮，而且功能也更加强大。

## 第 17 条：要么为继承而设计，并提供文档说明，要么就禁止继承

第16条提醒我们，对于不是为了继承而设计、并且没有文档说明的"外来"类进行子类化是多么危险。那么对于专门为了继承而设计并且具有良好文档说明的类而言，这又意味着什么呢？

首先，该类的文档必须精确地描述覆盖每个方法所带来的影响。换句话说，该类必须有文档说明它可覆盖（overridable）的方法的自用性（self-use）。对于每个公有的或受保护的方法或者构造器，它的文档必须指明该方法或者构造器调用了哪些可覆盖的方法，是以什么顺序调用的，每个调用的结果又是如何影响后续的处理过程的（所谓可覆盖（overridable）的方法，是指非final的，公有的或受保护的）。更一般地，类必须在文档中说明，在哪些情况下它会调用可覆盖的方法。例如，后台的线程或者静态的初始化器（initializer）可能会调用这样的方法。

按惯例，如果方法调用到了可覆盖的方法，在它的文档注释的末尾应该包含关于这些调用的描述信息。这段描述信息要以这样的句子开头："This implementation.（该实现……）"。这样的句子不应该被认为是在表明该行为可能会随着版本的变迁而改变。它意味着这段描述关注该方法的内部工作情况。下面是个示例，摘自java.util.AbstractCollection的规范：

```
public boolean remove(Object o)
```

Removes a single instance of the specified element from this collection, if it is present (optional operation). More formally, removes an element e such that (o==null ? e==null: o.equals(e)), if the collection contains one or more such elements. Returns true if the collection contained the specified element (or equivalently, if the collection changed as a result of the call).

This implementation iterates over the collection looking for the specified element. If it finds the element, it removes the element from the collection using the iterator's remove method. Note that this implementation throws an UnsupportedOperation-Exception if the iterator returned by this collection's iterator method does not implement the remove method.

（如果这个集合中存在指定的元素，就从中删除该指定元素中的单个实例（这是项可选的操作）。更一般地，如果集合中包含一个或者多个这样的元素e，就从中删除这种元素，以便(o==null ? e==null: o.equals(e))。如果集合中包含指定的元素，就返回true（如果调用最终改变了集合，也一样）。

该实现遍历整个集合来查找指定的元素。如果它找到该元素，将会利用迭代器的remove方法将之从集合中删除。注意，如果由该集合的iterator方法返回的迭代器没有实现remove方法，该实现就会抛出UnsupportedOperationException。）

该文档清楚地说明了，覆盖iterator方法将会影响remove方法的行为。而且，它确切地描述了iterator方法返回的Iterator的行为将会怎样影响remove方法的行为。与此相反的是，在第16条的情形中，程序员在子类化HashSet的时候，并无法说明覆盖add方法是否会影响addAll方法的行为。

关于程序文档有句格言：好的API文档应该描述一个给定的方法做了什么工作，而不是描述它是如何做到的。那么，上面这种做法是否违背了这句格言呢？是的，它确实违背了！这正是继承破坏了封装性所带来的不幸后果。所以，为了设计一个类的文档，以便它能够被安全地子类化，你必须描述清楚那些有可能未定义的实现细节。

为了继承而进行的设计不仅仅涉及自用模式的文档设计。为了使程序员能够编写出更加有效的子类，而无需承受不必要的痛苦，类必须通过某种形式提供适当的钩子（**hook**），以便能够进入到它的内部工作流程中，这种形式可以是精心选择的受保护的（**protected**）方法，也可以是受保护的域，后者比较少见。例如，考虑java.util.AbstractList中的removeRange方法：

```
protected void removeRange(int fromIndex, int toIndex)
```

Removes from this list all of the elements whose index is between fromIndex, inclusive, and toIndex, exclusive. Shifts any succeeding elements to the left (reduces their index). This call shortens the `ArrayList` by (`toIndex-fromIndex`) elements. (If `toIndex==fromIndex`, this operation has no effect.)

This method is called by the `clear` operation on this list and its sublists. Overriding this method to take advantage of the internals of the list implementation can substantially improve the performance of the `clear` operation on this list and its sublists.

This implementation gets a list iterator positioned before `fromIndex` and repeatedly calls `ListIterator.next` followed by `ListIterator.remove`, until the entire range has been removed. Note: If `ListIterator.remove` requires linear time, this implementation requires quadratic time.

Parameters:

fromIndex          index of first element to be removed.

toIndex            index after last element to be removed.

（从列表中删除所有索引处于fromIndex（含）和toIndex（不含）之间的元素。将所有符合条件的元素移到左边（减小索引）。这一调用将从ArrayList中删除（toIndex-fromIndex）之间的元素。（如果toIndex == fromIndex，这项操作就无效。）

这个方法是通过clear操作在这个列表及其子列表中调用的。覆盖这个方法来利用列表实现的内部信息，可以充分地改善这个列表及其子列表中的clear操作的性能。

这项实现获得了一个处在fromIndex之前的列表迭代器，并依次地重复调用ListIterator.remove和ListIterator.next，直到整个范围都被移除为止。注意：如果ListIterator.remove需要线性的时间，该实现就需要平方级的时间。

参数：

fromIndex        要移除的第一个元素的索引

toIndex         要移除的最后一个元素之后的索引）

这个方法对于List实现的最终用户并没有意义。提供该方法的唯一目的在于，使子类更易于提供针对子列表（sublist）的快速clear方法。如果没有removeRange方法，当在子列表（sublist）上调用clear方法时，子类将不得不用平方级的时间（quadratic performance）来完成它的工作。否则，就得重新编写整个subList机制——这可不是件容易的事情！

因此，当你为了继承而设计类的时候，如何决定应该暴露哪些受保护的方法或者域呢？遗憾的是，并没有神奇的法则可供你使用。你所能做到的最佳途径就是努力思考，发挥最好的想像，然后编写一些子类进行测试。你应该尽可能少地暴露受保护的成员，因为每个方法或者域都代表了一项关于实现细节的承诺。另一方面，你又不能暴露得太少，因为漏掉的受保护方法可能会导致这个类无法被真正用于继承。

对于为了继承而设计的类，唯一的测试方法就是编写子类。如果遗漏了关键的受保护成员，尝试编写子类就会使遗漏所带来的痛苦变得更加明显。相反，如果编写了多个子类，并且无一使用受保护的成员，或许就应该把它做成私有的。经验表明，3个子类通常就足以测试一个可扩展的类。除了超类的创建者之外，都要编写一个或者多个这种子类。

在为了继承而设计有可能被广泛使用的类时，必须要意识到，对于文档中所说明的自用模式（self-use pattern），以及对于其受保护方法和域中所隐含的实现策略，你实际上已经做出了永久的承诺。这些承诺使得你在后续的版本中提高这个类的性能或者增加新功能都变得非常困难，甚至不可能。因此，必须在发布类之前先编写子类对类进行测试。

还要注意，因继承而需要的特殊文档会打乱正常的文档信息，普通的文档被设计用来让程序员可以创建该类的实例，并调用类中的方法。在编写本书之时，几乎还没有适当的工具或者注释规范，能够把"普通的API文档"与"专门针对实现子类的程序员的信息"分开来。

为了允许继承，类还必须遵守其他一些约束。构造器决不能调用可被覆盖的方法，无论是直接调用还是间接调用。如果违反了这条规则，很有可能导致程序失败。超类的构造器在子类的构造器之前运行，所以，子类中覆盖版本的方法将会在子类的构造器运行之前就先被调用。如果该覆盖版本的方法依赖于子类构造器所执行的任何初始化工作，该方法将不会如预期般地执行。为了更加直观地说明这一点，下面举个例子，其中有个类违反了这条规则：

```java
public class Super {
    // Broken - constructor invokes an overridable method
    public Super() {
        overrideMe();
    }
    public void overrideMe() {
    }
}
```

下面的子类覆盖了方法overrideMe，Super唯一的构造器就错误地调用了这个方法：

```java
public final class Sub extends Super {
    private final Date date; // Blank final, set by constructor

    Sub() {
        date = new Date();
    }

    // Overriding method invoked by superclass constructor
    @Override public void overrideMe() {
        System.out.println(date);
    }

    public static void main(String[] args) {
        Sub sub = new Sub();
        sub.overrideMe();
    }
}
```

你可能会期待这个程序会打印出日期两次，但是它第一次打印出的是null，因为overrideMe方法被Super构造器调用的时候，构造器Sub还没有机会初始化date域。注意，这个程序观察到的final域处于两种不同的状态。还要注意，如果overrideMe已经调用了date中的任何方法，当Super构造器调用overrideMe的时候，调用就会抛出NullPointerException异常。如果该程序没有抛出NullPointerException异常，唯一的原因就在于println方法对于处理null参数有着特殊的规定。

在为了继承而设计类的时候，Cloneable和Serializable接口出现了特殊的困难。如果类是为了继承而被设计的，无论实现这其中的哪个接口通常都不是个好主意，因为它们把一些实质性的负担转嫁到了扩展这个类的程序员的身上。然而，你还是可以采取一些特殊的手段，使得子类实现这些接口，无需强迫子类的程序员去承受这些负担。第11条和74条中讲述了这些特殊的手段。

如果你决定在一个为了继承而设计的类中实现Cloneable或者Serializable接口，就应该意识到，因为clone和readObject方法在行为上非常类似于构造器，所以类似的限制规则也是适用的：**无论是clone还是readObject，都不可以调用可覆盖的方法，不管以直接还是间接的方式**。对于readObject方法，覆盖版本的方法将在子类的状态被反序列化（deserialized）之前先被运行；而对于clone方法，覆盖版本的方法则是在子类的clone方法有机会修正被克隆对象的状态之前先被运行。无论哪种情形，都不可避免地将导致程序失败。在clone方法的情形中，这种失败可能会同时损害到原始的对象以及被克隆的对象本身。例如，如果覆盖版本的方法假设它正在修改对象深层结构的克隆对象的备份，就会发生这种情况，但是该备份还没有完成。

最后，如果你决定在一个为了继承而设计的类中实现Serializable，并且该类有一个readResolve或者writeReplace方法，就必须使readResolve或者writeReplace成为受保护的方法，而不是私有的方法。如果这些方法是私有的，那么子类将会不声不响地忽略掉这两个方法。这正是"为了允许继承，而把实现细节变成一个类的API的一部分"的另一种情形。

到现在为止，应该很明显：为了继承而设计类，对这个类会有一些实质性的限制。这并不是很轻松就可以承诺的决定。在某些情况下，这样的决定很明显是正确的，比如抽象类，包括接口的骨架实现（**skeletal implementation**）（见第18条）。但是，在另外一些情况下，这样的决定却很明显是错误的，比如不可变的类（见第15条）。

但是，对于普通的具体类应该怎么办呢？它们既不是final的，也不是为了子类化而设计和编写文档的，所以这种状况很危险。每次对这种类进行修改，从这个类扩展得到的客户类就有可能遭到破坏。这不仅仅是个理论问题。对于一个并非为了继承而设计的非final具体类，在修改了它的内部实现之后，接收到与子类化相关的错误报告也并不少见。

这个问题的最佳解决方案是，对于那些并非为了安全地进行子类化而设计和编写文档的类，要禁止子类化。有两种办法可以禁止子类化。比较容易的办法是把这个类声明为final的。另一种办法是把所有的构造器都变成私有的，或者包级私有的，并增加一些公有的静态工厂来替代构造器。后一种办法在第15条中讨论过，它为内部使用子类提供了灵活性。这两种办法都是可以接受的。

这条建议可能会引来争议，因为许多程序员已经习惯于对普通的具体类进行子类化，以便增加新的功能设施，比如仪表功能（instrumentation，如计数显示等）、通知机制或者同步功能，或者为了限制原有类中的功能。如果类实现了某个能够反映其本质的接口，比如Set、List或者Map，就不应该为了禁止子类化而感到后悔。第16条中介绍的包装类（**wrapper class**）模式提供了另一种更好的办法，让继承机制实现更多的功能。

如果具体的类没有实现标准的接口，那么禁止继承可能会给有些程序员带来不便。如果你认为必须允许从这样的类继承，一种合理的办法是确保这个类永远不会调用它的任何可覆盖的方法，并在文档中说明这一点。换句话说，完全消除这个类中可覆盖方法的自用特性。这样做之后，就可以创建"能够安全地进行子类化"的类。覆盖方法将永远也不会影响其他任何方法的行为。

你可以机械地消除类中可覆盖方法的自用特性，而不改变它的行为。将每个可覆盖方法的代码体移到一个私有的"辅助方法（helper method）"中，并且让每个可覆盖的方法调用它的私有辅助方法。然后，用"直接调用可覆盖方法的私有辅助方法"来代替"可覆盖方法的每个自用调用"。

## 第18条：接口优于抽象类

　　Java程序设计语言提供了两种机制，可以用来定义允许多个实现的类型：接口和抽象类。这两种机制之间最明显的区别在于，抽象类允许包含某些方法的实现，但是接口则不允许。一个更为重要的区别在于，为了实现由抽象类定义的类型，类必须成为抽象类的一个子类。任何一个类，只要它定义了所有必要的方法，并且遵守通用约定，它就被允许实现一个接口，而不管这个类是处于类层次（class hierarchy）的哪个位置。因为Java只允许单继承，所以，抽象类作为类型定义受到了极大的限制。

　　**现有的类可以很容易被更新，以实现新的接口**。如果这些方法尚不存在，你所需要做的就只是增加必要的方法，然后在类的声明中增加一个implements子句。例如，当Comparable接口被引入到Java平台中时，会更新许多现有的类，以实现Comparable接口。一般来说，无法更新现有的类来扩展新的抽象类。如果你希望让两个类扩展同一个抽象类，就必须把抽象类放到类型层次（type hierarchy）的高处，以便这两个类的一个祖先成为它的子类。遗憾的是，这样做会间接地伤害到类层次，迫使这个公共祖先的所有后代类都扩展这个新的抽象类，无论它对于这些后代类是否合适。

　　**接口是定义mixin（混合类型）的理想选择**。不严格地讲，mixin是指这样的类型：类除了实现它的"基本类型（primary type）"之外，还可以实现这个mixin类型，以表明它提供了某些可供选择的行为。例如，Comparable是一个mixin接口，它允许类表明它的实例可以与其他的可相互比较的对象进行排序。这样的接口之所以被称为mixin，是因为它允许任选的功能可被混合到类型的主要功能中。抽象类不能被用于定义mixin，同样也是因为它们不能被更新到现有的类中：类不可能有一个以上的父类，类层次结构中也没有适当的地方来插入mixin。

　　**接口允许我们构造非层次结构的类型框架**。类型层次对于组织某些事物是非常合适的，但是其他有些事物并不能被整齐地组织成一个严格的层次结构。例如，假设我们有一个接口代表一个singer（歌唱家），另一个接口代表一个songwriter（作曲家）：

```
public interface Singer {
    AudioClip sing(Song s);
}
public interface Songwriter {
    Song compose(boolean hit);
}
```

　　在现实生活中，有些歌唱家本身也是作曲家。因为我们使用了接口而不是抽象类来定义这些类型，所以对于单个类而言，它同时实现Singer和Songwriter是完全允许的。实际上，我们可以定义第三个接口，它同时扩展了Singer和Songwriter，并添加了一些适合于这种组合的新方法：

```
public interface SingerSongwriter extends Singer, Songwriter {
    AudioClip strum();
    void actSensitive();
}
```

你并不总是需要这种灵活性，但是一旦你这样做了，接口可就成了救世主，能帮助你解决大问题。另外一种做法是编写一个臃肿（bloated）的类层次，对于每一种要被支持的属性组合，都包含一个单独的类。如果在整个类型系统中有n个属性，那么就必须支持 $2^n$ 种可能的组合。这种现象被称为"组合爆炸（combinatorial explosion）"。类层次臃肿会导致类也臃肿，这些类包含许多方法，并且这些方法只是在参数的类型上有所不同而已，因为类层次中没有任何类型体现了公共的行为特征。

通过第16条中介绍的包装类（**wrapper class**）模式，接口使得安全地增强类的功能成为可能。如果使用抽象类来定义类型，那么程序员除了使用继承的手段来增加功能，没有其他的选择。这样得到的类与包装类相比，功能更差，也更加脆弱。

虽然接口不允许包含方法的实现，但是，使用接口来定义类型并不妨碍你为程序员提供实现上的帮助。通过对你导出的每个重要接口都提供一个抽象的骨架实现（**skeletal implementation**）类，把接口和抽象类的优点结合起来。接口的作用仍然是定义类型，但是骨架实现类接管了所有与接口实现相关的工作。

按照惯例，骨架实现被称为AbstractInterface，这里的Interface是指所实现的接口的名字。例如，Collections Framework为每个重要的集合接口都提供了一个骨架实现，包括AbstractCollection、AbstractSet、AbstractList和AbstractMap。将它们称作SkeletalCollection、SkeletalSet、SkeletalList和SkeletalMap也是有道理的，但是现在Abstract的用法已经根深蒂固。

如果设计得当，骨架实现可以使程序员很容易提供他们自己的接口实现。例如，下面是一个静态工厂方法，它包含一个完整的、功能全面的List实现：

```
// Concrete implementation built atop skeletal implementation
static List<Integer> intArrayAsList(final int[] a) {
    if (a == null)
        throw new NullPointerException();

    return new AbstractList<Integer>() {
        public Integer get(int i) {
            return a[i];  // Autoboxing (Item 5)
        }

        @Override public Integer set(int i, Integer val) {
            int oldVal = a[i];
            a[i] = val;     // Auto-unboxing
            return oldVal;  // Autoboxing
        }

        public int size() {
```

```
        return a.length;
    }
};
}
```

当你考虑一个List实现应该为你完成哪些工作的时候，可以看出，这个例子充分演示了骨架实现的强大功能。顺便提一下，这个例子是个Adapter[Gamma95, p.139]，它允许将int数组看作Integer实例的列表。由于在int值和Integer实例之间来回转换需要开销，它的性能不会很好。注意，这个例子中只提供一个静态工厂，并且这个类还是个不可被访问的**匿名类**（**anonymous class**）（见第22条），它被隐藏在静态工厂的内部。

骨架实现的美妙之处在于，它们为抽象类提供了实现上的帮助，但又不强加"抽象类被用作类型定义时"所特有的严格限制。对于接口的大多数实现来讲，扩展骨架实现类是个很显然的选择，但并不是必需的。如果预置的类无法扩展骨架实现类，这个类始终可以手工实现这个接口。此外，骨架实现类仍然能够有助于接口的实现。实现了这个接口的类可以把对于接口方法的调用，转发到一个内部私有类的实例上，这个内部私有类扩展了骨架实现类。这种方法被称作模拟多重继承（**simulated multiple inheritance**），它与第16条中讨论的包装类模式密切相关。这项技术具有多重继承的绝大多数优点，同时又避免了相应的缺陷。

编写骨架实现类相对比较简单，只是有点单调乏味。首先，必须认真研究接口，并确定哪些方法是最为基本的（primitive），其他的方法则可以根据它们来实现。这些基本方法将成为骨架实现类中的抽象方法。然后，必须为接口中所有其他的方法提供具体的实现。例如，下面是Map.Entry接口的骨架实现类：

```java
// Skeletal Implementation
public abstract class AbstractMapEntry<K,V>
        implements Map.Entry<K,V> {
    // Primitive operations
    public abstract K getKey();
    public abstract V getValue();

    // Entries in modifiable maps must override this method
    public V setValue(V value) {
        throw new UnsupportedOperationException();
    }

    // Implements the general contract of Map.Entry.equals
    @Override public boolean equals(Object o) {
        if (o == this)
            return true;
        if (! (o instanceof Map.Entry))
            return false;
        Map.Entry<?,?> arg = (Map.Entry) o;
        return equals(getKey(),   arg.getKey()) &&
               equals(getValue(), arg.getValue());
    }
    private static boolean equals(Object o1, Object o2) {
        return o1 == null ? o2 == null : o1.equals(o2);
    }
```

```
    // Implements the general contract of Map.Entry.hashCode
    @Override public int hashCode() {
        return hashCode(getKey()) ^ hashCode(getValue());
    }
    private static int hashCode(Object obj) {
        return obj == null ? 0 : obj.hashCode();
    }
}
```

因为骨架实现类是为了继承的目的而设计的，所以应该遵从第17条中介绍的所有关于设计和文档的指导原则。为了简短起见，上面例子中的文档注释部分被省略掉了，但是对于骨架实现类而言，好的文档绝对是非常必要的。

骨架实现上有个小小的不同，就是简单实现（**simple implementation**），AbstractMap. SimpleEntry就是个例子。简单实现就像个骨架实现，这是因为它实现了接口，并且是为了继承而设计的，但是区别在于它不是抽象的：它是最简单的可能的有效实现。你可以原封不动地使用，也可以看情况将它子类化。

使用抽象类来定义允许多个实现的类型，与使用接口相比有一个明显的优势：*抽象类的演变比接口的演变要容易得多*。如果在后续的发行版本中，你希望在抽象类中增加新的方法，始终可以增加具体方法，它包含合理的默认实现。然后，该抽象类的所有现有实现都将提供这个新的方法。对于接口，这样做是行不通的。

一般来说，要想在公有接口中增加方法，而不破坏实现这个接口的所有现有的类，这是不可能的。之前实现该接口的类将会漏掉新增加的方法，并且无法再通过编译。在为接口增加新方法的同时，也为骨架实现类增加同样的新方法，这样可以在一定程度上减小由此带来的破坏，但是，这样做并没有真正解决问题。所有不从骨架实现类继承的接口实现仍然会遭到破坏。

因此，设计公有的接口要非常谨慎。*接口一旦被公开发行，并且已被广泛实现，再想改变这个接口几乎是不可能的*。你必须在初次设计的时候就保证接口是正确的。如果接口包含微小的瑕疵，它将会一直影响你以及接口的用户。如果接口具有严重的缺陷，它可以导致API彻底失败。在发行新接口的时候，最好的做法是，在接口被"冻结"之前，尽可能让更多的程序员用尽可能多的方式来实现这个新接口。这样有助于在依然可以改正缺陷的时候就发现它们。

简而言之，接口通常是定义允许多个实现的类型的最佳途径。这条规则有个例外，即当演变的容易性比灵活性和功能更为重要的时候。在这种情况下，应该使用抽象类来定义类型，但前提是必须理解并且可以接受这些局限性。如果你导出了一个重要的接口，就应该坚决考虑同时提供骨架实现类。最后，应该尽可能谨慎地设计所有的公有接口，并通过编写多个实现来对它们进行全面的测试。

## 第19条：接口只用于定义类型

当类实现接口时，接口就充当可以引用这个类的实例的类型（**type**）。因此，类实现了接口，就表明客户端可以对这个类的实例实施某些动作。为了任何其他目的而定义接口是不恰当的。

有一种接口被称为常量接口（**constant interface**），它不满足上面的条件。这种接口没有包含任何方法，它只包含静态的final域，每个域都导出一个常量。使用这些常量的类实现这个接口，以避免用类名来修饰常量名。下面是一个例子：

```
// Constant interface antipattern - do not use!
public interface PhysicalConstants {
    // Avogadro's number (1/mol)
    static final double AVOGADROS_NUMBER   = 6.02214199e23;

    // Boltzmann constant (J/K)
    static final double BOLTZMANN_CONSTANT = 1.3806503e-23;

    // Mass of the electron (kg)
    static final double ELECTRON_MASS      = 9.10938188e-31;
}
```

常量接口模式是对接口的不良使用。类在内部使用某些常量，这纯粹是实现细节。实现常量接口，会导致把这样的实现细节泄露到该类的导出API中，类实现常量接口，这对于这个类的用户来讲并没有什么价值。实际上，这样做反而会使他们更加糊涂。更糟糕的是，它代表了一种承诺：如果在将来的发行版本中，这个类被修改了，它不再需要使用这些常量了，它依然必须实现这个接口，以确保二进制兼容性。如果非final类实现了常量接口，它的所有子类的命名空间也会被接口中的常量所"污染"。

在Java平台类库中有几个常量接口，例如java.io.ObjectStreamConstants。这些接口应该被认为是反面的典型，不值得效仿。

如果要导出常量，可以有几种合理的选择方案。如果这些常量与某个现有的类或者接口紧密相关，就应该把这些常量添加到这个类或者接口中。例如，在Java平台类库中所有的数值包装类，如Integer和Double，都导出了MIN_VALUE和MAX_VALUE常量。如果这些常量最好被看作枚举类型的成员，就应该用枚举类型（**enum type**）（见第30条）来导出这些常量。否则，应该使用不可实例化的工具类（**utility class**）（见第4条）来导出这些常量。下面的例子是前面的PhysicalConstants例子的工具类翻版：

```
// Constant utility class
package com.effectivejava.science;

public class PhysicalConstants {
  private PhysicalConstants() { }  // Prevents instantiation
```

```
    public static final double AVOGADROS_NUMBER    = 6.02214199e23;
    public static final double BOLTZMANN_CONSTANT = 1.3806503e-23;
    public static final double ELECTRON_MASS       = 9.10938188e-31;
}
```

工具类通常要求客户端要用类名来修饰这些常量名，例如PhysicalConstants. AVOGADROS_
NUMBER。如果大量利用工具类导出的常量，可以通过利用**静态导入**（**static import**）机制，
避免用类名来修饰常量名，不过，静态导入机制是在Java发行版本1.5中才引入的：

```
// Use of static import to avoid qualifying constants
import static com.effectivejava.science.PhysicalConstants.*;

public class Test {
    double atoms(double mols) {
        return AVOGADROS_NUMBER * mols;
    }
    ...
    // Many more uses of PhysicalConstants justify static import
}
```

简而言之，接口应该只被用来定义类型，它们不应该被用来导出常量。

# 第 20 条：类层次优于标签类

有时候，可能会遇到带有两种甚至更多种风格的实例的类，并包含表示实例风格的标签
（**tag**）域。例如，考虑下面这个类，它能够表示圆形或者矩形：

```
// Tagged class - vastly inferior to a class hierarchy!
class Figure {
    enum Shape { RECTANGLE, CIRCLE };

    // Tag field - the shape of this figure
    final Shape shape;

    // These fields are used only if shape is RECTANGLE
    double length;
    double width;

    // This field is used only if shape is CIRCLE
    double radius;

    // Constructor for circle
    Figure(double radius) {
        shape = Shape.CIRCLE;
        this.radius = radius;
    }

    // Constructor for rectangle
    Figure(double length, double width) {
        shape = Shape.RECTANGLE;
        this.length = length;
        this.width = width;
    }

    double area() {
        switch(shape) {
          case RECTANGLE:
            return length * width;
          case CIRCLE:
            return Math.PI * (radius * radius);
          default:
            throw new AssertionError();
        }
    }
}
```

这种标签类（**tagged class**）有着许多缺点。它们中充斥着样板代码，包括枚举声明、标
签域以及条件语句。由于多个实现乱七八糟地挤在了单个类中，破坏了可读性。内存占用也
增加了，因为实例承担着属于其他风格的不相关的域。域不能做成是final的，除非构造器初
始化了不相关的域，产生更多的样板代码。构造器必须不借助编译器，来设置标签域，并初
始化正确的数据域：如果初始化了错误的域，程序就会在运行时失败。无法给标签类添加风
格，除非可以修改它的源文件。如果一定要添加风格，就必须记得给每个条件语句都添加一
个条件，否则类就会在运行时失败。最后，实例的数据类型没有提供任何关于其风格的线索。
一句话，标签类过于冗长、容易出错，并且效率低下。

幸运的是，面向对象的语言例如Java，就提供了其他更好的方法来定义能表示多种风格对象的单个数据类型：子类型化（subtyping）。标签类正是类层次的一种简单的仿效。

为了将标签类转变成类层次，首先要为标签类中的每个方法都定义一个包含抽象方法的抽象类，这每个方法的行为都依赖于标签值。在Figure类中，只有一个这样的方法：area。这个抽象类是类层次的根（root）。如果还有其他的方法其行为不依赖于标签的值，就把这样的方法放在这个类中。同样地，如果所有的方法都用到了某些数据域，就应该把它们放在这个类中。在Figure类中，不存在这种类型独立的方法或者数据域。

接下来，为每种原始标签类都定义根类的具体子类。在前面的例子中，这样的类型有两个：圆形（circle）和矩形（rectangle）。在每个子类中都包含特定于该类型的数据域。在我们的示例中，radius是特定于圆形的，length和width是特定于矩形的。同时在每个子类中还包括针对根类中每个抽象方法的相应实现。以下是与原始的Figure类相对应的类层次：

```java
// Class hierarchy replacement for a tagged class
abstract class Figure {
    abstract double area();
}

class Circle extends Figure {
    final double radius;

    Circle(double radius) { this.radius = radius; }

    double area() { return Math.PI * (radius * radius); }
}
class Rectangle extends Figure {
    final double length;
    final double width;

    Rectangle(double length, double width) {
        this.length = length;
        this.width  = width;
    }
    double area() { return length * width; }
}
```

这个类层次纠正了前面提到过的标签类的所有缺点。这段代码简单且清楚，没有包含在原来的版本中所见到的所有样板代码。每个类型的实现都配有自己的类，这些类都没有受到不相关的数据域的拖累。所有的域都是final的。编译器确保每个类的构造器都初始化它的数据域，对于根类中声明的每个抽象方法，都确保有一个实现。这样就杜绝了由于遗漏switch case而导致运行时失败的可能性。多个程序员可以独立地扩展层次结构，并且不用访问根类的源代码就能相互操作。每种类型都有一种相关的独立的数据类型，允许程序员指明变量的类型，限制变量，并将参数输入到特殊的类型。

类层次的另一种好处在于，它们可以用来反映类型之间本质上的层次关系，有助于增强灵活性，并进行更好的编译时类型检查。假设上述例子中的标签类也允许表达正方形。类层次可以反映出正方形是一种特殊的矩形这一事实（假设两者都是不可变的）：

```
class Square extends Rectangle {
    Square(double side) {
        super(side, side);
    }
}
```

注意，上述层次中的域是被直接访问，而不是通过访问方法。这是为了简洁起见才这么做的，如果层次结构是公有的（见第14条），则不允许这样做。

简而言之，标签类很少有适用的时候。当你想要编写一个包含显式标签域的类时，应该考虑一下，这个标签是否可以被取消，这个类是否可以用类层次来代替。当你遇到一个包含标签域的现有类时，就要考虑将它重构到一个层次结构中去。

## 第 21 条：用函数对象表示策略

有些语言支持函数指针（**function pointer**）、代理（**delegate**）、lambda表达式（**lambda expression**），或者支持类似的机制，允许程序把"调用特殊函数的能力"存储起来并传递这种能力。这种机制通常用于允许函数的调用者通过传入第二个函数，来指定自己的行为。例如，C语言标准库中的qsort函数要求用一个指向**comparator**（比较器）函数的指针作为参数，它用这个函数来比较待排序的元素。比较器函数有两个参数，都是指向元素的指针。如果第一个参数所指的元素小于第二个参数所指的元素，则返回一个负整数；如果两个元素相等则返回零；如果第一个参数所指的元素大于第二个参数所指的元素，则返回一个正整数。通过传递不同的比较器函数，就可以获得各种不同的排列顺序。这正是策略（Strategy）模式[Gamma95, p.315]的一个例子。比较器函数代表一种为元素排序的策略。

Java没有提供函数指针，但是可以用对象引用实现同样的功能。调用对象上的方法通常是执行该对象（**that object**）上的某项操作。然而，我们也可能定义这样一种对象，它的方法执行其他对象（**other objects**）（这些对象被显式传递给这些方法）上的操作。如果一个类仅仅导出这样的一个方法，它的实例实际上就等同于一个指向该方法的指针。这样的实例被称为函数对象（**function object**）。例如，考虑下面的类：

```
class StringLengthComparator {
    public int compare(String s1, String s2) {
        return s1.length() - s2.length();
    }
}
```

这个类导出一个带两个字符串参数的方法，如果第一个字符串的长度比第二个的短，则返回一个负整数；如果两个字符串的长度相等，则返回零；如果第一个字符串比第二个的长，则返回一个正整数。这个方法是一个比较器，它根据长度来给字符串排序，而不是根据更常用的字典顺序。指向StringLengthComparator对象的引用可以被当作是一个指向该比较器的"函数指针（function pointer）"，可以在任意一对字符串上被调用。换句话说，StringLengthComparator实例是用于字符串比较操作的具体策略（**concrete strategy**）。

作为典型的具体策略类，StringLengthComparator类是无状态的（**stateless**）：它没有域，所以，这个类的所有实例在功能上都是相互等价的。因此，它作为一个Singleton是非常合适的，可以节省不必要的对象创建开销（见第3条和第5条）：

```
class StringLengthComparator {
    private StringLengthComparator() { }
    public static final StringLengthComparator
        INSTANCE = new StringLengthComparator();
    public int compare(String s1, String s2) {
        return s1.length() - s2.length();
```

```
    }
}
```

为了把StringLengthComparator实例传递给方法，需要适当的参数类型。使用
StringLengthComparator并不好，因为客户端将无法传递任何其他的比较策略。相反，我们需
要定义一个Comparator接口，并修改StringLengthComparator来实现这个接口。换句话说，我
们在设计具体的策略类时，还需要定义一个策略接口（**strategy interface**），如下所示：

```
// Strategy interface
public interface Comparator<T> {
    public int compare(T t1, T t2);
}
```

Comparator接口的这个定义碰巧也出现在java.util包中，但是这并不神奇；你自己也完全
可以定义它。Comparator接口是泛型（见第26条）的，因此它适合作为除字符串之外的其他
对象的比较器。它的compare方法的两个参数类型为T（它正常的类型参数），而不是String。
只要声明前面所示的StringLengthComparator类要这么做，就可以用它实现Comparator
<String>接口：

```
class StringLengthComparator implements Comparator<String> {
    ... // class body is identical to the one shown above
}
```

具体的策略类往往使用匿名类声明（见第22条）。下面的语句根据长度对一个字符串数组
进行排序：

```
Arrays.sort(stringArray, new Comparator<String>() {
    public int compare(String s1, String s2) {
        return s1.length() - s2.length();
    }
});
```

但是注意，以这种方式使用匿名类时，将会在每次执行调用的时候创建一个新的实例。如
果它被重复执行，考虑将函数对象存储到一个私有的静态final域里，并重用它。这样做的另
一种好处是，可以为这个函数对象取一个有意义的域名称。

因为策略接口被用做所有具体策略实例的类型，所以我们并不需要为了导出具体策略，而
把具体策略类做成公有的。相反，"宿主类（host class）"还可以导出公有的静态域（或者静
态工厂方法），其类型为策略接口，具体的策略类可以是宿主类的私有嵌套类。下面的例子使
用静态成员类，而不是匿名类，以便允许具体的策略类实现第二个接口Serializable：

```
// Exporting a concrete strategy
class Host {
    private static class StrLenCmp
            implements Comparator<String>, Serializable {
```

```
        public int compare(String s1, String s2) {
            return s1.length() - s2.length();
        }
    }

    // Returned comparator is serializable
    public static final Comparator<String>
        STRING_LENGTH_COMPARATOR = new StrLenCmp();

    ...  // Bulk of class omitted
}
```

String类利用这种模式，通过它的CASE_INSENSITIVE_ORDER域，导出一个不区分大小写的字符串比较器。

简而言之，函数指针的主要用途就是实现策略（Strategy）模式。为了在Java中实现这种模式，要声明一个接口来表示该策略，并且为每个具体策略声明一个实现了该接口的类。当一个具体策略只被使用一次时，通常使用匿名类来声明和实例化这个具体策略类。当一个具体策略是设计用来重复使用的时候，它的类通常就要被实现为私有的静态成员类，并通过公有的静态final域被导出，其类型为该策略接口。

## 第 22 条：优先考虑静态成员类

嵌套类（nested class）是指被定义在另一个类的内部的类。嵌套类存在的目的应该只是为它的外围类（enclosing class）提供服务。如果嵌套类将来可能会用于其他的某个环境中，它就应该是顶层类（top-level class）。嵌套类有四种：静态成员类（static member class）、非静态成员类（nonstatic member class）、匿名类（anonymous class）和局部类（local class）。除了第一种之外，其他三种都被称为内部类（inner class）。本条目将告诉你什么时候应该使用哪种嵌套类，以及这样做的原因。

静态成员类是最简单的一种嵌套类。最好把它看作是普通的类，只是碰巧被声明在另一个类的内部而已，它可以访问外围类的所有成员，包括那些声明为私有的成员。静态成员类是外围类的一个静态成员，与其他的静态成员一样，也遵守同样的可访问性规则。如果它被声明为私有的，它就只能在外围类的内部才可以被访问，等等。

静态成员类的一种常见用法是作为公有的辅助类，仅当与它的外部类一起使用时才有意义。例如，考虑一个枚举，它描述了计算器支持的各种操作（见第30条）。Operation枚举应该是Calculator类的公有静态成员类，然后，Calculator类的客户端就可以用诸如Calculator.Operation.PLUS和Calculator.Operation.MINUS这样的名称来引用这些操作。

从语法上讲，静态成员类和非静态成员类之间唯一的区别是，静态成员类的声明中包含修饰符static。尽管它们的语法非常相似，但是这两种嵌套类有很大的不同。非静态成员类的每个实例都隐含着与外围类的一个外围实例（enclosing instance）相关联。在非静态成员类的实例方法内部，可以调用外围实例上的方法，或者利用修饰过的this构造获得外围实例的引用[JLS, 15.8.4]。如果嵌套类的实例可以在它外围类的实例之外独立存在，这个嵌套类就必须是静态成员类：在没有外围实例的情况下，要想创建非静态成员类的实例是不可能的。

当非静态成员类的实例被创建的时候，它和外围实例之间的关联关系也随之被建立起来；而且，这种关联关系以后不能被修改。通常情况下，当在外围类的某个实例方法的内部调用非静态成员类的构造器时，这种关联关系被自动建立起来。使用表达式enclosingInstance.new MemberClass(args)来手工建立这种关联关系也是有可能的，但是很少使用。正如你所预料的那样，这种关联关系需要消耗非静态成员类实例的空间，并且增加了构造的时间开销。

非静态成员类的一种常见用法是定义一个Adapter[Gamma95, p.139]，它允许外部类的实例被看作是另一个不相关的类的实例。例如，Map接口的实现往往使用非静态成员类来实现它们的集合视图（collection view），这些集合视图是由Map的keySet、entrySet和Values方法返回的。同样地，诸如Set和List这种集合接口的实现往往也使用非静态成员类来实现它们的迭代器（iterator）：

```
// Typical use of a nonstatic member class
public class MySet<E> extends AbstractSet<E> {
    ... // Bulk of the class omitted

    public Iterator<E> iterator() {
        return new MyIterator();
    }

    private class MyIterator implements Iterator<E> {
        ...
    }
}
```

如果声明成员类不要求访问外围实例，就要始终把**static**修饰符放在它的声明中，使它成为静态成员类，而不是非静态成员类。如果省略了static修饰符，则每个实例都将包含一个额外的指向外围对象的引用。保存这份引用要消耗时间和空间，并且会导致外围实例在符合垃圾回收（见第6条）时却仍然得以保留。如果在没有外围实例的情况下，也需要分配实例，就不能使用非静态成员类，因为非静态成员类的实例必须要有一个外围实例。

私有静态成员类的一种常见用法是用来代表外围类所代表的对象的组件。例如，考虑一个Map实例，它把键（key）和值（value）关联起来。许多Map实现的内部都有一个Entry对象，对应于Map中的每个键-值对。虽然每个entry都与一个Map关联，但是entry上的方法（getKey、getValue和setValue）并不需要访问该Map。因此，使用非静态成员来表示entry是很浪费的：私有的静态成员类是最佳的选择。如果不小心漏掉了entry声明中的static修饰符，该Map仍然可以工作，但是每个entry中将会包含一个指向该Map的引用，这样就浪费了空间和时间。

如果相关的类是导出类的公有的或受保护的成员，毫无疑问，在静态和非静态成员类之间做出正确的选择是非常重要的。在这种情况下，该成员类就是导出的API元素，在后续的发行版本中，如果不违反二进制兼容性，就不能从非静态成员类变为静态成员类。

匿名类不同于Java程序设计语言中的其他任何语法单元。正如你所想像的，匿名类没有名字。它不是外围类的一个成员。它并不与其他的成员一起被声明，而是在使用的同时被声明和实例化。匿名类可以出现在代码中任何允许存在表达式的地方。当且仅当匿名类出现在非静态的环境中时，它才有外围实例。但是即使它们出现在静态的环境中，也不可能拥有任何静态成员。

匿名类的适用性受到诸多的限制。除了在它们被声明的时候之外，是无法将它们实例化的。你不能执行instanceof测试，或者做任何需要命名类的其他事情。你无法声明一个匿名类来实现多个接口，或者扩展一个类，并同时扩展类和实现接口。匿名类的客户端无法调用任何成员，除了从它的超类型中继承得到之外。由于匿名类出现在表达式当中，它们必须保持简短——大约10行或者更少些——否则会影响程序的可读性。

匿名类的一种常见用法是动态地创建函数对象（**function object**，见第21条）。例如，第

92页中的sort方法调用，利用匿名的Comparator实例，根据一组字符串的长度对它们进行排序。匿名类的另一种常见用法是创建过程对象（**process object**），比如Runnable、Thread或者TimerTask实例。第三种常见的用法是在静态工厂方法的内部（参见第18条中的intArrayAsList方法）。

局部类是四种嵌套类中用得最少的类。在任何"可以声明局部变量"的地方，都可以声明局部类，并且局部类也遵守同样的作用域规则。局部类与其他三种嵌套类中的每一种都有一些共同的属性。与成员类一样，局部类有名字，可以被重复地使用。与匿名类一样，只有当局部类是在非静态环境中定义的时候，才有外围实例，它们也不能包含静态成员。与匿名类一样，它们必须非常简短，以便不会影响到可读性。

简而言之，共有四种不同的嵌套类，每一种都有自己的用途。如果一个嵌套类需要在单个方法之外仍然是可见的，或者它太长了，不适合于放在方法内部，就应该使用成员类。如果成员类的每个实例都需要一个指向其外围实例的引用，就要把成员类做成非静态的；否则，就做成静态的。假设这个嵌套类属于一个方法的内部，如果你只需要在一个地方创建实例，并且已经有了一个预置的类型可以说明这个类的特征，就要把它做成匿名类；否则，就做成局部类。

# 第5章

# 泛　型

Ｊava 1.5发行版本中增加了泛型（**Generic**）。在没有泛型之前，从集合中读取到的每一个对象都必须进行转换。如果有人不小心插入了类型错误的对象，在运行时的转换处理就会出错。有了泛型之后，可以告诉编译器每个集合中接受哪些对象类型。编译器自动地为你的插入进行转化，并在编译时告知是否插入了类型错误的对象。这样可以使程序既更加安全，也更加清楚，但是要享有这些优势有一定的难度。本章就是教你如何最大限度地享有这些优势，又能使整个过程尽可能地简单化。有关这部分内容的详情，请参见Langer的教程[Langer08]，或者Naftalin和Wadler合著的书[Naftalin07]。

## 第 23 条：请不要在新代码中使用原生态类型

先来介绍一些术语。声明中具有一个或者多个类型参数（**type parameter**）的类或者接口，就是泛型（**generic**）类或者接口[JLS，8.1.2，9.1.2]。例如，从Java 1.5发行版本起，List接口就只有单个类型参数E，表示列表的元素类型。从技术的角度来看，这个接口的名称应该是指现在的List<E>（读作"E的列表"），但是人们经常把它简称为List。泛型类和接口统称为泛型（**generic type**）。

每种泛型定义一组参数化的类型（**parameterized type**），构成格式为：先是类或者接口的名称，接着用尖括号（< >）把对应于泛型形式类型参数的实际类型参数列表[JLS，4.4，4.5]括起来。例如，List<String>（读作"字符串列表"）是一个参数化的类型，表示元素类型为String的列表。（String是与形式类型参数E相对应的实际类型参数。）

最后一点，每个泛型都定义一个原生态类型（**raw type**），即不带任何实际类型参数的泛型名称 [JLS，4.8]。例如，与List<E>相对应的原生态类型是List。原生态类型就像从类型声明中删除了所有泛型信息一样。实际上，原生态类型List与Java平台没有泛型之前的接口类型List完全一样。

在Java 1.5版本发行之前，以下集合声明是值得参考的：

```
// Now a raw collection type - don't do this!

/**
 * My stamp collection. Contains only Stamp instances.
 */
private final Collection stamps = ... ;
```

如果不小心将一个coin放进了stamp集合中，这一错误的插入照样得以编译和运行并且不会出现任何错误提示：

```
// Erroneous insertion of coin into stamp collection
stamps.add(new Coin( ... ));
```

直到从stamp集合中获取coin时才会收到错误提示：

```
// Now a raw iterator type - don't do this!
for (Iterator i = stamps.iterator(); i.hasNext(); ) {
    Stamp s = (Stamp) i.next(); // Throws ClassCastException
    ... // Do something with the stamp
}
```

就如本书中经常提到的，出错之后应该尽快发现，最好是编译时就发现。本例中，直到运行时才发现错误，已经出错很久了，而且你在代码中所处的位置距离包含错误的这部分代码已经很远了。一旦发现ClassCastException，就必须搜索代码，查找将coin放进stamp集合的方法调用。此时编译器帮不上忙，因为它无法理解这种注释："Contains only Stamp instances（只包含Stamp实例）"。

有了泛型，就可以利用改进后的类型声明来代替集合中的这种注释，告诉编译器之前的注释中所隐含的信息：

```
// Parameterized collection type - typesafe
private final Collection<Stamp> stamps = ... ;
```

通过这条声明，编译器知道stamps应该只包含Stamp实例，并给予保证，假设整个代码是利用Java 1.5及其之后版本的编译器进行编译的，所有代码在编译过程中都没有发出（或者禁止，请见第24条）任何警告。当stamps利用一个参数化的类型进行声明时，错误的插入会产生一条编译时的错误消息，准确地告诉你哪里出错了：

```
Test.java:9: add(Stamp) in Collection<Stamp> cannot be applied
to (Coin)
    stamps.add(new Coin());
               ^
```

还有一个好处是，从集合中删除元素时不再需要进行手工转换了。编译器会替你插入隐式的转换，并确保它们不会失败（依然假设所有代码都是通过支持泛型的编译器进行编译的，

并且没有产生或者禁止任何警告）。无论你是否使用for-each循环（见第46条），上述功能都
适用：

```
// for-each loop over a parameterized collection - typesafe
for (Stamp s : stamps) { // No cast
    ... // Do something with the stamp
}
```

或者无论是否使用传统的for循环也一样：

```
// for loop with parameterized iterator declaration - typesafe
for (Iterator<Stamp> i = stamps.iterator(); i.hasNext(); ) {
    Stamp s = i.next(); // No cast necessary
    ... // Do something with the stamp
}
```

虽然假设不小心将coin插入到stamp集合中可能显得有点牵强，但这类问题却是真实的。
例如，很容易想像有人会不小心将一个java.util.Date实例放进一个原本只包含java.sql.Date实
例的集合中。

如上所述，如果不提供类型参数，使用集合类型和其他泛型也仍然是合法的，但是不应该
这么做。如果使用原生态类型，就失掉了泛型在安全性和表述性方面的所有优势。既然不应
该使用原生态类型，为什么Java的设计者还要允许使用它们呢？这是为了提供兼容性。因为泛
型出现的时候，Java平台即将进入它的第二个10年，已经存在大量没有使用泛型的Java代码。
人们认为让所有这些代码保持合法，并且能够与使用泛型的新代码互用，这一点很重要。它
必须合法，才能将参数化类型的实例传递给那些被设计成使用普通类型的方法，反之亦然。
这种需求被称作移植兼容性（Migration Compatibility），促成了支持原生态类型的决定。

虽然不应该在新代码中使用像List这样的原生态类型，使用参数化的类型以允许插入任意
对象，如List<Object>，这还是可以的。原生态类型List和参数化的类型List<Object>之间到
底有什么区别呢？不严格地说，前者逃避了泛型检查，后者则明确告知编译器，它能够持有
任意类型的对象。虽然你可以将List<String>传递给类型List的参数，但是不能将它传给类型
List<Object>的参数。泛型有子类型化（subtyping）的规则，List<String>是原生态类型List
的一个子类型，而不是参数化类型List<Object>的子类型（见第25条）。因此，如果使用像
**List**这样的原生态类型，就会失掉类型安全性，但是如果使用像**List<Object>**这样的参数化类
型，则不会。

为了更具体地进行说明，请参考下面的程序：

```
// Uses raw type (List) - fails at runtime!
public static void main(String[] args) {
    List<String> strings = new ArrayList<String>();
    unsafeAdd(strings, new Integer(42));
    String s = strings.get(0); // Compiler-generated cast
```

```
}

private static void unsafeAdd(List list, Object o) {
    list.add(o);
}
```

这个程序可以进行编译，但是因为它使用了原生态类型List，你会收到一条警告：

```
Test.java:10: warning: unchecked call to add(E) in raw type List
    list.add(o);
        ^
```

实际上，如果运行这段程序，在程序试图将strings.get(0)的调用结果转换成一个String时，会收到一个ClassCastException异常。这是一个编译器生成的转换，因此一般保证会成功，但是我们在这个例子中忽略了一条编译器警告，就会为此而付出代价。

如果在unsafeAdd声明中用参数化类型List<Object>代替原生态类型List，并试着重新编译这段程序，会发现它无法再进行编译了。以下是它的错误消息：

```
Test.java:5: unsafeAdd(List<Object>,Object) cannot be applied
to (List<String>,Integer)
    unsafeAdd(strings, new Integer(42));
    ^
```

在不确定或者不在乎集合中的元素类型的情况下，你也许会使用原生态类型。例如，假设想要编写一个方法，它有两个集合（set），并从中返回它们共有的元素的数量。如果你对泛型还不熟悉的话，可以参考以下方式来编写这种方法：

```
// Use of raw type for unknown element type - don't do this!
static int numElementsInCommon(Set s1, Set s2) {
    int result = 0;
    for (Object o1 : s1)
        if (s2.contains(o1))
            result++;
    return result;
}
```

这个方法倒是可以，但它使用了原生态类型，这是很危险的。从Java 1.5发行版本开始，Java就提供了一种安全的替代方法，称作无限制的通配符类型（unbounded wildcard type）。如果要使用泛型，但不确定或者不关心实际的类型参数，就可以使用一个问号代替。例如，泛型Set<E>的无限制通配符类型为Set<?>（读作"某个类型的集合"）。这是最普通的参数化Set类型，可以持有任何集合。下面是numElementsInCommon方法使用了无限制通配符类型时的情形：

```
// Unbounded wildcard type - typesafe and flexible
static int numElementsInCommon(Set<?> s1, Set<?> s2) {
    int result = 0;
    for (Object o1 : s1)
```

```
        if (s2.contains(o1))
            result++;
    return result;
}
```

在无限制通配类型Set<?>和原生态类型Set之间有什么区别呢？这个问号真正起到作用了吗？这一点不需要赘述，但通配符类型是安全的，原生态类型则不安全。由于可以将任何元素放进使用原生态类型的集合中，因此很容易破坏该集合的类型约束条件（如第100页的例子中所示的unsafeAdd方法）；但不能将任何元素（除了**null**之外）放到**Collection<?>**中。如果尝试这么做的话，将会产生一条像这样的编译时错误消息：

```
WildCard.java:13: cannot find symbol
symbol  : method add(String)
location: interface Collection<capture#825 of ?>
        c.add("verboten");
          ^
```

这样的错误消息显然还无法令人满意，但是编译器已经尽到了它的职责，防止你破坏集合的类型约束条件。你不仅无法将任何元素（除了null之外）放进Collection<?>中，而且根本无法猜测你会得到哪种类型的对象。要是无法接受这些限制，就可以使用泛型方法（generic method，见第27条）或者有限制的通配符类型（bounded wildcard type，见第28条）。

不要在新代码中使用原生态类型，这条规则有两个小小的例外，两者都源于"泛型信息可以在运行时被擦除"（见第25条）这一事实。在类文字（class literal）**中必须使用原生态类型**。规范不允许使用参数化类型（虽然允许数组类型和基本类型）[JLS，15.8.2]。换句话说，List.class，String[].class和int.class都合法，但是List<String.class和List<?>.class则不合法。

这条规则的第二个例外与instanceof操作符有关。由于泛型信息可以在运行时被擦除，因此在参数化类型而非无限制通配符类型上使用instanceof操作符是非法的。用无限制通配符类型代替原生态类型，对instanceof操作符的行为不会产生任何影响。在这种情况下，尖括号（<>）和问号（？）就显得多余了。下面是利用泛型来使用**instanceof操作符**的首选方法：

```
// Legitimate use of raw type - instanceof operator
if (o instanceof Set) {        // Raw type
    Set<?> m = (Set<?>) o;     // Wildcard type
    ...
}
```

注意，一旦确定这个o是个Set，就必须将它转换成通配符类型Set<?>，而不是转换成原生态类型Set。这是个受检的（checked）转换，因此不会导致编译时警告。

总之，使用原生态类型会在运行时导致异常，因此不要在新代码中使用。原生态类型只是为了与引入泛型之前的遗留代码进行兼容和互用而提供的。让我们做个快速的回顾：Set<Object>是个参数化类型，表示可以包含任何对象类型的一个集合；Set<?>则是一个通配符类型，表示只能包含某种未知对象类型的一个集合；Set则是个原生态类型，它脱离了泛型系统。前两种是安全的，最后一种不安全。

为便于参考，表5-1概括了本条目中所介绍的术语（及本章其他条目中介绍的一些术语）：

表5-1　本章条目中所介绍的术语

| 术　语 | 示　例 | 所 在 条 目 |
|---|---|---|
| 参数化的类型 | List<String> | 第23条 |
| 实际类型参数 | String | 第23条 |
| 泛型 | List<E> | 第23，26条 |
| 形式类型参数 | E | 第23条 |
| 无限制通配符类型 | List<?> | 第23条 |
| 原生态类型 | List | 第23条 |
| 有限制类型参数 | <E extends Number> | 第26条 |
| 递归类型限制 | <T extends Comparable<T>> | 第27条 |
| 有限制通配符类型 | List<? extends Number> | 第28条 |
| 泛型方法 | static <E> List<E> asList(E[] a) | 第27条 |
| 类型令牌 | String.class | 第29条 |

## 第 24 条：消除非受检警告

　　用泛型编程时，会遇到许多编译器警告：非受检强制转化警告（unchecked cast warnings）、非受检方法调用警告、非受检普通数组创建警告，以及非受检转换警告（unchecked conversion warnings）。当你越来越熟悉泛型之后，遇到的警告也会越来越少，但是不要期待从一开始用泛型编写代码就可以正确地进行编译。

　　有许多非受检警告很容易消除。例如，假设意外地编写了这样一个声明：

```
Set<Lark> exaltation = new HashSet();
```

编译器会细致地提醒你哪里出错了：

```
Venery.java:4: warning: [unchecked] unchecked conversion
found    : HashSet, required: Set<Lark>
    Set<Lark> exaltation = new HashSet();
                  ^
```

你就可以纠正所显示的错误，消除警告：

```
Set<Lark> exaltation = new HashSet<Lark>();
```

　　有些警告比较难以消除。本章主要介绍这种警告的示例。当你遇到需要进行一番思考的警告时，要坚持住！要尽可能地消除每一个非受检警告。如果消除了所有警告，就可以确保代码是类型安全的，这是一件很好的事情。这意味着不会在运行时出现ClassCastException异常，你会更加自信自己的程序可以实现预期的功能。

　　如果无法消除警告，同时可以证明引起警告的代码是类型安全的，（只有在这种情况下才）可以用一个@SuppressWarnings ("unchecked")注解来禁止这条警告。如果在禁止警告之前没有先证实代码是类型安全的，那就只是给你自己一种错误的安全感而已。代码在编译的时候可能没有出现任何警告，但它在运行时仍然会抛出ClassCastException异常。但是如果忽略（而不是禁止）明知道是安全的非受检警告，那么当新出现一条真正有问题的警告时，你也不会注意到。新出现的警告就会淹没在所有的错误警告当中。

　　**SuppressWarnings注解可以用在任何粒度的级别中，从单独的局部变量声明到整个类都可以。应该始终在尽可能小的范围中使用SuppressWarnings注解。它通常是个变量声明，或是非常简短的方法或者构造器。永远不要在整个类上使用SuppressWarnings，这么做可能会掩盖了重要的警告。**

　　如果你发现自己在长度不止一行的方法或者构造器中使用了**SuppressWarnings**注解，可以将它移到一个局部变量的声明中。虽然你必须声明一个新的局部变量，不过这么做还是值得的。例如，考虑**ArrayList**类当中的**toArray**方法：

```
public <T> T[] toArray(T[] a) {
    if (a.length < size)
        return (T[]) Arrays.copyOf(elements, size, a.getClass());
    System.arraycopy(elements, 0, a, 0, size);
    if (a.length > size)
        a[size] = null;
    return a;
}
```

如果编译**ArrayList**，该方法就会产生成这条警告：

```
ArrayList.java:305: warning: [unchecked] unchecked cast
found    : Object[], required: T[]
        return (T[]) Arrays.copyOf(elements, size, a.getClass());
                    ^
```

将**SuppressWarnings**注解放在**return**语句中是非法的，因为它不是一个声明[JLS,9.7]。你可以试着将注解放在整个方法上，但是在实践中千万不要这么做，而是应该声明一个局部变量来保存返回值，并注解其声明，像这样：

```
// Adding local variable to reduce scope of @SuppressWarnings
public <T> T[] toArray(T[] a) {
    if (a.length < size) {
        // This cast is correct because the array we're creating
        // is of the same type as the one passed in, which is T[].
        @SuppressWarnings("unchecked") T[] result =
            (T[]) Arrays.copyOf(elements, size, a.getClass());
        return result;
    }
    System.arraycopy(elements, 0, a, 0, size);
    if (a.length > size)
        a[size] = null;
    return a;
}
```

这个方法可以正确地编译，禁止非受检警告的范围也减到了最小。

每当使用**SuppressWarnings ("unchecked")**注解时，都要添加一条注释，说明为什么这么做是安全的。这样可以帮助其他人理解代码，更重要的是，可以尽量减少其他人修改代码后导致计算不安全的概率。如果你觉得这种注释很难编写，就要多加思考。最终你会发现非受检操作是非常不安全的。

总而言之，非受检警告很重要，不要忽略它们。每一条警告都表示可能在运行时抛出**ClassCastException**异常。要尽最大的努力消除这些警告。如果无法消除非受检警告，同时可以证明引起警告的代码是类型安全的，就可以在尽可能小的范围中，用**@SuppressWarnings ("unchecked")**注解禁止该警告。要用注释把禁止该警告的原因记录下来。

## 第 25 条：列表优先于数组

数组与泛型相比，有两个重要的不同点。首先，数组是协变的（covariant）。这个词听起来有点吓人，其实只是表示如果Sub为Super的子类型，那么数组类型Sub[]就是Super[]的子类型。相反，泛型则是不可变的（invariant）：对于任意两个不同的类型Type1和Type2，List<Type1>既不是List<Type2>的子类型，也不是List<Type2>的超类型[JLS，4.10；Naftalin07，2.5]。你可能认为，这意味着泛型是有缺陷的，但实际上可以说数组才是有缺陷的。

下面的代码片段是合法的：

```
// Fails at runtime!
Object[] objectArray = new Long[1];
objectArray[0] = "I don't fit in"; // Throws ArrayStoreException
```

但下面这段代码则不合法：

```
// Won't compile!
List<Object> ol = new ArrayList<Long>(); // Incompatible types
ol.add("I don't fit in");
```

这其中无论哪种方法，都不能将String放进Long容器中，但是利用数组，你会在运行时发现所犯的错误；利用列表，则可以在编译时发现错误。我们当然希望在编译时发现错误了。

数组与泛型之间的第二大区别在于，数组是具体化的（reified）[JLS，4.7]。因此数组会在运行时才知道并检查它们的元素类型约束。如上所述，如果企图将String保存到Long数组中，就会得到一个ArrayStoreException异常。相比之下，泛型则是通过擦除（erasure）[JLS，4.6]来实现的。因此泛型只在编译时强化它们的类型信息，并在运行时丢弃（或者擦除）它们的元素类型信息。擦除就是使泛型可以与没有使用泛型的代码随意进行互用（见第23条）。

由于上述这些根本的区别，因此数组和泛型不能很好地混合使用。例如，创建泛型、参数化类型或者类型参数的数组是非法的。这些数组创建表达式没有一个是合法的：new List<E>[]、new List<String>[]和new E[]。这些在编译时都会导致一个generic array creation（泛型数组创建）错误。

为什么创建泛型数组是非法的？因为它不是类型安全的。要是它合法，编译器在其他正确的程序中发生的转换就会在运行时失败，并出现一个**ClassCastException**异常。这就违背了泛型系统提供的基本保证。

为了更具体地对此进行说明，考虑以下代码片断：

```
// Why generic array creation is illegal - won't compile!
```

```
List<String>[] stringLists = new List<String>[1];    // (1)
List<Integer> intList = Arrays.asList(42);           // (2)
Object[] objects = stringLists;                      // (3)
objects[0] = intList;                                // (4)
String s = stringLists[0].get(0);                    // (5)
```

我们假设第1行是合法的，它创建了一个泛型数组。第2行创建并初始化了一个包含单个元素的List<Integer>。第3行将List<String>数组保存到一个Object数组变量中，这是合法的，因为数组是协变的。第4行将List<Integer>保存到Object数组里唯一的元素中，这是可以的，因为泛型是通过擦除实现的：List<Integer>实例的运行时类型只是List，List<String>[]实例的运行时类型则是List[]，因此这种安排不会产生ArrayStoreException异常。但现在我们有麻烦了。我们将一个List<Integer>实例保存到了原本声明只包含List<String>实例的数组中。在第5行中，我们从这个数组里唯一的列表中获取了唯一的元素。编译器自动地将获取到的元素转换成String，但它是一个Integer，因此，我们在运行时得到了一个ClassCastException异常。为了防止出现这种情况，（创建泛型数组的）第1行产生了一个编译时错误。

从技术的角度来说，像E、List<E>和List<String>这样的类型应称作不可具体化的（non-reifiable）类型[JLS, 4.7]。直观地说，不可具体化的（non-reifiable）类型是指其运行时表示法包含的信息比它的编译时表示法包含的信息更少的类型。唯一可具体化的（reifiable）参数化类型是无限制的通配符类型，如List<?>和Map<?,?>（见第23条）。虽然不常用，但是创建无限制通配类型的数组是合法的。

禁止创建泛型数组可能有点讨厌。例如，这表明泛型一般不可能返回它的元素类型数组（部分解决方案请见第29条）。这也意味着在结合使用可变参数（varargs）方法（见第42条）和泛型时会出现令人费解的警告。这是由于每当调用可变参数方法时，就会创建一个数组来存放varargs参数。如果这个数组的元素类型不是可具体化的（reifialbe），就会得到一条警告。关于这些警告，除了把它们禁止（见第24条），并且避免在API中混合使用泛型与可变参数之外，别无他法。

当你得到泛型数组创建错误时，最好的解决办法通常是优先使用集合类型List<E>，而不是数组类型E[]。这样可能会损失一些性能或者简洁性，但是换回的却是更高的类型安全性和互用性。

例如，假设有一个（Collections.synchronizedList返回的那种）同步列表和一个函数（它有两了与该列表的元素同类型的参数值，并返回第三个值）。现在假设要编写一个方法reduce，并使用函数apply来处理这个列表。假设列表元素类型为整数，并且函数是用来做两个整数的求和运算，reduce方法就会返回列表中所有值的总和。如果函数是用来做两个整数求积的运算，该方法就会返回列表中值的乘积。如果列表包含字符串，并且函数连接两个字符串，该方法就会返回一个字符串，它按顺序包含了列表中的所有字符串。除了列表和函数之外，reduce方法还采用初始值进行减法运算，列表为空时会返回这个初始值。（初始值一般为函数的识别元素，加法为0，乘法为1，字符串连接时是""。）以下是没有泛型时的代码：

```
// Reduction without generics, and with concurrency flaw!
static Object reduce(List list, Function f, Object initVal) {
    synchronized(list) {
        Object result = initVal;
        for (Object o : list)
            result = f.apply(result, o);
        return result;
    }
}

interface Function {
    Object apply(Object arg1, Object arg2);
}
```

假设你现在已经读过第67条，它告诉你不要从同步区域中调用"外来的（alien）方法"。因此，在持有锁的时候修改reduce方法来复制列表中内容，也可以让你在备份上执行减法。Java 1.5发行版本之前，要这么做一般是利用List的toArray方法（它在内部锁定列表）：

```
// Reduction without generics or concurrency flaw
static Object reduce(List list, Function f, Object initVal) {
    Object[] snapshot = list.toArray(); // Locks list internally
    Object result = initVal;
    for (E e: snapshot)
        result = f.apply(result, e);
    return result;
}
```

如果试图通过泛型来完成这一点，就会遇到我们之前讨论过的那种麻烦。以下是Function接口的泛型版：

```
interface Function<T> {
    T apply(T arg1, T arg2);
}
```

下面是一种天真的尝试，试图将泛型应用到修改过的reduce方法。这是一个泛型方法（generic method，见第27条）。如果你不理解这条声明，也不必担心。对于这个条目来说，应该把注意力集中在方法体上：

```
// Naive generic version of reduction - won't compile!
static <E> E reduce(List<E> list, Function<E> f, E initVal) {
    E[] snapshot = list.toArray();  // Locks list
    E result = initVal;
    for (E e : snapshot)
        result = f.apply(result, e);
    return result;
}
```

如果试着编译这个方法，就会得到下面的错误消息：

```
Reduce.java:12: incompatible types
found   : Object[], required: E[]
```

```
E[] snapshot = list.toArray();  // Locks list
                  ^
```

你会说，这没什么大不了的，我会将Object数组转换成一个E数组：

```
E[] snapshot = (E[]) list.toArray();
```

它是消除了那条错误，但是现在得到了一条警告：

```
Reduce.java:12: warning: [unchecked] unchecked cast
found   : Object[], required: E[]
        E[] snapshot = (E[]) list.toArray();  // Locks list
                          ^
```

编译器告诉你，它无法在运行时检查转换的安全性，因为它在运行时还不知道E是什么——记住，元素类型信息会在运行时从泛型中被擦除。这段程序可以运行吗？结果表明，它可以运行，但是不安全。通过微小的修改，就可以让它在没有包含显式转换的行上抛出ClassCastException异常。snapshot的编译时类型为E[]，它可以为String[]、Integer[]或者任何其他种类的数组。运行时类型为Object[]，这是很危险的。不可具体化的类型的数组转换只能在特殊情况下使用（见第26条）。

那么应该做些什么呢？用列表代替数组。下面的reduce方法编译时就没有任何错误或者警告：

```
// List-based generic reduction
static <E> E reduce(List<E> list, Function<E> f, E initVal) {
    List<E> snapshot;
    synchronized(list) {
        snapshot = new ArrayList<E>(list);
    }
    E result = initVal;
    for (E e : snapshot)
        result = f.apply(result, e);
    return result;
}
```

这个版本的代码比数组版的代码稍微冗长一点，但是可以确定在运行时不会得到ClassCastException异常，为此也值了。

总而言之，数组和泛型有着非常不同的类型规则。数组是协变且可以具体化的；泛型是不可变的且可以被擦除的。因此，数组提供了运行时的类型安全，但是没有编译时的类型安全，反之，对于泛型也一样。一般来说，数组和泛型不能很好地混合使用。如果你发现自己将它们混合起来使用，并且得到了编译时错误或者警告，你的第一反应就应该是用列表代替数组。

## 第 26 条：优先考虑泛型

一般来说，将集合声明参数化，以及使用JDK所提供的泛型和泛型方法，这些都不太困难。编写自己的泛型会比较困难一些，但是值得花些时间去学习如何编写。

考虑第6条中这个简单的堆栈实现：

```java
// Object-based collection - a prime candidate for generics
public class Stack {
    private Object[] elements;
    private int size = 0;
    private static final int DEFAULT_INITIAL_CAPACITY = 16;

    public Stack() {
        elements = new Object[DEFAULT_INITIAL_CAPACITY];
    }

    public void push(Object e) {
        ensureCapacity();
        elements[size++] = e;
    }

    public Object pop() {
        if (size == 0)
            throw new EmptyStackException();
        Object result = elements[--size];
        elements[size] = null; // Eliminate obsolete reference
        return result;
    }

    public boolean isEmpty() {
        return size == 0;
    }

    private void ensureCapacity() {
        if (elements.length == size)
            elements = Arrays.copyOf(elements, 2 * size + 1);
    }
}
```

这个类是泛型化（generification）的主要备选对象，换句话说，可以适当地强化这个类来利用泛型。根据实际情况来看，必须转换从堆栈里弹出的对象，以及可能在运行时失败的那些转换。将类泛型化的第一个步骤是给它的声明添加一个或者多个类型参数。在这个例子中有一个类型参数，它表示堆栈的元素类型，这个参数的名称通常为E（见第44条）。

下一步是用相应的类型参数替换所有的Object类型，然后试着编译最终的程序：

```java
// Initial attempt to generify Stack = won't compile!
public class Stack<E> {
    private E[] elements;
    private int size = 0;
    private static final int DEFAULT_INITIAL_CAPACITY = 16;

    public Stack() {
```

```
        elements = new E[DEFAULT_INITIAL_CAPACITY];
    }

    public void push(E e) {
        ensureCapacity();
        elements[size++] = e;
    }

    public E pop() {
        if (size==0)
            throw new EmptyStackException();
        E result = elements[--size];
        elements[size] = null; // Eliminate obsolete reference
        return result;
    }
    ... // no changes in isEmpty or ensureCapacity
}
```

通常，你将至少得到一个错误或警告，这个类也不例外。幸运的是，这个类只产生一个错误，如下：

```
Stack.java:8: generic array creation
        elements = new E[DEFAULT_INITIAL_CAPACITY];
                       ^
```

如第25条中所述，你不能创建不可具体化的（non-reifiable）类型的数组，如E。每当编写用数组支持的泛型时，都会出现这个问题。解决这个问题有两种方法。第一种，直接绕过创建泛型数组的禁令：创建一个Object的数组，并将它转换成泛型数组类型。现在错误是消除了，但是编译器会产生一条警告。这种用法是合法的，但（整体上而言）不是类型安全的：

```
Stack.java:8: warning: [unchecked] unchecked cast
found    : Object[], required: E[]
        elements = (E[]) new Object[DEFAULT_INITIAL_CAPACITY];
                   ^
```

编译器不可能证明你的程序是类型安全的，但是你可以证明。你自己必须确保未受检的转换不会危及到程序的类型安全性。相关的数组（即elements变量）保存在一个私有的域中，永远不会被返回到客户端，或者传给任何其他方法。这个数组中保存的唯一元素，是传给push方法的那些元素，它们的类型为E，因此未受检的转换不会有任何危害。

一旦你证明了未受检的转换是安全的，就要在尽可能小的范围中禁止警告（见第24条）。在这种情况下，构造器只包含未受检的数组创建，因此可以在整个构造器中禁止这条警告。通过增加一条注解来完成禁止，Stack能够正确无误地进行编译，你就可以使用它了，无需显式的转换，也无需担心会出现ClassCastException异常：

```
// The elements array will contain only E instances from push(E).
// This is sufficient to ensure type safety, but the runtime
// type of the array won't be E[]; it will always be Object[]!
@SuppressWarnings("unchecked")
public Stack() {
```

```
    elements = (E[]) new Object[DEFAULT_INITIAL_CAPACITY];
}
```

消除Stack中泛型数组创建错误的第二种方法是，将elements域的类型从E[]改为Object[]。这么做会得到一条不同的错误：

```
Stack.java:19: incompatible types
found    : Object, required: E
         E result = elements[--size];
                    ^
```

通过把从数组中获取到的元素由Object转换成E，可以将这条错误变成一条警告：

```
Stack.java:19: warning: [unchecked] unchecked cast
found    : Object, required: E
         E result = (E) elements[--size];
                    ^
```

由于E是一个不可具体化的（non-reifiable）类型，编译器无法在运行时检验转换。你还是可以自己证实未受检的转换是安全的，因此可以禁止该警告。根据第24条的建议，我们只要在包含未受检转换的任务上禁止警告，而不是在整个pop方法上就可以了，如下：

```
// Appropriate suppression of unchecked warning
public E pop() {
    if (size==0)
        throw new EmptyStackException();

    // push requires elements to be of type E, so cast is correct
    @SuppressWarnings("unchecked") E result =
        (E) elements[--size];

    elements[size] = null; // Eliminate obsolete reference
    return result;
}
```

具体选择这两种方法中的哪一种来处理泛型数组创建错误，则主要看个人的偏好了。所有其他的东西都一样，但是禁止数组类型的未受检转换比禁止标量类型（scalar type）的更加危险，所以建议采用第二种方案。但是在比Stack更实际的泛型类中，或许代码中会有多个地方需要从数组中读取元素，因此选择第二种方案需要多次转换成E，而不是只转换成E[]，这也是第一种方案之所以更常用的原因[Naftalin07，6.7]。

下面的程序示范了泛型Stack类的使用。程序以相反的顺序打印出它的命令行参数，并转换成大写字母。如果要在从堆栈中弹出的元素上调用String的toUpperCase方法，并不需要显式的转换，并且会确保自动生成的转换会成功：

```
// Little program to exercise our generic Stack
public static void main(String[] args) {
    Stack<String> stack = new Stack<String>();
    for (String arg : args)
```

```
        stack.push(arg);
    while (!stack.isEmpty())
        System.out.println(stack.pop().toUpperCase());
}
```

看来上述的示例与第25条相矛盾了，第25条鼓励优先使用列表而非数组。实际上并不可能总是或者总想在泛型中使用列表。Java并不是生来就支持列表，因此有些泛型如ArrayList，则必须在数组上实现。为了提升性能，其他泛型如HashMap也在数组上实现。

绝大多数泛型就像我们的Stack示例一样，因为它们的类型参数没有限制：你可以创建Stack<Object>、Stack<int[]>、Stack<List<String>>，或者任何其他对象引用类型的Stack。注意不能创建基本类型的Stack：企图创建Stack<int>或者Stack<double>会产生一个编译时错误。这是Java泛型系统根本的局限性。你可以通过使用基本包装类型（boxed primitive type）来避开这条限制（见第49条）。

有一些泛型限制了可允许的类型参数值。例如，考虑java.util.concurrent.DelayQueue，其声明如下：

```
class DelayQueue<E extends Delayed> implements BlockingQueue<E>;
```

类型参数列表（<E extends Delayed>）要求实际的类型参数E必须是java.util.concurrent.Delayed的一个子类型。它允许DelayQueue实现及其客户端在DelayQueue的元素上利用Delayed方法，无需显式的转换，也没有出现ClassCastException的风险。类型参数E被称作有限制的类型参数（bounded type parameter）。注意，子类型关系确定了，每个类型都是它自身的子类型[JLS，4.10]，因此创建DelayQueue<Delayed>是合法的。

总而言之，使用泛型比使用需要在客户端代码中进行转换的类型来得更加安全，也更加容易。在设计新类型的时候，要确保它们不需要这种转换就可以使用。这通常意味着要把类做成是泛型的。只要时间允许，就把现有的类型都泛型化。这对于这些类型的新用户来说会变得更加轻松，又不会破坏现有的客户端（见第23条）。

## 第 27 条：优先考虑泛型方法

就如类可以从泛型中受益一般，方法也一样。静态工具方法尤其适合于泛型化。Collections 中的所有"算法"方法（例如binarySearch和sort）都泛型化了。

编写泛型方法与编写泛型类型相类似。例如下面这个方法，它返回两个集合的联合：

```java
// Uses raw types - unacceptable! (Item 23)
public static Set union(Set s1, Set s2) {
    Set result = new HashSet(s1);
    result.addAll(s2);
    return result;
}
```

这个方法可以编译，但是有两条警告：

```
Union.java:5: warning: [unchecked] unchecked call to
HashSet(Collection<? extends E>) as a member of raw type HashSet
        Set result = new HashSet(s1);
                     ^
Union.java:6: warning: [unchecked] unchecked call to
addAll(Collection<? extends E>) as a member of raw type Set
        result.addAll(s2);
               ^
```

为了修正这些警告，使方法变成是类型安全的，要将方法声明修改为声明一个类型参数，表示这三个集合的元素类型（两个参数和一个返回值），并在方法中使用类型参数。声明类型参数的类型参数列表，处在方法的修饰符及其返回类型之间。在这个示例中，类型参数列表为<E>，返回类型为Set<E>。类型参数的命名惯例与泛型方法以及泛型的相同（见第26条和第44条）：

```java
// Generic method
public static <E> Set<E> union(Set<E> s1, Set<E> s2) {
    Set<E> result = new HashSet<E>(s1);
    result.addAll(s2);
    return result;
}
```

至少对于简单的泛型方法而言，就是这么回事了。现在该方法编译时不会产生任何警告，并提供了类型安全性，也更容易使用。以下是一个执行该方法的简单程序。程序中不包含转换，编译时不会有错误或者警告：

```java
// Simple program to exercise generic method
public static void main(String[] args) {
    Set<String> guys = new HashSet<String>(
        Arrays.asList("Tom", "Dick", "Harry"));
    Set<String> stooges = new HashSet<String>(
        Arrays.asList("Larry", "Moe", "Curly"));
    Set<String> aflCio = union(guys, stooges);
    System.out.println(aflCio);
}
```

运行这段程序时，会打印出[Moe, Harry, Tom, Curly, Larry, Dick]。元素的顺序是依赖于实现的。

union方法的局限性在于，三个集合的类型（两个输入参数和一个返回值）必须全部相同。利用有限制的通配符类型（bounded wildcard type），可以使这个方法变得更加灵活（见第28条）。

泛型方法的一个显著特性是，无需明确指定类型参数的值，不像调用泛型构造器的时候是必须指定的。编译器通过检查方法参数的类型来计算类型参数的值。对于上述的程序而言，编译器发现union的两个参数都是Set<String>类型，因此知道类型参数E必须为String。这个过程称作类型推导（type inference）。

如第1条所述，可以利用泛型方法调用所提供的类型推导，使创建参数化类型实例的过程变得更加轻松。提醒一下：在调用泛型构造器的时候，要明确传递类型参数的值可能有点麻烦。类型参数出现在了变量声明的左右两边，显得有些冗余：

```
// Parameterized type instance creation with constructor
Map<String, List<String>> anagrams =
    new HashMap<String, List<String>>();
```

为了消除这种冗余，可以编写一个泛型静态工厂方法（generic static factory method），与想要使用的每个构造器相对应。例如，下面是一个与无参的HashMap构造器相对应的泛型静态工厂方法：

```
// Generic static factory method
public static <K,V> HashMap<K,V> newHashMap() {
    return new HashMap<K,V>();
}
```

通过这个泛型静态工厂方法，可以用下面这段简洁的代码来取代上面那个重复的声明：

```
// Parameterized type instance creation with static factory
Map<String, List<String>> anagrams = newHashMap();
```

在泛型上调用构造器时，如果语言所做的类型推导与调用泛型方法时所做的相同，那就好了。将来的某一天也许可以实现这一点，但截至Java 1.6发行版本还不行。

相关的模式是泛型单例工厂（generic singleton factory）。有时，会需要创建不可变但又适合于许多不同类型的对象。由于泛型是通过擦除（见第25条）实现的，可以给所有必要的类型参数使用单个对象，但是需要编写一个静态工厂方法，重复地给每个必要的类型参数分发对象。这种模式最常用于函数对象（见第21条），如Collections.reverseOrder，但也适用于像Collections.emptySet这样的集合。

假设有一个接口，描述了一个方法，该方法接受和返回某个类型T的值：

```
public interface UnaryFunction<T> {
    T apply(T arg);
}
```

现在假设要提供一个恒等函数（identity function）。如果在每次需要的时候都重新创建一个，这样会很浪费，因为它是无状态的（stateless）。如果泛型被具体化了，每个类型都需要一个恒等函数，但是它们被擦除以后，就只需要一个泛型单例。请看以下示例：

```
// Generic singleton factory pattern
private static UnaryFunction<Object> IDENTITY_FUNCTION =
    new UnaryFunction<Object>() {
        public Object apply(Object arg) { return arg; }
    };

// IDENTITY_FUNCTION is stateless and its type parameter is
// unbounded so it's safe to share one instance across all types.
@SuppressWarnings("unchecked")
public static <T> UnaryFunction<T> identityFunction() {
    return (UnaryFunction<T>) IDENTITY_FUNCTION;
}
```

IDENTITY_FUNCTION转换成(UnaryFunction<T>)，产生了一条未受检的转换警告，因为UnaryFunction<Object>对于每个T来说并非都是个UnaryFunction<T>。但是恒等函数很特殊：它返回未被修改的参数，因此我们知道无论T的值是什么，用它作为UnaryFunction<T>都是类型安全的。因此，我们可以放心地禁止由这个转换所产生的未受检转换警告。一旦禁止，代码在编译时就不会出现任何错误或者警告。

以下是一个范例程序，利用泛型单例作为UnaryFunction<String>和 UnaryFunction<Number>。像往常一样，它不包含转换，编译时没有出现错误或者警告：

```
// Sample program to exercise generic singleton
public static void main(String[] args) {
    String[] strings = { "jute", "hemp", "nylon" };
    UnaryFunction<String> sameString = identityFunction();
    for (String s : strings)
        System.out.println(sameString.apply(s));

    Number[] numbers = { 1, 2.0, 3L };
    UnaryFunction<Number> sameNumber = identityFunction();
    for (Number n : numbers)
        System.out.println(sameNumber.apply(n));
}
```

虽然相对少见，但是通过某个包含该类型参数本身的表达式来限制类型参数是允许的。这就是递归类型限制（**recursive type bound**）。递归类型限制最普遍的用途与Comparable接口有关，它定义类型的自然顺序：

```
public interface Comparable<T> {
    int compareTo(T o);
}
```

类型参数T定义的类型，可以与实现Comparable<T>的类型的元素进行比较。实际上，几乎所有的类型都只能与它们自身的类型的元素相比较。因此，例如String实现Comparable<String>，Integer实现Comparable<Integer>，等等。

有许多方法都带有一个实现Comparable接口的元素列表，为了对列表进行排序，并在其中进行搜索，计算出它的最小值或者最大值，等等。要完成这其中的任何一项工作，要求列表中的每个元素要都能够与列表中的每个其他元素相比较，换句话说，列表的元素可以互相比较（mutually comparable）。下面是如何表达这种约束条件的一个示例：

```
// Using a recursive type bound to express mutual comparability
public static <T extends Comparable<T>> T max(List<T> list) {...}
```

类型限制<T extends Comparable<T>>，可以读作"针对可以与自身进行比较的每个类型T"，这与互比性的概念或多或少有些一致。

下面的方法就带有上述声明。它根据元素的自然顺序计算列表的最大值，编译时没有出现错误或者警告：

```
// Returns the maximum value in a list - uses recursive type bound
public static <T extends Comparable<T>> T max(List<T> list) {
    Iterator<T> i = list.iterator();
    T result = i.next();
    while (i.hasNext()) {
        T t = i.next();
        if (t.compareTo(result) > 0)
            result = t;
    }
    return result;
}
```

递归类型限制可能比这个要复杂得多，但幸运的是，这种情况并不经常发生。如果你理解了这种习惯用法及其通配符变量（见第28条），就能够处理在实践中遇到的许多递归类型限制了。

总而言之，泛型方法就像泛型一样，使用起来比要求客户端转换输入参数并返回值的方法来得更加安全，也更加容易。就像类型一样，你应该确保新方法可以不用转换就能使用，这通常意味着要将它们泛型化。并且就像类型一样，还应该将现有的方法泛型化，使新用户使用起来更加轻松，且不会破坏现有的客户端（见第23条）。

## 第 28 条：利用有限制通配符来提升 API 的灵活性

如第25条所述，参数化类型是不可变的（invariant）。换句话说，对于任何两个截然不同的类型Type1和Type2而言，List<Type1>既不是List<Type2>的子类型，也不是它的超类型。虽然List<String>不是List<Object>的子类型，这与直觉相悖，但是实际上很有意义。你可以将任何对象放进一个List<Object>中，却只能将字符串放进List<String>中。

有时候，我们需要的灵活性要比不可变类型所能提供的更多。考虑第26条中的堆栈下面就是它的公共API：

```
public class Stack<E> {
    public Stack();
    public void push(E e);
    public E pop();
    public boolean isEmpty();
}
```

假设我们想要增加一个方法，让它按顺序将一系列的元素全部放到堆栈中。这是第一次尝试，如下：

```
// pushAll method without wildcard type - deficient!
public void pushAll(Iterable<E> src) {
    for (E e : src)
        push(e);
}
```

这个方法编译时正确无误，但是并非尽如人意。如果Iterable src的元素类型与堆栈的完全匹配，就没有问题。但是假如有一个Stack<Number>，并且调用了push(intVal)，这里的intVal就是Integer类型。这是可以的，因为Integer是Number的一个子类型。因此从逻辑上来说，下面这个方法应该也可以：

```
Stack<Number> numberStack = new Stack<Number>();
Iterable<Integer> integers = ... ;
numberStack.pushAll(integers);
```

但是，如果尝试这么做，就会得到下面的错误消息，因为如前所述，参数化类型是不可变的：

```
StackTest.java:7: pushAll(Iterable<Number>) in Stack<Number>
cannot be applied to (Iterable<Integer>)
        numberStack.pushAll(integers);
            ^
```

幸运的是，有一种解决办法。Java提供了一种特殊的参数化类型，称作有限制的通配符类型（bounded wildcard type），来处理类似的情况。pushAll的输入参数类型不应该为"E的

Iterable接口"，而应该为"E的某个子类型的Iterable接口"，有一个通配符类型正符合此意：Iterable<? Extends E>。（使用关键字extends有些误导：回忆一下第26条中的说法，确定了子类型（subtype）后，每个类型便都是自身的子类型，即便它没有将自身扩展。）我们修改一下pushAll来使用这个类型：

```java
// Wildcard type for parameter that serves as an E producer
public void pushAll(Iterable<? extends E> src) {
    for (E e : src)
        push(e);
}
```

这么修改了之后，不仅Stack可以正确无误地编译，没有通过初始的pushAll声明进行编译的客户端代码也一样可以。因为Stack及其客户端正确无误地进行了编译，你就知道一切都是类型安全的了。

现在假设想要编写一个pushAll方法，使之与popAll方法相呼应。popAll方法从堆栈中弹出每个元素，并将这些元素添加到指定的集合中。初次尝试编写的popAll方法可能像下面这样：

```java
// popAll method without wildcard type - deficient!
public void popAll(Collection<E> dst) {
    while (!isEmpty())
        dst.add(pop());
}
```

如果目标集合的元素类型与堆栈的完全匹配，这段代码编译时还是会正确无误，运行得很好。但是，也并不意味着尽如人意。假设你有一个Stack<Number>和类型Object的变量。如果从堆栈中弹出一个元素，并将它保存在该变量中，它的编译和运行都不会出错，那你为何不能也这么做呢？

```java
Stack<Number> numberStack = new Stack<Number>();
Collection<Object> objects = ... ;
numberStack.popAll(objects);
```

如果试着用上述的popAll版本编译这段客户端代码，就会得到一个非常类似于第一次用pushAll时所得到的错误：Collection<Object>不是Collection<Number>的子类型。这一次，通配符类型同样提供了一种解决办法。popAll的输入参数类型不应该为"E的集合"，而应该为"E的某种超类的集合"（这里的超类是确定的，因此E是它自身的一个超类型[JLS，4.10]）。仍然有一个通配符类型正是符合此意：Collection<? super E>。让我们修改popAll来使用它：

```java
// Wildcard type for parameter that serves as an E consumer
public void popAll(Collection<? super E> dst) {
    while (!isEmpty())
        dst.add(pop());
}
```

做了这个变动之后，Stack和客户端代码就都可以正确无误地编译了。

结论很明显。为了获得最大限度的灵活性，要在表示生产者或者消费者的输入参数上使用通配符类型。如果某个输入参数既是生产者，又是消费者，那么通配符类型对你就没有什么好处了：因为你需要的是严格的类型匹配，这是不用任何通配符而得到的。

下面的助记符便于让你记住要使用哪种通配符类型：

**PECS表示producer-extends，consumer-super。**

换句话说，如果参数化类型表示一个T生产者，就使用<? extends T>；如果它表示一个T消费者，就使用<? super T>。在我们的Stack示例中，pushAll的src参数产生E实例供Stack使用，因此src相应的类型为Iterable<? extends E>；popAll的dst参数通过Stack消费E实例，因此dst相应的类型为Collection<? super E>。PECS这个助记符突出了使用通配符类型的基本原则。Naftalin和Wadler称之为**Get and Put Principle** [Naftalin07，2.4]。

记住这个助记符，我们下面来看一些之前的条目中提到过的方法声明。第25条中的reduce方法就有这条声明：

```
static <E> E reduce(List<E> list, Function<E> f, E initVal)
```

虽然列表既可以消费也可以产生值，reduce方法还是只用它的list参数作为E生产者（**producer**），因此它的声明就应该使用一个extends E的通配符类型。参数f表示既可以消费又可以产生E实例的函数，因此通配符类型不适合它。得到的方法声明如下：

```
// Wildcard type for parameter that serves as an E producer
static <E> E reduce(List<? extends E> list, Function<E> f,
                    E initVal)
```

这一变化实际上有什么区别吗？事实上，的确有区别。假设你有一个List<Integer>，想通过Function<Number>把它简化。它不能通过初始声明进行编译，但是一旦添加了有限制的通配符类型，就可以了。

现在让我们看看第27条中的union方法。下面是声明：

```
public static <E> Set<E> union(Set<E> s1, Set<E> s2)
```

s1和s2这两个参数都是E消费者，因此根据PECS，这个声明应该是：

```
public static <E> Set<E> union(Set<? extends E> s1,
                               Set<? extends E> s2)
```

注意返回类型仍然是Set<E>。不要用通配符类型作为返回类型。除了为用户提供额外的灵活性之外，它还会强制用户在客户端代码中使用通配符类型。

如果使用得当，通配符类型对于类的用户来说几乎是无形的。它们使方法能够接受它们应该接受的参数，并拒绝那些应该拒绝的参数。如果类的用户必须考虑通配符类型，类的**API**或许就会出错。

遗憾的是，类型推导（type inference）规则相当复杂，在语言规范中占了整整16页[JLS，15.12.2.7-8]，而且它们并非总能完成需要它们完成的工作。看看修改过的union声明，你可能会以为可以像这样编写：

```
Set<Integer> integers = ... ;
Set<Double> doubles = ... ;
Set<Number> numbers = union(integers, doubles);
```

但这么做会得到下面的错误消息：

```
Union.java:14: incompatible types
found : Set<Number & Comparable<? extends Number &
                                Comparable<?>>>
required: Set<Number>
        Set<Number> numbers = union(integers, doubles);
                ^
```

幸运的是，有一种办法可以处理这种错误。如果编译器不能推断你希望它拥有的类型，可以通过一个显式的类型参数（explicit type parameter）来告诉它要使用哪种类型。这种情况不太经常发生，这是好事，因为显式的类型参数不太优雅。增加了这个显式的类型参数之后，程序可以正确无误地进行编译：

```
Set<Number> numbers = Union.<Number>union(integers, doubles);
```

接下来，我们把注意力转向第27条中的max方法。以下是初始的声明：

```
public static <T extends Comparable<T>> T max(List<T> list)
```

下面是修改过的使用通配符类型的声明：

```
public static <T extends Comparable<? super T>> T max(
        List<? extends T> list)
```

为了从初始声明中得到修改后的版本，要应用PECS转换两次。最直接的是运用到参数list。它产生T实例，因此将类型从List<T>改成List<? extends T>。更灵活的是运用到类型参数T。这是我们第一次见到将通配符运用到类型参数。最初T被指定用来扩展Comparable<T>，但是T的comparable消费T实例（并产生表示顺序关系的整值）。因此，参数化类型Comparable<T>被有限制通配符类型Comparable<? super T>取代。comparable始终是消费者，因此使用时始终应该是**Comparable<? super T>**优先于**Comparable<T>**。对于comparator也一样，因此使用时始终应该是**Comparator<? super T>**优先于**Comparator<T>**。

修改过的max声明可能是整本书中最复杂的方法声明了。所增加的复杂代码真的起作用了么？是的，起作用了。下面是一个简单的列表示例，在初始的声明中不允许这样，修改过的版本则可以：

```
List<ScheduledFuture<?>> scheduledFutures = ... ;
```

不能将初始方法声明运用给这个列表的原因在于，java.util.concurrent.ScheduledFuture没有实现Comparable<ScheduledFuture>接口。相反，它是扩展Comparable<Delayed>接口的Delayed接口的子接口。换句话说，ScheduleFuture实例并非只能与其他ScheduledFuture实例相比较；它可以与任何Delayed实例相比较，这就足以导致初始声明时就会被拒绝。

修改过的max声明有一个小小的问题：它阻止方法进行编译。下面的方法包含了修改过的声明：

```
// Won't compile - wildcards can require change in method body!
public static <T extends Comparable<? super T>> T max(
        List<? extends T> list) {
    Iterator<T> i = list.iterator();
    T result = i.next();
    while (i.hasNext()) {
        T t = i.next();
        if (t.compareTo(result) > 0)
            result = t;
    }
    return result;
}
```

以下是它编译时会产生的错误消息：

```
Max.java:7: incompatible types
found    : Iterator<capture#591 of ? extends T>
required: Iterator<T>
        Iterator<T> i = list.iterator();
                             ^
```

这条错误消息意味着什么，我们又该如何修正这个问题呢？它意昧着list不是一个List<T>，因此它的iterator方法没有返回Iterator<T>。它返回T的某个子类型的一个iterator，因此我们用它代替iterator声明，它使用了一个有限制的通配符类型：

```
Iterator<? extends T> i = list.iterator();
```

这是必须对方法体所做的唯一修改。迭代器的next方法返回的元素属于T的某个子类型，因此它们可以被安全地保存在类型T的一个变量中。

还有一个与通配符有关的话题值得探讨。类型参数和通配符之间具有双重性，许多方法都可以利用其中一个或者另一个进行声明。例如，下面是可能的两种静态方法声明，来交换列表中的两个被索引的项目。第一个使用无限制的类型参数（见第27条），第二个使用无限制的通配符：

```
// Two possible declarations for the swap method
public static <E> void swap(List<E> list, int i, int j);
public static void swap(List<?> list, int i, int j);
```

你更喜欢这两种方法中的哪一种呢？为什么？在公共API中，第二种更好一些，因为它更简单。将它传到一个列表中——任何列表——方法就会交换被索引的元素。不用担心类型参数。一般来说，如果类型参数只在方法声明中出现一次，就可以用通配符取代它。如果是无限制的类型参数，就用无限制的通配符取代它；如果是有限制的类型参数，就用有限制的通配符取代它。

将第二种声明用于swap方法会有一个问题，它优先使用通配符而非类型参数：下面这个简单的实现都不能编译：

```
public static void swap(List<?> list, int i, int j) {
    list.set(i, list.set(j, list.get(i)));
}
```

试着编译时会产生这条没有什么用处的错误消息：

```
Swap.java:5: set(int,capture#282 of ?) in List<capture#282 of ?>
cannot be applied to (int,Object)
        list.set(i, list.set(j, list.get(i)));
                      ^
```

不能将元素放回到刚刚从中取出的列表中，这似乎不太对劲。问题在于list的类型为List<?>，你不能把null之外的任何值放到List<?>中。幸运的是，有一种方式可以实现这个方法，无需求助于不安全的转换或者原生态类型（raw type）。这种想法就是编写一个私有的辅助方法来捕捉通配符类型。为了捕捉类型，辅助方法必须是泛型方法，像下面这样：

```
public static void swap(List<?> list, int i, int j) {
    swapHelper(list, i, j);
}

// Private helper method for wildcard capture
private static <E> void swapHelper(List<E> list, int i, int j) {
    list.set(i, list.set(j, list.get(i)));
}
```

swapHelper方法知道list是一个List<E>。因此，它知道从这个列表中取出的任何值均为E类型，并且知道将E类型的任何值放进列表都是安全的。swap这个有些费解的实现编译起来却是正确无误的。它允许我们导出swap这个比较好的基于通配符的声明，同时在内部利用更加复杂的泛型方法。swap方法的客户端不一定要面对更加复杂的swapHelper声明，但是它们的确从中受益。

总而言之，在API中使用通配符类型虽然比较需要技巧，但是使API变得灵活得多。如果编写的是将被广泛使用的类库，则一定要适当地利用通配符类型。记住基本的原则：producer-extends, consumer-super（PECS）。还要记住所有的comparable和comparator都是消费者。

## 第 29 条：优先考虑类型安全的异构容器

　　泛型最常用于集合，如Set和Map，以及单元素的容器，如ThreadLocal和Atomic Reference。在这些用法中，它都充当被参数化了的容器。这样就限制你每个容器只能有固定数目的类型参数。一般来说，这种情况正是你想要的。一个Set只有一个类型参数，表示它的元素类型；一个Map有两个类型参数，表示它的键和值类型；诸如此类。

　　但是，有时候你会需要更多的灵活性。例如，数据库行可以有任意多的列，如果能以类型安全的方式访问所有列就好了。幸运的是，有一种方法可以很容易地做到这一点。这种想法就是将键（key）进行参数化而不是将容器（container）参数化。然后将参数化的键提交给容器，来插入或者获取值。用泛型系统来确保值的类型与它的键相符。

　　简单地示范一下这种方法：考虑Favorites类，它允许其客户端从任意数量的其他类中，保存并获取一个"最喜爱"的实例。Class对象充当参数化键的部分。之所以可以这样，是因为类Class在Java 1.5版本中被泛型化了。类的类型从字面上来看不再只是简单的Class，而是Class<T>。例如，String.class属于Class<String>类型，Integer.class属于Class<Integer>类型。当一个类的字面文字被用在方法中，来传达编译时和运行时的类型信息时，就被称作 type token[Brancha04]。

　　Favorites类的API很简单。它看起来就像一个简单的map，除了键（而不是map）被参数化之外。客户端在设置和获取最喜爱的实例时提交Class对象。下面就是这个API：

```java
// Typesafe heterogeneous container pattern - API
public class Favorites {
    public <T> void putFavorite(Class<T> type, T instance);
    public <T> T getFavorite(Class<T> type);
}
```

　　下面是一个示例程序，检验一下Favorites类，它保存、获取并打印一个最喜爱的String、Integer和Class实例：

```java
// Typesafe heterogeneous container pattern - client
public static void main(String[] args) {
    Favorites f = new Favorites();
    f.putFavorite(String.class, "Java");
    f.putFavorite(Integer.class, 0xcafebabe);
    f.putFavorite(Class.class, Favorites.class);
    String favoriteString = f.getFavorite(String.class);
    int favoriteInteger = f.getFavorite(Integer.class);
    Class<?> favoriteClass = f.getFavorite(Class.class);
    System.out.printf("%s %x %s%n", favoriteString,
        favoriteInteger, favoriteClass.getName());
}
```

正如所料，这段程序打印出的是Java cafebabe Favorites。

Favorites实例是类型安全（typesafe）的：当你向它请求String的时候，它从来不会返回一个Integer给你。同时它也是异构的（**heterogeneous**）：不像普通的map，它的所有键都是不同类型的。因此，我们将Favorites称作类型安全的异构容器（typesafe heterogeneous container）。

Favorites的实现小得出奇。它的完整实现如下：

```java
// Typesafe heterogeneous container pattern - implementation
public class Favorites {
    private Map<Class<?>, Object> favorites =
        new HashMap<Class<?>, Object>();

    public <T> void putFavorite(Class<T> type, T instance) {
        if (type == null)
            throw new NullPointerException("Type is null");
        favorites.put(type, instance);
    }

    public <T> T getFavorite(Class<T> type) {
        return type.cast(favorites.get(type));
    }
}
```

这里发生了一些微妙的事情。每个Favorites实例都得到一个称作favorites的私有Map<Class<?>，Object>的支持。你可能认为由于无限制通配符类型的关系，将不能把任何东西放进这个Map中，但事实正好相反。要注意的是通配符类型是嵌套的：它不是属于通配符类型的Map的类型，而是它的键的类型。由此可见，每个键都可以有一个不同的参数化类型：一个可以是Class<String>，接下来是Class<Integer>等等。异构就是从这里来的。

第二件要注意的事情是，favorites Map的值类型只是Object。换句话说，Map并不能保证键和值之间的类型关系，即不能保证每个值的类型都与键的类型相同。事实上，Java的类型系统还没有强大到足以表达这一点。但我们知道这是事实，并在获取favorite的时候利用了这一点。

putFavorite方法的实现很简单：它只是把（从指定的Class对象到指定favorite实例的）一个映射放到favorites中。如前所述，这是放弃了键和值之间的"类型联系"，因此无法知道这个值是键的一个实例。但是没关系，因为getFavorites方法能够并且的确重新建立了这种联系。

getFavorite方法的实现比putFavorite的更难一些。它先从favorites映射中获得与指定Class对象相对应的值。这正是要返回的对象引用，但它的编译时类型是错误的。它的类型只是Object（favorites映射的值类型），我们需要返回一个T。因此，getFavorite方法的实现利用Class的cast方法，将对象引用动态地转换（dynamically cast）成了Class对象所表示的类型。

cast方法是Java的cast操作符的动态模拟。它只检验它的参数是否为Class对象所表示的类型的实例。如果是，就返回参数；否则就抛出ClassCastException异常。我们知道，getFavorite中的cast调用永远不会抛出ClassCastException异常，并假设客户端代码正确无误地进行了编译。也就是说，我们知道favorites映射中的值会始终与键的类型相匹配。

假设cast方法只返回它的参数，那它能为我们做什么呢？cast方法的签名充分利用了Class类被泛型化的这个事实。它的返回类型是Class对象的类型参数：

```java
public class Class<T> {
    T cast(Object obj);
}
```

这正是getFavorite方法所需要的，也正是让我们不必借助于未受检地转换成T就能确保Favorites类型安全的东西。

Favorites类有两种局限性值得注意。首先，恶意的客户端可以很轻松地破坏Favorites实例的类型安全，只要以它的原生态形式（raw form）使用Class对象。但会造成客户端代码在编译时产生未受检的警告。这与一般的集合实现，如HashSet和HashMap并没有什么区别。你可以很容易地利用原生态类型HashSet（见第23条）将String放进HashSet<Integer>中。也就是说，如果愿意付出一点点代价，就可以拥有运行时的类型安全。确保Favorites永远不违背它的类型约束条件的方式是，让putFavorite方法检验instance是否真的是type所表示的类型的实例。我们已经知道这要如何进行了，只要使用一个动态的转换：

```java
// Achieving runtime type safety with a dynamic cast
public <T> void putFavorite(Class<T> type, T instance) {
    favorites.put(type, type.cast(instance));
}
```

java.util.Collections中有一些集合包装类采用了同样的技巧。它们称作checkedSet、checkedList、checkedMap，诸如此类。除了一个集合（或者映射）之外，它们的静态工厂还采用一个（或者两个）Class对象。静态工厂属于泛型方法，确保Class对象和集合的编译时类型相匹配。包装类给它们所封装的集合增加了具体化。例如，如果有人试图将Coin放进你的Collection<Stamp>，包装类就会在运行时抛出ClassCastException异常。用这些包装类在混有泛型和遗留代码的应用程序中追溯"谁把错误的类型元素添加到了集合中"很有帮助。

Favorites类的第二种局限性在于它不能用在不可具体化的（non-reifiable）类型中（见第25条）。换句话说，你可以保存最喜爱的String或者String[]，但不能保存最喜爱的List<String>。如果试图保存最喜爱的List<String>，程序就不能进行编译。原因在于你无法为List<String>获得一个Class对象：List<String>.class是个语法错误，这也是件好事。List<String>和List<Integer>共用一个Class对象，即List.class。如果从"字面（type literal）"

上来看，List<String>.class和List<Integer>.class是合法的，并返回了相同的对象引用，就会破坏Favorites对象的内部结构。

对于第二种局限性，还没有完全令人满意的解决办法。有一种方法称作super type token，它在解决这一局限性方面做了很多努力，但是这种方法仍有它自身的局限性[Gafter07]。

Favorites使用的类型令牌（type token）是无限制的：getFavorite和putFavorite接受任何Class对象。有时候，可能需要限制那些可以传给方法的类型。这可以通过有限制的类型令牌（bounded type token）来实现，它只是一个类型令牌，利用有限制类型参数（见第27条）或者有限制通配符（见第28条），来限制可以表示的类型。

注解API（见第35条）广泛利用了有限制的类型令牌。例如，这是一个在运行时读取注解的方法。这个方法来自AnnotatedElement接口，它通过表示类、方法、域及其他程序元素的反射类型来实现：

```
public <T extends Annotation>
    T getAnnotation(Class<T> annotationType);
```

参数annotationType是一个表示注解类型的有限制的类型令牌。如果元素有这种类型的注解，该方法就将它返回，如果没有，则返回null。被注解的元素本质上是个类型安全的异构容器，容器的键属于注解类型。

假设你有一个类型Class<?>的对象，并且想将它传给一个需要有限制的类型令牌的方法，例如getAnnotation。你可以将对象转换成Class<? extends Annotation>，但是这种转换是非受检的，因此会产生一条编译时警告（见第24条）。幸运的是，类Class提供了一个安全（且动态）地执行这种转换的实例方法。该方法称作asSubclass，它将调用它的Class对象转换成用其参数表示的类的一个子类。如果转换成功，该方法返回它的参数；如果失败，则抛出ClassCastException异常。

以下示范了如何利用asSubclass方法在编译时读取类型未知的注解。这个方法编译时没有出现错误或者警告：

```
// Use of asSubclass to safely cast to a bounded type token
static Annotation getAnnotation(AnnotatedElement element,
                                String annotationTypeName) {
    Class<?> annotationType = null; // Unbounded type token
    try {
        annotationType = Class.forName(annotationTypeName);
    } catch (Exception ex) {
        throw new IllegalArgumentException(ex);
    }
    return element.getAnnotation(
        annotationType.asSubclass(Annotation.class));
}
```

　　总而言之，集合API说明了泛型的一般用法，限制你每个容器只能有固定数目的类型参数。你可以通过将类型参数放在键上而不是容器上来避开这一限制。对于这种类型安全的异构容器，可以用Class对象作为键。以这种方式使用的Class对象称作类型令牌。你也可以使用定制的键类型。例如，用一个DatabaseRow类型表示一个数据库行（容器），用泛型Column<T>作为它的键。

# 第6章

# 枚举和注解

$\mathbf{J}$ava 1.5发行版本中增加了两个新的引用类型家族：一种新的类称作枚举类型（enum type），一种新的接口称作注解类型（annotation type）。本章讨论使用这两个新的类型家族的最佳实践。

## 第 30 条：用 enum 代替 int 常量

枚举类型（**enum type**）是指由一组固定的常量组成合法值的类型，例如一年中的季节、太阳系中的行星或者一副牌中的花色。在编程语言中还没有引入枚举类型之前，表示枚举类型的常用模式是声明一组具名的int常量，每个类型成员--个常量：

```java
// The int enum pattern - severely deficient!
public static final int APPLE_FUJI         = 0;
public static final int APPLE_PIPPIN        = 1;
public static final int APPLE_GRANNY_SMITH = 2;

public static final int ORANGE_NAVEL  = 0;
public static final int ORANGE_TEMPLE = 1;
public static final int ORANGE_BLOOD  = 2;
```

这种方法称作**int枚举模式**（int enum pattern），存在着诸多不足。它在类型安全性和使用方便性方面没有任何帮助。如果你将apple传到想要orange的方法中，编译器也不会出现警告，还会用==操作符将apple与orange进行对比，甚至更糟糕：

```java
// Tasty citrus flavored applesauce!
int i = (APPLE_FUJI - ORANGE_TEMPLE) / APPLE_PIPPIN;
```

注意每个apple常量的名称都以APPLE_作为前缀，每个orange常量则都以ORANGE_作为前缀。这是因为Java没有为int枚举组提供命名空间。当两个int枚举组具有相同的命名常量时，前缀可以防止名称发生冲突。

采用int枚举模式的程序是十分脆弱的。因为int枚举是编译时常量，被编译到使用它们的客户端中。如果与枚举常量关联的int发生了变化，客户端就必须重新编译。如果没有重新编译，程序还是可以运行，但是它们的行为就是不确定的。

将int枚举常量翻译成可打印的字符串，并没有很便利的方法。如果将这种常量打印出来，或者从调试器中将它显示出来，你所见到的就是一个数字，这没有太大的用处。要遍历一个组中的所有int枚举常量，甚至获得int枚举组的大小，这些都没有很可靠的方法。

你还可能碰到这种模式的变体，在这种模式中使用的是String常量，而不是int常量。这样的变体被称作**String**枚举模式，同样也是我们最不期望的。虽然它为这些常量提供了可打印的字符串，但是它会导致性能问题，因为它依赖于字符串的比较操作。更糟糕的是，它会导致初级用户把字符串常量硬编码到客户端代码中，而不是使用适当的域（field）名。如果这样的硬编码字符串常量中包含有书写错误，那么，这样的错误在编译时不会被检测到，但是在运行的时候却会报错。

幸运的是，从Java1.5发行版本开始，就提出了另一种可以替代的解决方案，可以避免int和String枚举模式的缺点，并提供许多额外的好处。这就是（JLS，8.9）。下面以最简单的形式演示了这种模式：

```
public enum Apple  { FUJI, PIPPIN, GRANNY_SMITH }
public enum Orange { NAVEL, TEMPLE, BLOOD }
```

表面上看来，这些枚举类型与其他语言中的没有什么两样，例如C、C++和C#，但是实际上并非如此。Java的枚举类型是功能十分齐全的类，功能比其他语言中的对等物要更强大得多，Java的枚举本质上是int值。

Java枚举类型背后的基本想法非常简单：它们就是通过公有的静态final域为每个枚举常量导出实例的类。因为没有可以访问的构造器，枚举类型是真正的final。因为客户端既不能创建枚举类型的实例，也不能对它进行扩展，因此很可能没有实例，而只有声明过的枚举常量。换句话说，枚举类型是实例受控的。它们是单例（Singleton）的泛型化（见第3条），本质上是单元素的枚举。对于熟悉本书第一版的读者来说，枚举类型为类型安全的枚举（**typesafe enum**）模式[Bloch01，见第21条]提供了语言方面的支持。

枚举提供了编译时的类型安全。如果声明一个参数的类型为Apple，就可以保证，被传到该参数上的任何非null的对象引用一定属于三个有效的Apple值之一。试图传递类型错误的值时，会导致编译时错误，就像试图将某种枚举类型的表达式赋给另一种枚举类型的变量，或者试图利用==操作符比较不同枚举类型的值一样。

包含同名常量的多个枚举类型可以在一个系统中和平共处，因为每个类型都有自己的命名空间。你可以增加或者重新排列枚举类型中的常量，而无需重新编译它的客户端代码，因为导出常量的域在枚举类型和它的客户端之间提供了一个隔离层：常量值并没有被编译到客户端代码中，而是在int枚举模式之中。最终，可以通过调用toString方法，将枚举转换成可打印的字符串。

除了完善了int枚举模式的不足之外，枚举类型还允许添加任意的方法和域，并实现任意的接口。它们提供了所有Object方法（见第3章）的高级实现，实现了Comparable（见第12条）和Serializable接口（见第11章），并针对枚举类型的可任意改变性设计了序列化方式。

那么我们为什么要将方法或者域添加到枚举类型中呢？首先，你可能是想将数据与它的常量关联起来。例如，一个能够返回水果颜色或者返回水果图片的方法，对于我们的Apple和Orange类型来说可能很有好处。你可以利用任何适当的方法来增强枚举类型。枚举类型可以先作为枚举常量的一个简单集合，随着时间的推移再演变成为全功能的抽象。

举个有关枚举类型的好例子，比如太阳系中的8颗行星。每颗行星都有质量和半径，通过这两个属性可以计算出它的表面重力。从而给定物体的质量，就可以计算出一个物体在行星表面上的重量。下面就是这个枚举。每个枚举常量后面括号中的数值就是传递给构造器的参数。在这个例子中，它们就是行星的质量和半径：

```java
// Enum type with data and behavior
public enum Planet {
    MERCURY(3.302e+23, 2.439e6),
    VENUS  (4.869e+24, 6.052e6),
    EARTH  (5.975e+24, 6.378e6),
    MARS   (6.419e+23, 3.393e6),
    JUPITER(1.899e+27, 7.149e7),
    SATURN (5.685e+26, 6.027e7),
    URANUS (8.683e+25, 2.556e7),
    NEPTUNE(1.024e+26, 2.477e7);
    private final double mass;           // In kilograms
    private final double radius;         // In meters
    private final double surfaceGravity; // In m / s^2

    // Universal gravitational constant in m^3 / kg s^2
    private static final double G = 6.67300E-11;

    // Constructor
    Planet(double mass, double radius) {
        this.mass = mass;
        this.radius = radius;
        surfaceGravity = G * mass / (radius * radius);
    }

    public double mass()           { return mass; }
    public double radius()         { return radius; }
    public double surfaceGravity() { return surfaceGravity; }

    public double surfaceWeight(double mass) {
        return mass * surfaceGravity;  // F = ma
    }
}
```

编写一个像Planet这样的枚举类型并不难。为了将数据与枚举常量关联起来，得声明实例域，并编写一个带有数据并将数据保存在域中的构造器。枚举天生就是不可变的，因此所有的域都应该为final的（见第15条）。它们可以是公有的，但最好将它们做成是私有的，并提供公有的访问方法（见第14条）。在Planet这个示例中，构造器还计算和保存表面重力，但这正是一种优化。每当surfaceWeight方法用到重力时，都会根据质量和半径重新计算，并返回它在该常量所表示的行星上的重量。

虽然Planet枚举很简单，它的功能却强大得出奇。下面是一个简短的程序，根据某个物体在地球上的重量（以任何单位），打印出一张很棒的表格，显示出该物体在所有8颗行星上的重量（用相同的单位）：

```
public class WeightTable {
    public static void main(String[] args) {
        double earthWeight = Double.parseDouble(args[0]);
        double mass = earthWeight / Planet.EARTH.surfaceGravity();
        for (Planet p : Planet.values())
            System.out.printf("Weight on %s is %f%n",
                              p, p.surfaceWeight(mass));
    }
}
```

注意Planet就像所有的枚举一样，它有一个静态的values方法，按照声明顺序返回它的值数组。还要注意toString方法返回每个枚举值的声明名称，使得println和printf的打印变得更加容易。如果你不满意这种字符串表示法，可以通过覆盖toString方法对它进行修改。下面就是用命令行参数175运行这个小小的WeightTable程序时的结果：

```
Weight on MERCURY is 66.133672
Weight on VENUS is 158.383926
Weight on EARTH is 175.000000
Weight on MARS is 66.430699
Weight on JUPITER is 442.693902
Weight on SATURN is 186.464970
Weight on URANUS is 158.349709
Weight on NEPTUNE is 198.846116
```

如果这是你第一次在实践中见到Java的printf方法，要注意它与C语言的区别，你在这里用的是%n，在C中则用\n。

与枚举常量关联的有些行为，可能只需要用在定义了枚举的类或者包中。这种行为最好被实现成私有的或者包级私有的方法。于是，每个枚举常量都带有一组隐蔽的行为，这使得包含该枚举的类或者包在遇到这种常量时都可以做出适当的反应。就像其他的类一样，除非迫不得已要将枚举方法导出至它的客户端，否则都应该将它声明为私有的，如有必要，则声明为包级私有的（见第13条）。

如果一个枚举具有普遍适用性，它就应该成为一个顶层类（top-level class）；如果它只是被用在一个特定的顶层类中，它就应该成为该顶层类的一个成员类（见第22条）。例如，java.math.RoundingMode枚举表示十进制小数的舍入模式（rounding mode）。这些舍入模式用于BigDecimal类，但是它们提供了一个非常有用的抽象，这种抽象本质上又不属于BigDecimal类。通过使RoundingMode变成一个顶层类，库的设计者鼓励任何需要舍入模式的程序员重用这个枚举，从而增强API之间的一致性。

Planet示例中所示的方法对于大多数枚举类型来说就足够了，但你有时候会需要更多的方法。每个Planet常量都关联了不同的数据，但你有时需要将本质上不同的行为（**behavior**）与每个常量关联起来。例如，假设你在编写一个枚举类型，来表示计算器的四大基本操作（即加减乘除），你想要提供一个方法来执行每个常量所表示的算术运算。有一种方法是通过启用枚举的值来实现：

```java
// Enum type that switches on its own value - questionable
public enum Operation {
    PLUS, MINUS, TIMES, DIVIDE;

    // Do the arithmetic op represented by this constant
    double apply(double x, double y) {
        switch(this) {
            case PLUS:   return x + y;
            case MINUS:  return x - y;
            case TIMES:  return x * y;
            case DIVIDE: return x / y;
        }
        throw new AssertionError("Unknown op: " + this);
    }
}
```

这段代码可行，但是不太好看。如果没有throw语句，它就不能进行编译，虽然从技术角度来看代码的结束部分是可以执行到的，但是实际上是不可能执行到这行代码的[JLS，14.2.1]。更糟糕的是，这段代码很脆弱。如果你添加了新的枚举常量，却忘记给switch添加相应的条件，枚举仍然可以编译，但是当你试图运用新的运算时，就会运行失败。

幸运的是，有一种更好的方法可以将不同的行为与每个枚举常量关联起来：在枚举类型中声明一个抽象的apply方法，并在特定于常量的类主体（**constant-specific class body**）中，用具体的方法覆盖每个常量的抽象apply方法。这种方法被称作特定于常量的方法实现（**constant-specific method implementation**）：

```java
// Enum type with constant-specific method implementations
public enum Operation {
    PLUS   { double apply(double x, double y){return x + y;} },
    MINUS  { double apply(double x, double y){return x - y;} },
    TIMES  { double apply(double x, double y){return x * y;} },
    DIVIDE { double apply(double x, double y){return x / y;} };

    abstract double apply(double x, double y);
}
```

如果给Operation的第二种版本添加新的常量，你就不可能会忘记提供apply方法，因为该方法就紧跟在每个常量声明之后。即使你真的忘记了，编译器也会提醒你，因为枚举类型中的抽象方法必须被它所有常量中的具体方法所覆盖。

特定于常量的方法实现可以与特定于常量的数据结合起来。例如，下面的Operation覆盖了toString来返回通常与该操作关联的符号：

```java
// Enum type with constant-specific class bodies and data
public enum Operation {
    PLUS("+") {
        double apply(double x, double y) { return x + y; }
    },
    MINUS("-") {
        double apply(double x, double y) { return x - y; }
    },
    TIMES("*") {
        double apply(double x, double y) { return x * y; }
    },
    DIVIDE("/") {
        double apply(double x, double y) { return x / y; }
    };
    private final String symbol;
    Operation(String symbol) { this.symbol = symbol; }
    @Override public String toString() { return symbol; }

    abstract double apply(double x, double y);
}
```

在有些情况下，在枚举中覆盖toString非常有用。例如，上述的toString实现使得打印算术表达式变得非常容易，如这段小程序所示：

```java
public static void main(String[] args) {
    double x = Double.parseDouble(args[0]);
    double y = Double.parseDouble(args[1]);
    for (Operation op : Operation.values())
        System.out.printf("%f %s %f = %f%n",
                          x, op, y, op.apply(x, y));
}
```

用2和4作为命令行参数运行这段程序，会输出：

```
2.000000 + 4.000000 = 6.000000
2.000000 - 4.000000 = -2.000000
2.000000 * 4.000000 = 8.000000
2.000000 / 4.000000 = 0.500000
```

枚举类型有一个自动产生的valueOf(String)方法，它将常量的名字转变成常量本身。如果在枚举类型中覆盖toString，要考虑编写一个fromString方法，将定制的字符串表示法变回相应的枚举。下列代码（适当地改变了类型名称）可以为任何枚举完成这一技巧，只要每个常量都有一个独特的字符串表示法：

```
// Implementing a fromString method on an enum type
private static final Map<String, Operation> stringToEnum
    = new HashMap<String, Operation>();
static { // Initialize map from constant name to enum constant
    for (Operation op : values())
        stringToEnum.put(op.toString(), op);
}
// Returns Operation for string, or null if string is invalid
public static Operation fromString(String symbol) {
    return stringToEnum.get(symbol);
}
```

注意，在常量被创建之后，Operation常量从静态代码块中被放入到了stringToEnum的map中。试图使每个常量都从自己的构造器将自身放入到map中，会导致编译时错误。这是好事，因为如果这是合法的，就会抛出NullPointerException异常。枚举构造器不可以访问枚举的静态域，除了编译时常量域之外。这一限制是有必要的，因为构造器运行的时候，这些静态域还没有被初始化。

特定于常量的方法实现有一个美中不足的地方，它们使得在枚举常量中共享代码变得更加困难了。例如，考虑用一个枚举表示薪资包中的工作天数。这个枚举有一个方法，根据给定某工人的基本工资（按小时）以及当天的工作时间，来计算他当天的报酬。在五个工作日中，超过正常八小时的工作时间都会产生加班工资；在双休日中，所有工作都产生加班工资。利用switch语句，很容易通过将多个case标签分别应用到两个代码片断中，来完成这一计算。为了简洁起见，这个示例中的代码使用了double，但是注意double并不是适合薪资应用程序（见第48条）的数据类型。

```
// Enum that switches on its value to share code - questionable
enum PayrollDay {
    MONDAY, TUESDAY, WEDNESDAY, THURSDAY, FRIDAY,
    SATURDAY, SUNDAY;
    private static final int HOURS_PER_SHIFT = 8;
    double pay(double hoursWorked, double payRate) {
        double basePay = hoursWorked * payRate;

        double overtimePay;        // Calculate overtime pay
        switch(this) {
          case SATURDAY: case SUNDAY:
            overtimePay = hoursWorked * payRate / 2;
          default: // Weekdays
            overtimePay = hoursWorked <= HOURS_PER_SHIFT ?
              0 : (hoursWorked - HOURS_PER_SHIFT) * payRate / 2;
            break;
        }

        return basePay + overtimePay;
    }
}
```

不可否认，这段代码十分简洁，但是从维护的角度来看，它非常危险。假设将一个元素添加到该枚举中，或许是一个表示假期天数的特殊值，但是忘记给switch语句添加相应的case。

程序依然可以编译，但pay方法会悄悄地将假期的工资计算成与正常工作日的相同。

为了利用特定于常量的方法实现安全地执行工资计算，你可能必须重复计算每个常量的加班工资，或者将计算移到两个辅助方法中（一个用来计算工作日，一个用来计算双休日），并从每个常量调用相应的辅助方法。这任何一种方法都会产生相当数量的样板代码，结果降低了可读性，并增加了出错的机率。

通过用计算工作日加班工资的具体方法代替PayrollDay中抽象的overtimePay方法，可以减少样板代码。这样，就只有双休日必须覆盖该方法了。但是这样也有着与switch语句一样的不足：如果又增加了一天而没有覆盖overtimePay方法，就会悄悄地延续工作日的计算。

你真正想要的就是每当添加一个枚举常量时，就强制选择一种加班报酬策略。幸运的是，有一种很好的方法可以实现这一点。这种想法就是将加班工资计算移到一个私有的嵌套枚举中，将这个策略枚举（**strategy enum**）的实例传到PayrollDay枚举的构造器中。之后PayrollDay枚举将加班工资计算委托给策略枚举，PayrollDay中就不需要switch语句或者特定于常量的方法实现了。虽然这种模式没有switch语句那么简洁，但更加安全，也更加灵活：

```java
// The strategy enum pattern
enum PayrollDay {
    MONDAY(PayType.WEEKDAY), TUESDAY(PayType.WEEKDAY),
    WEDNESDAY(PayType.WEEKDAY), THURSDAY(PayType.WEEKDAY),
    FRIDAY(PayType.WEEKDAY),
    SATURDAY(PayType.WEEKEND), SUNDAY(PayType.WEEKEND);

    private final PayType payType;
    PayrollDay(PayType payType) { this.payType = payType; }

    double pay(double hoursWorked, double payRate) {
        return payType.pay(hoursWorked, payRate);
    }
    // The strategy enum type
    private enum PayType {
        WEEKDAY {
            double overtimePay(double hours, double payRate) {
                return hours <= HOURS_PER_SHIFT ? 0 :
                    (hours - HOURS_PER_SHIFT) * payRate / 2;
            }
        },
        WEEKEND {
            double overtimePay(double hours, double payRate) {
                return hours * payRate / 2;
            }
        };
        private static final int HOURS_PER_SHIFT = 8;

        abstract double overtimePay(double hrs, double payRate);

        double pay(double hoursWorked, double payRate) {
            double basePay = hoursWorked * payRate;
            return basePay + overtimePay(hoursWorked, payRate);
        }
    }
}
```

如果枚举中的switch语句不是在枚举中实现特定于常量的行为的一种很好的选择，那么它们还有什么用处呢？枚举中的**switch**语句适合于给外部的枚举类型增加特定于常量的行为。例如，假设Operation枚举不受你的控制，你希望它有一个实例方法来返回每个运算的反运算。你可以用下列静态方法模拟这种效果：

```
// Switch on an enum to simulate a missing method
public static Operation inverse(Operation op) {
    switch(op) {
        case PLUS:   return Operation.MINUS;
        case MINUS:  return Operation.PLUS;
        case TIMES:  return Operation.DIVIDE;
        case DIVIDE: return Operation.TIMES;
        default:  throw new AssertionError("Unknown op: " + op);
    }
}
```

一般来说，枚举会优先使用comparable而非int常量。与int常量相比，枚举有个小小的性能缺点，即装载和初始化枚举时会有空间和时间的成本。除了受资源约束的设备，例如手机和烤面包机之外，在实践中不必太在意这个问题。

那么什么时候应该使用枚举呢？每当需要一组固定常量的时候。当然，这包括"天然的枚举类型"，例如行星、一周的天数以及棋子的数目等等。但它也包括你在编译时就知道其所有可能值的其他集合，例如菜单的选项、操作代码以及命令行标记等。枚举类型中的常量集并不一定要始终保持不变。专门设计枚举特性是考虑到枚举类型的二进制兼容演变。

总而言之，与int常量相比，枚举类型的优势是不言而喻的。枚举要易读得多，也更加安全，功能更加强大。许多枚举都不需要显式的构造器或者成员，但许多其他枚举则受益于"每个常量与属性的关联"以及"提供行为受这个属性影响的方法"。只有极少数的枚举受益于将多种行为与单个方法关联。在这种相对少见的情况下，特定于常量的方法要优先于启用自有值的枚举。如果多个枚举常量同时共享相同的行为，则考虑策略枚举。

## 第31条：用实例域代替序数

许多枚举天生就与一个单独的int值相关联。所有的枚举都有一个ordinal方法，它返回每个枚举常量在类型中的数字位置。你可以试着从序数中得到关联的int值：

```java
// Abuse of ordinal to derive an associated value - DON'T DO THIS
public enum Ensemble {
    SOLO,   DUET,   TRIO, QUARTET, QUINTET,
    SEXTET, SEPTET, OCTET, NONET,  DECTET;

    public int numberOfMusicians() { return ordinal() + 1; }
}
```

虽然这个枚举不错，但是维护起来就像一场恶梦。如果常量进行重新排序，numberOf-Musicians方法就会遭到破坏。如果要再添加一个与已经用过的int值关联的枚举常量，就没那么走运了。例如，给双四重奏（**double quartet**）添加一个常量，它就像个八重奏一样，是由8位演奏家组成，但是没有办法做到。

要是没有给所有这些int值添加常量，也无法给某个int值添加常量。例如，假设想要添加一个常量表示三四重奏（**triple quartet**），它由12位演奏家组成。对于由11位演奏家组成的合奏曲并没有标准的术语，因此只好给没有用过的int值（11）添加一个虚拟（dummy）常量。这么做顶多就是不太好看。如果有许多int值都是从未用过的，可就不切实际了。

幸运的是，有一种很简单的方法可以解决这些问题。永远不要根据枚举的序数导出与它关联的值，而是要将它保存在一个实例域中：

```java
public enum Ensemble {
    SOLO(1), DUET(2), TRIO(3), QUARTET(4), QUINTET(5),
    SEXTET(6), SEPTET(7), OCTET(8), DOUBLE_QUARTET(8),
    NONET(9), DECTET(10), TRIPLE_QUARTET(12);

    private final int numberOfMusicians;
    Ensemble(int size) { this.numberOfMusicians = size; }
    public int numberOfMusicians() { return numberOfMusicians; }
}
```

Enum规范中谈到ordinal时这么写道："大多数程序员都不需要这个方法。它是设计成用于像EnumSet和EnumMap这种基于枚举的通用数据结构的。"除非你在编写的是这种数据结构，否则最好完全避免使用ordinal方法。

## 第 32 条：用 EnumSet 代替位域

如果一个枚举类型的元素主要用在集合中，一般就使用int枚举模式（见第30条），将2的不同倍数赋予每个常量：

```
// Bit field enumeration constants - OBSOLETE!
public class Text {
    public static final int STYLE_BOLD          = 1 << 0;  // 1
    public static final int STYLE_ITALIC        = 1 << 1;  // 2
    public static final int STYLE_UNDERLINE     = 1 << 2;  // 4
    public static final int STYLE_STRIKETHROUGH = 1 << 3;  // 8

    // Parameter is bitwise OR of zero or more STYLE_ constants
    public void applyStyles(int styles) { ... }
}
```

这种表示法让你用OR位运算将几个常量合并到一个集合中，称作位域（**bit field**）：

```
text.applyStyles(STYLE_BOLD | STYLE_ITALIC);
```

位域表示法也允许利用位操作，有效地执行像union（联合）和intersection（交集）这样的集合操作。但位域有着int枚举常量的所有缺点，甚至更多。当位域以数字形式打印时，翻译位域比翻译简单的int枚举常量要困难得多。甚至，要遍历位域表示的所有元素也没有很容易的方法。

有些程序员优先使用枚举而非int常量，他们在需要传递多组常量集时，仍然倾向于使用位域。其实没有理由这么做，因为还有更好的替代方法。java.util包提供了EnumSet类来有效地表示从单个枚举类型中提取的多个值的多个集合。这个类实现Set接口，提供了丰富的功能、类型安全性，以及可以从任何其他Set实现中得到的互用性。但是在内部具体的实现上，每个EnumSet内容都表示为位矢量。如果底层的枚举类型有64个或者更少的元素——大多如此——整个EnumSet就是用单个long来表示，因此它的性能比得上位域的性能。批处理，如removeAll和retainAll，都是利用位算法来实现的，就像手工替位域实现得那样。但是可以避免手工位操作时容易出现的错误以及不太雅观的代码，因为EnumSet替你完成了这项艰巨的工作。

下面是前一个范例改成用枚举代替位域后的代码，它更加简短、更加清楚，也更加安全：

```
// EnumSet - a modern replacement for bit fields
public class Text {
    public enum Style { BOLD, ITALIC, UNDERLINE, STRIKETHROUGH }

    // Any Set could be passed in, but EnumSet is clearly best
    public void applyStyles(Set<Style> styles) { ... }
}
```

下面是将EnumSet实例传递给applyStyles方法的客户端代码。EnumSet提供了丰富的静态工厂来轻松创建集合,其中一个如这个代码所示:

```
text.applyStyles(EnumSet.of(Style.BOLD, Style.ITALIC));
```

注意applyStyles方法采用的是Set<Style>而非EnumSet<Style>。虽然看起来好像所有的客户端都可以将EnumSet传到这个方法,但是最好还是接受接口类型而非接受实现类型。这是考虑到可能会有特殊的客户端要传递一些其他的Set实现,并且没有什么明显的缺点。

总而言之,正是因为枚举类型要用在集合(Set)中,所以没有理由用位域来表示它。EnumSet类集位域的简洁和性能优势及第30条中所述的枚举类型的所有优点于一身。实际上EnumSet有个缺点,即截止Java 1.6发行版本,它都无法创建不可变的EnumSet,但是这一点很可能在即将出来的版本中得到修正。同时,可以用Collections.unmodifiableSet将EnumSet封装起来,但是简洁性和性能会受到影响。

## 第 33 条：用 EnumMap 代替序数索引

有时候，你可能会见到利用ordinal方法（见第31条）来索引数组的代码。例如下面这个过于简化的类，用来表示一种烹饪用的香草：

```java
public class Herb {
    public enum Type { ANNUAL, PERENNIAL, BIENNIAL }

    private final String name;
    private final Type type;

    Herb(String name, Type type) {
        this.name = name;
        this.type = type;
    }

    @Override public String toString() {
        return name;
    }
}
```

现在假设有一个香草的数组，表示一座花园中的植物，你想要按照类型（一年生、多年生或者两年生植物）进行组织之后将这些植物列出来。如果要这么做的话，需要构建三个集合，每种类型一个，并且遍历整座花园，将每种香草放到相应的集合中。有些程序员会将这些集合放到一个按照类型的序数进行索引的数组中来实现这一点。

```java
// Using ordinal() to index an array - DON'T DO THIS!
Herb[] garden = ... ;

Set<Herb>[] herbsByType =  // Indexed by Herb.Type.ordinal()
    (Set<Herb>[]) new Set[Herb.Type.values().length];
for (int i = 0; i < herbsByType.length; i++)
    herbsByType[i] = new HashSet<Herb>();

for (Herb h : garden)
    herbsByType[h.type.ordinal()].add(h);

// Print the results
for (int i = 0; i < herbsByType.length; i++) {
    System.out.printf("%s: %s%n",
                      Herb.Type.values()[i], herbsByType[i]);
}
```

这种方法的确可行，但是隐藏着许多问题。因为数组不能与泛型（见第25条）兼容，程序需要进行未受检的转换，并且不能正确无误地进行编译。因为数组不知道它的索引代表着什么，你必须手工标注（label）这些索引的输出。但是这种方法最严重的问题在于，当你访问一个按照枚举的序数进行索引的数组时，使用正确的int值就是你的职责了；int不能提供枚举的类型安全。你如果使用了错误的值，程序就会悄悄地完成错误的工作，或者幸运的话，会抛出ArrayIndexOutOfBoundException异常。

幸运的是，有一种更好的方法可以达到同样的效果。数组实际上充当着从枚举到值的映射，因此可能还要用到Map。更具体地说，有一种非常快速的Map实现专门用于枚举键，称作java.util.EnumMap。以下就是用EnumMap改写后的程序：

```
// Using an EnumMap to associate data with an enum
Map<Herb.Type, Set<Herb>> herbsByType =
    new EnumMap<Herb.Type, Set<Herb>>(Herb.Type.class);
for (Herb.Type t : Herb.Type.values())
    herbsByType.put(t, new HashSet<Herb>());
for (Herb h : garden)
    herbsByType.get(h.type).add(h);
System.out.println(herbsByType);
```

这段程序更简短、更清楚，也更加安全，运行速度方面可以与使用序数的程序相媲美。它没有不安全的转换；不必手工标注这些索引的输出，因为映射键知道如何将自身翻译成可打印字符串的枚举；计算数组索引时也不可能出错。EnumMap在运行速度方面之所以能与通过序数索引的数组相媲美，是因为EnuMap在内部使用了这种数组。但是它对程序员隐藏了这种实现细节，集Map的丰富功能和类型安全与数组的快速于一身。注意EnumMap构造器采用键类型的Class对象：这是一个有限制的类型令牌（bounded type token），它提供了运行时的泛型信息（见第29条）。

你还可能见到按照序数进行索引（两次）的数组的数组，该序数表示两个枚举值的映射。例如，下面这个程序就是使用这样一个数组将两个阶段映射到一个阶段过渡中（从液体到固体称作凝固，从液体到气体称作沸腾，诸如此类）。

```
// Using ordinal() to index array of arrays - DON'T DO THIS!
public enum Phase { SOLID, LIQUID, GAS;
    public enum Transition {
        MELT, FREEZE, BOIL, CONDENSE, SUBLIME, DEPOSIT;
        // Rows indexed by src-ordinal, cols by dst-ordinal
        private static final Transition[][] TRANSITIONS = {
            { null,    MELT,     SUBLIME  },
            { FREEZE,  null,     BOIL     },
            { DEPOSIT, CONDENSE, null     }
        };

        // Returns the phase transition from one phase to another
        public static Transition from(Phase src, Phase dst) {
            return TRANSITIONS[src.ordinal()][dst.ordinal()];
        }
    }
}
```

这段程序可行，看起来也比较优雅，但是事实并非如此。就像上面那个比较简单的香草花园的示例一样，编译器无法知道序数和数组索引之间的关系。如果在过渡表中出了错，或者在修改Phase或者Phase.Transition枚举类型的时候忘记将它更新，程序就会在运行时失败。这种失败的形式可能为ArrayIndexOutOfBoundsException、NullPointerException或者（更糟糕的是）没有任何提示的错误行为。这张表的大小是阶段个数的平方，即使非null项的数量比较少。

同样，利用EnumMap依然可以做得更好一些。因为每个阶段过渡都是通过一对阶段枚举进行索引的，最好将这种关系表示为一个map，这个map的键是一个枚举（起始阶段），值为另一个map，这第二个map的键为第二个枚举（目标阶段），它的值为结果（阶段过渡），即形成了Map（起始阶段，Map（目标阶段，阶段过渡））这种形式。一个阶段过渡所关联的两个阶段，最好通过"数据与阶段过渡枚举之间的关联"来获取，之后用该阶段过渡枚举来初始化嵌套的EnumMap。

```java
// Using a nested EnumMap to associate data with enum pairs
public enum Phase {
    SOLID, LIQUID, GAS;

    public enum Transition {
        MELT(SOLID, LIQUID), FREEZE(LIQUID, SOLID),
        BOIL(LIQUID, GAS),    CONDENSE(GAS, LIQUID),
        SUBLIME(SOLID, GAS), DEPOSIT(GAS, SOLID);

        private final Phase src;
        private final Phase dst;

        Transition(Phase src, Phase dst) {
            this.src = src;
            this.dst = dst;
        }
        // Initialize the phase transition map
        private static final Map<Phase, Map<Phase,Transition>> m =
          new EnumMap<Phase, Map<Phase,Transition>>(Phase.class);
        static {
          for (Phase p : Phase.values())
            m.put(p,new EnumMap<Phase,Transition>(Phase.class));
          for (Transition trans : Transition.values())
            m.get(trans.src).put(trans.dst, trans);
        }

        public static Transition from(Phase src, Phase dst) {
            return m.get(src).get(dst);
        }
    }
}
```

初始化阶段过渡map的代码看起来可能有点复杂，但是还不算太糟糕。map的类型为Map<Phase, Map<Phase, Transition>>，表示是由键为源Phase（即第一个phase）、值为另一个map组成的Map，其中组成值的Map是由键值对目标Phase（即第二个Phase）、Transition组成的。静态初始化代码块中的第一个循环初始化了外部map，得到了三个空的内容map。代码块中的第二个循环利用每个状态过渡常量提供的起始信息和目标信息初始化了内部map。

现在假设想要给系统添加一个新的阶段：**plasma**（离子）或者电离气体。只有两个过渡与这个阶段关联：电离化，它将气体变成离子；以及消电离化，将离子变成气体。为了更新基于数组的程序，必须给Phase添加一种新常量，给Phase.Transition添加两种新常量，用一种新的16个元素的版本取代原来9个元素的数组的数组。如果给数组添加的元素过多或者过少，或者元素放置不妥当，可就麻烦了：程序可以编译，但是会在运行时失败。为了更新基于

EnumMap的版本，所要做的就是必须将PLASMA添加到Phase列表，并将IONIZE（GAS，PLASMA）和DEIONIZE（PLASMA，GAS）添加到Phase.Transition的列表中。程序会自行处理所有其他的事情，你几乎没有机会出错。从内部来看，Map的Map被实现成了数组的数组，因此在提升了清楚性、安全性和易维护性的同时，在空间或者时间上还几乎不用任何开销。

总而言之，最好不要用序数来索引数组，而要使用**EnumMap**。如果你所表示的这种关系是多维的，就使用EnumMap<...，EnumMap<...>>。应用程序的程序员在一般情况下都不使用Enum.ordinal，即使要用也很少，因此这是一种特殊情况（见第31条）。

## 第34条：用接口模拟可伸缩的枚举

　　就几乎所有方面来看，枚举类型都优越于本书第一版中所述的类型安全枚举模式 [Bloch01]。从表面上看，有一个异常与可伸缩性有关，这个异常可能处在原来的模式中，却没有得到语言构造的支持。换句话说，使用这种模式，就有可能让一个枚举类型去扩展另一个枚举类型；利用这种语言特性，则不可能这么做。这绝非偶然。枚举的可伸缩性最后证明基本上都不是什么好点子。扩展类型的元素为基本类型的实例，基本类型的实例却不是扩展类型的元素，这样很是混乱。目前还没有很好的方法来枚举基本类型的所有元素及其扩展。最终，可伸缩性会导致设计和实现的许多方面变得复杂起来。

　　也就是说，对于可伸缩的枚举类型而言，至少有一种具有说服力的用例，这就是操作码 (**operation code**)，也称作**opcode**。操作码是指这样的枚举类型：它的元素表示在某种机器上的那些操作，例如第30条中的Operation类型，它表示一个简单的计算器中的某些函数。有时候，要尽可能地让API的用户提供它们自己的操作，这样可以有效地扩展API所提供的操作集。

　　幸运的是，有一种很好的方法可以利用枚举类型来实现这种效果。由于枚举类型可以通过给操作码类型和（属于接口的标准实现的）枚举定义接口，来实现任意接口，基本的想法就是利用这一事实。例如，以下是第30条中的Operation类型的扩展版本：

```java
// Emulated extensible enum using an interface
public interface Operation {
    double apply(double x, double y);
}

public enum BasicOperation  implements Operation {
    PLUS("+") {
        public double apply(double x, double y) { return x + y; }
    },
    MINUS("-") {
        public double apply(double x, double y) { return x - y; }
    },
    TIMES("*") {
        public double apply(double x, double y) { return x * y; }
    },
    DIVIDE("/") {
        public double apply(double x, double y) { return x / y; }
    };
    private final String symbol;
    BasicOperation(String symbol) {
        this.symbol = symbol;
    }
    @Override public String toString() {
        return symbol;
    }
}
```

　　虽然枚举类型（BasicOperation）不是可扩展的，但接口类型（Operation）则是可扩展的，它是用来表示API中的操作的接口类型。你可以定义另一个枚举类型，它实现这个接口，并用这个新类型的实例代替基本类型。例如，假设你想要定义一个上述操作类型的扩展，由求幂（exponentiation）和求余（remainder）操作组成。你所要做的就是编写一个枚举类型，让它实现Operation接口：

```java
// Emulated extension enum
public enum ExtendedOperation implements Operation {
    EXP("^") {
        public double apply(double x, double y) {
            return Math.pow(x, y);
        }
    },
    REMAINDER("%") {
        public double apply(double x, double y) {
            return x % y;
        }
    };

    private final String symbol;
    ExtendedOperation(String symbol) {
        this.symbol = symbol;
    }
    @Override public String toString() {
        return symbol;
    }
}
```

在可以使用基础操作的任何地方，都可以使用新的操作，只要API是被写成采用接口类型（Operation）而非实现（BasicOperation）。注意，在枚举中，不必像在不可扩展的枚举中所做的那样，利用特定于实例的方法实现来声明抽象的apply方法。这是因为抽象的方法（apply）是接口（Operation）的一部分。

不仅可以在任何需要"基本枚举"的地方单独传递一个"扩展枚举"的实例，而且除了那些基本类型的元素之外，还可以传递完整的扩展枚举类型，并使用它的元素。例如，通过下面这个测试程序，体验一下上面定义过的所有扩展过的操作：

```java
public static void main(String[] args) {
    double x = Double.parseDouble(args[0]);
    double y = Double.parseDouble(args[1]);
    test(ExtendedOperation.class, x, y);
}
private static <T extends Enum<T> & Operation> void test(
        Class<T> opSet, double x, double y) {
    for (Operation op : opSet.getEnumConstants())
        System.out.printf("%f %s %f = %f%n",
                x, op, y, op.apply(x, y));
}
```

注意扩展过的操作类型的类的字面文字（ExtendedOperation.class）从main被传递给了test方法，来描述被扩展操作的集合。这个类的字面文字充当有限制的类型令牌（见第29条）。opSet参数中公认很复杂的声明（<T extends Enum<T> & Operation> Class<T>）确保了Class

对象既表示枚举又表示Operation的子类型，这正是遍历元素和执行与每个元素相关联的操作时所需要的。

第二种方法是使用Collection<? Extends Operation>，这是个有限制的通配符类型（**bounded wildcard type**）（见第28条），作为opSet参数的类型：

```
public static void main(String[] args) {
    double x = Double.parseDouble(args[0]);
    double y = Double.parseDouble(args[1]);
    test(Arrays.asList(ExtendedOperation.values()), x, y);
}
private static void test(Collection<? extends Operation> opSet,
        double x, double y) {
    for (Operation op : opSet)
        System.out.printf("%f %s %f = %f%n",
                          x, op, y, op.apply(x, y));
}
```

这样得到的代码没有那么复杂，test方法也比较灵活一些：它允许调用者将多个实现类型的操作合并到一起。另一方面，也放弃了在指定操作上使用EnumSet（见第32条）和EnumMap（见第33条）的功能，因此，除非需要灵活地合并多个实现类型的操作，否则可能最好使用有限制的类型令牌。

上面这两段程序用命令行参数2和4运行时，都会产生这样的输出：

```
4.000000 ∧ 2.000000 = 16.000000
4.000000 % 2.000000 = 0.000000
```

用接口模拟可伸缩枚举有个小小的不足，即无法将实现从一个枚举类型继承到另一个枚举类型。在上述Operation的示例中，保存和获取与某项操作相关联的符号的逻辑代码，可以复制到BasicOperation和ExtendedOperation中。在这个例子中是可以的，因为复制的代码非常少。如果共享功能比较多，则可以将它封装在一个辅助类或者静态辅助方法中，来避免代码的复制工作。

总而言之，虽然无法编写可扩展的枚举类型，却可以通过编写接口以及实现该接口的基础枚举类型，对它进行模拟。这样允许客户端编写自己的枚举来实现接口。如果API是根据接口编写的，那么在可以使用基础枚举类型的任何地方，也都可以使用这些枚举。

## 第 35 条：注解优先于命名模式

　　Java 1.5发行版本之前，一般使用命名模式（**naming pattern**）表明有些程序元素需要通过某种工具或者框架进行特殊处理。例如，JUnit测试框架原本要求它的用户一定要用test作为测试方法名称的开头[Beck04]。这种方法可行，但是有几个很严重的缺点。首先，文字拼写错误会导致失败，且没有任何提示。例如，假设不小心将一个测试方法命名为tsetSafetyOverride而不是testSafetyOverride。JUnit不会出错，但也不会执行测试，造成错误的安全感（即测试方法没有执行，它没有报错的可能，从而给人以测试正确的假象）。

　　命名模式的第二个缺点是，无法确保它们只用于相应的程序元素上。例如，假设将某个类称作testSafetyMechanisms，是希望JUnit会自动地测试它所有的方法，而不管它们叫什么名称。JUnit还是不会出错，但也同样不会执行测试。

　　命名模式的第三个缺点是，它们没有提供将参数值与程序元素关联起来的好方法。例如，假设想要支持一种测试类别，它只在抛出特殊异常时才会成功。异常类型本质上是测试的一个参数。你可以利用某种具体的命名模式，将异常类型名称编码到测试方法名称中，但是这样的代码会很不雅观，也很脆弱（见第50条）。编译器不知道要去检验准备命名异常的字符串是否真正命名成功。如果命名的类不存在，或者不是一个异常，你也要到试着运行测试时才会发现。

　　注解[JLS, 9.7]很好地解决了所有这些问题。假设想要定义一个注解类型来指定简单的测试，它们自动运行，并在抛出异常时失败。以下就是这样的一个注解类型，命名为Test：

```
// Marker annotation type declaration
import java.lang.annotation.*;

/**
 * Indicates that the annotated method is a test method.
 * Use only on parameterless static methods.
 */
@Retention(RetentionPolicy.RUNTIME)
@Target(ElementType.METHOD)
public @interface Test {
}
```

　　Test注解类型的声明就是它自身通过Retention和Target注解进行了注解。注解类型声明中的这种注解被称作元注解（**meta-annotation**）。@Retention(RetentionPolicy.RUNTIME)元注解表明，Test注解应该在运行时保留。如果没有保留，测试工具就无法知道Test注解。@Target(ElementType.METHOD)元注解表明，Test注解只在方法声明中才是合法的：它不能运用到类声明、域声明或者其他程序元素上。

　　注意Test注解声明上方的注释："Use only on parameterless static method（只用于无参的

静态方法）"。如果编译器能够强制这一限制最好，但是它做不到。编译器可以替你完成多少错误检查，这是有限制的，即使是利用注解。如果将Test注解放在实例方法的声明中，或者放在带有一个或者多个参数的方法中，测试程序还是可以编译，让测试工具在运行时来处理这个问题。

下面就是现实应用中的Test注解，称作标记注解（**marker annotation**），因为它没有参数，只是"标注"被注解的元素。如果程序员拼错了Test，或者将Test注解应用到程序元素而非方法声明，程序就无法编译：

```
// Program containing marker annotations
public class Sample {
    @Test public static void m1() { }  // Test should pass
    public static void m2() { }
    @Test public static void m3() {     // Test Should fail
        throw new RuntimeException("Boom");
    }
    public static void m4() { }
    @Test public void m5() { } // INVALID USE: nonstatic method
    public static void m6() { }
    @Test public static void m7() {     // Test should fail
        throw new RuntimeException("Crash");
    }
    public static void m8() { }
}
```

Sample类有8个静态方法，其中4个被注解为测试。这4个中有2个抛出了异常：m3和m7，另外两个则没有：m1和m5。但是其中一个没有抛出异常的被注解方法：m5，是一个实例方法，因此不属于注解的有效使用。总之，Sample包含4项测试：一项会通过，两项会失败，另一项无效。没有用Test注解进行标注的4个方法会被测试工具忽略。

Test注解对Sample类的语义没有直接的影响。它们只负责提供信息供相关的程序使用。更一般地讲，注解永远不会改变被注解代码的语义，但是使它可以通过工具进行特殊的处理，例如像这种简单的测试运行类：

```
// Program to process marker annotations
import java.lang.reflect.*;

public class RunTests {
    public static void main(String[] args) throws Exception {
        int tests = 0;
        int passed = 0;
        Class testClass = Class.forName(args[0]);
        for (Method m : testClass.getDeclaredMethods()) {
            if (m.isAnnotationPresent(Test.class)) {
                tests++;
                try {
                    m.invoke(null);
                    passed++;
                } catch (InvocationTargetException wrappedExc) {
                    Throwable exc = wrappedExc.getCause();
                    System.out.println(m + " failed: " + exc);
                } catch (Exception exc) {
```

```
                        System.out.println("INVALID @Test: " + m);
                }
            }
        }
        System.out.printf("Passed: %d, Failed: %d%n",
                        passed, tests - passed);
    }
}
```

测试运行工具在命令行上使用完全匹配的类名，并通过调用Method.invoke反射式地运行类中所有标注了Test的方法。isAnnotationPresent方法告知该工具要运行哪些方法。如果测试方法抛出异常，反射机制就会将它封装在InvocationTargetException中。该工具捕捉到了这个异常，并打印失败报告，包含测试方法抛出的原始异常，这些信息是通过getCause方法从InvocationTargetException中提取出来的。

如果尝试通过反射调用测试方法时抛出InvocationTargetException之外的任何异常，表明编译时没有捕捉到Test注解的无效用法。这种用法包括实例方法的注解，或者带有一个或者多个参数的方法的注解，或者不可访问的方法的注解。测试运行类中的第二个catch块捕捉到了这些Test用法错误，并打印出相应的错误消息。下面就是RunTests在Sample上运行时打印的输出：

```
public static void Sample.m3() failed: RuntimeException: Boom
INVALID @Test: public void Sample.m5()
public static void Sample.m7() failed: RuntimeException: Crash
Passed: 1, Failed: 3
```

现在我们要针对只在抛出特殊异常时才成功的测试添加支持。为此我们需要一个新的注解类型：

```
// Annotation type with a parameter
import java.lang.annotation.*;
/**
 * Indicates that the annotated method is a test method that
 * must throw the designated exception to succeed.
 */
@Retention(RetentionPolicy.RUNTIME)
@Target(ElementType.METHOD)
public @interface ExceptionTest {
    Class<? extends Exception> value();
}
```

这个注解的参数类型是Class<? extends Exception>。这个通配符类型无疑很绕口。它在英语中的意思是：某个扩展Exception的类的Class对象，它允许注解的用户指定任何异常类型。这种用法是有限制的类型令牌（见第29条）的一个示例。下面就是实际应用中的这个注解。注意类名称被用作了注解的参数值：

```
// Program containing annotations with a parameter
public class Sample2 {
    @ExceptionTest(ArithmeticException.class)
```

```
    public static void m1() {  // Test should pass
        int i = 0;
        i = i / i;
    }
    @ExceptionTest(ArithmeticException.class)
    public static void m2() {  // Should fail (wrong exception)
        int[] a = new int[0];
        int i = a[1];
    }
    @ExceptionTest(ArithmeticException.class)
    public static void m3() { }  // Should fail (no exception)
}
```

现在我们要修改一下测试运行工具来处理新的注解。这其中包括将以下代码添加到main
方法中：

```
if (m.isAnnotationPresent(ExceptionTest.class)) {
    tests++;
    try {
        m.invoke(null);
        System.out.printf("Test %s failed: no exception%n", m);
    } catch (InvocationTargetException wrappedEx) {
        Throwable exc = wrappedEx.getCause();
        Class<? extends Exception> excType =
            m.getAnnotation(ExceptionTest.class).value();
        if (excType.isInstance(exc)) {
            passed++;
        } else {
            System.out.printf(
                "Test %s failed: expected %s, got %s%n",
                m, excType.getName(), exc);
        }
    } catch (Exception exc) {
        System.out.println("INVALID @Test: " + m);
    }
}
```

这段代码类似于用来处理Test注解的代码，但有一处不同：这段代码提取了注解参数的值，
并用它检验该测试抛出的异常是否为正确的类型。没有显式的转换，因此没有出现
ClassCastException的危险。编译过的测试程序确保它的注解参数表示的是有效的异常类型，
需要提醒一点：有可能注解参数在编译时是有效的，但是表示特定异常类型的类文件在运行
时却不再存在。在这种希望很少出现的情况下，测试运行类会抛出TypeNotPresentException
异常。

将上面的异常测试示例再深入一点，想像测试可以在抛出任何一种指定异常时都得到通
过。注解机制有一种工具，使得支持这种用法变得十分容易。假设我们将ExceptionTest注解
的参数类型改成Class对象的一个数组：

```
// Annotation type with an array parameter
@Retention(RetentionPolicy.RUNTIME)
@Target(ElementType.METHOD)
public @interface ExceptionTest {
    Class<? extends Exception>[] value();
}
```

　　注解中数组参数的语法十分灵活。它是进行过优化的单元素数组。使用了ExceptionTest新版的数组参数之后，之前的所有ExceptionTest注解仍然有效，并产生单元素的数组。为了指定多元素的数组，要用花括号（{}）将元素包围起来，并用逗号（,）将它们隔开：

```
// Code containing an annotation with an array parameter
@ExceptionTest({ IndexOutOfBoundsException.class,
                 NullPointerException.class })
public static void doublyBad() {
    List<String> list = new ArrayList<String>();

    // The spec permits this method to throw either
    // IndexOutOfBoundsException or NullPointerException
    list.addAll(5, null);
}
```

　　修改测试运行工具来处理新的ExceptionTest相当简单。下面的代码代替了原来的代码：

```
if (m.isAnnotationPresent(ExceptionTest.class)) {
    tests++;
    try {
        m.invoke(null);
        System.out.printf("Test %s failed: no exception%n", m);
    } catch (Throwable wrappedExc) {
        Throwable exc = wrappedExc.getCause();
        Class<? extends Exception>[] excTypes =
            m.getAnnotation(ExceptionTest.class).value();
        int oldPassed = passed;
        for (Class<? extends Exception> excType : excTypes) {
            if (excType.isInstance(exc)) {
                passed++;
                break;
            }
        }
        if (passed == oldPassed)
            System.out.printf("Test %s failed: %s %n", m, exc);
    }
}
```

　　本条目中开发的测试框架只是一个试验，但它清楚地示范了注解之于命名模式的优越性。它这还只是揭开了注解功能的冰山一角。如果是在编写一个需要程序员给源文件添加信息的工具，就要定义一组适当的注解类型。既然有了注解，就完全没有理由再使用命名模式了。

　　也就是说，除了"工具铁匠（toolsmiths——特定的程序员）"之外，大多数程序员都不必定义注解类型。但是所有的程序员都应该使用Java平台所提供的预定义的注解类型（见第36和24条）。还要考虑使用IDE或者静态分析工具所提供的任何注解。这种注解可以提升由这些工具所提供的诊断信息的质量。但是要注意这些注解还没有标准化，因此如果变换工具或者形成标准，就有很多工作要做了。

## 第 36 条：坚持使用 Override 注解

随着Java 1.5发行版本中增加注解，类库中也增加了几种注解类型[JLS，9.6]。对于传统的程序员而言，这里面最重要的就是Override注解了。这个注解只能用在方法声明中，它表示被注解的方法声明覆盖了超类型中的一个声明。如果坚持使用这个注解，可以防止一大类的非法错误。考虑下面的程序，这里的类Bigram表示一个双字母组或者有序的字母对：

```java
// Can you spot the bug?
public class Bigram {
    private final char first;
    private final char second;
    public Bigram(char first, char second) {
        this.first  = first;
        this.second = second;
    }
    public boolean equals(Bigram b) {
        return b.first == first && b.second == second;
    }
    public int hashCode() {
        return 31 * first + second;
    }

    public static void main(String[] args) {
        Set<Bigram> s = new HashSet<Bigram>();
        for (int i = 0; i < 10; i++)
            for (char ch = 'a'; ch <= 'z'; ch++)
                s.add(new Bigram(ch, ch));
        System.out.println(s.size());
    }
}
```

主程序反复地将26个双字母组添加到集合中，每个双字母组都由两个相同的小写字母组成。随后它打印出集合的大小。你可能以为程序打印出的大小为26，因为集合不能包含重复。如果你试着运行程序，会发现它打印的不是26而是260。哪里出错了呢？

很显然，Bigram类的创建者原本想要覆盖equals方法（见第8条），同时还记得覆盖了hashCode。遗憾的是，不幸的程序员没能覆盖equals，而是将它重载了（见第41条）。为了覆盖Object.equals，必须定义一个参数为Object类型的equals方法，但是Bigram的equals方法的参数并不是Object类型，因此Bigram从Object继承了equals方法。这个equals方法测试对象的同一性，就像==操作符一样。每个bigram的10个备份中，每一个都与其余的9个不同，因此Object.equals认为它们不相等，这正解释了程序为什么会打印出260的原因。

幸运的是，编译器可以帮助你发现这个错误，但是只有当你告知编译器你想要覆盖Object.equals时才行。为了做到这一点，要用@Override标注Bigram.euqals，如下所示：

```java
@Override public boolean equals(Bigram b) {
    return b.first == first && b.second == second;
}
```

如果插入这个注解，并试着重新编译程序，编译器就会产生一条像这样的错误消息：

```
Bigram.java:10: method does not override or implement a method
from a supertype
    @Override public boolean equals(Bigram b) {
    ^
```

你会立即意识到哪里错了，拍拍自己的头，恍然大悟，马上用正确的来取代出错的equals实现（见第8条）：

```
@Override public boolean equals(Object o) {
    if (!(o instanceof Bigram))
        return false;
    Bigram b = (Bigram) o;
    return b.first == first && b.second == second;
}
```

因此，应该在你想要覆盖超类声明的每个方法声明中使用Override注解。这一规则有个小小的例外。如果你在编写一个没有标注为抽象的类，并且确信它覆盖了抽象的方法，在这种情况下，就不必将Override注解放在该方法上了。在没有声明为抽象的类中，如果没有覆盖抽象的超类方法，编译器就会发出一条错误消息。但是，你可能希望关注类中所有覆盖超类方法的方法，在这种情况下，也可以放心地标注这些方法。

现代的IDE提供了坚持使用Override注解的另一种理由。这种IDE具有自动检查功能，称作代码检验（code inspection）。如果启用相应的代码检验功能，当有一个方法没有Override注解，却覆盖了超类方法时，IDE就会产生一条警告。如果坚持使用Override注解，这些警告就会提醒你警惕无意识的覆盖。这些警告补充了编译器的错误消息，提醒你警惕无意识的覆盖失败。IDE和编译器，可以确保你覆盖任何你想要覆盖的方法，无一遗漏。

如果你使用的是Java 1.6或者更新的发行版本，Override注解在查找Bug方面还提供了更多的帮助。在Java 1.6发行版本中，在覆盖接口以及类的方法声明中使用Override注解变成是合法的了。在被声明为去实现某接口的具体类中，不必标注出你想要这些方法来覆盖接口方法，因为如果你的类没有实现每一个接口方法，编译器就会产生一条错误消息。当然，你可以选择只包括这些注解，来标明它们是接口方法，但是这并非绝对必要。

但是在抽象类或者接口中，还是值得标注所有你想要的方法，来覆盖超类或者超接口方法，无论是具体的还是抽象的。例如，Set接口没有给Collection接口添加新方法，因此它应该在它的所有方法声明中包括Override注解，以确保它不会意外地给Collection接口添加任何新方法。

总而言之，如果在你想要的每个方法声明中使用Override注解来覆盖超类声明，编译器就可以替你防止大量的错误，但有一个例外。在具体的类中，不必标注你确信覆盖了抽象方法声明的方法（虽然这么做也没有什么坏处）。

## 第 37 条：用标记接口定义类型

　　标记接口（**marker interface**）是没有包含方法声明的接口，而只是指明（或者"标明"）一个类实现了具有某种属性的接口。例如，考虑Serializable接口（见第11章）。通过实现这个接口，类表明它的实例可以被写到ObjectOutputStream（或者"被序列化"）。

　　你可能听说过标记注解（见第35条）使得标记接口过时了。这种断言是不正确的。标记接口有两点胜过标记注解。首先，也是最重要的一点是，标记接口定义的类型是由被标记类的实例实现的；标记注解则没有定义这样的类型。这个类型允许你在编译时捕捉在使用标记注解的情况下要到运行时才能捕捉到的错误。

　　就Serializable标记接口而言，如果它的参数没有实现该接口，ObjectOutputStream.write(Object)方法将会失败。令人不解的是，ObjectOutputStream API的创建者在声明write方法时并没有利用Serializable接口。该方法的参数类型应该为Serializable而非Object。因此，试着在没有实现Serializable的对象上调用ObjectOutputStream.write，只会在运行时失败，但也并不一定如此。

　　标记接口胜过标记注解的另一个优点是，它们可以被更加精确地进行锁定。如果注解类型利用@Target（ElementType.TYPE）声明，它就可以被应用到任何类或者接口。假设有一个标记只适用于特殊接口的实现。如果将它定义成一个标记接口，就可以用它将唯一的接口扩展成它适用的接口。

　　Set接口可以说就是这种有限制的标记接口（**restricted marker interface**）。它只适用于Collection子类型，但是它不会添加除了Collection定义之外的方法。一般情况下，不把它当作是标记接口，因为它改进了几个Collection方法的契约，包括add、equals和hashCode。但是很容易想像只适用于某种特殊接口的子类型的标记接口，它没有改进接口的任何方法的契约。这种标记接口可以描述整个对象的某个约束条件，或者表明实例能够利用其他某个类的方法进行处理（就像Serializable接口表明实例可以通过ObjectOutputStream进行处理一样）。

　　标记注解胜过标记接口的最大优点在于，它可以通过默认的方式添加一个或者多个注解类型元素，给已被使用的注解类型添加更多的信息[JLS，9.6]。随着时间的推移，简单的标记注解类型可以演变成更加丰富的注解类型。这种演变对于标记接口而言则是不可能的，因为它通常不可能在实现接口之后再给它添加方法（见第18条）。

　　标记注解的另一个优点在于，它们是更大的注解机制的一部分。因此，标记注解在那些支持注解作为编程元素之一的框架中同样具有一致性。

　　那么什么时候应该使用标记注解，什么时候应该使用标记接口呢？很显然，如果标记是应用到任何程序元素而不是类或者接口，就必须使用注解，因为只有类和接口可以用来实现或者扩展接口。如果标记只应用给类和接口，就要问问自己：我要编写一个还是多个只接受有这种标记的方法呢？如果是这种情况，就应该优先使用标记接口而非注解。这样你就可以用接口作为相关方法的参数类型，它真正可以为你提供编译时进行类型检查的好处。

　　如果你对第一个问题的回答是否定的，就要再问问自己：我要永远限制这个标记只用于特殊接口的元素吗？如果是，最好将标记定义成该接口的一个子接口。如果这两个问题的答案都是否定的，或许就应该使用标记注解。

　　总而言之，标记接口和标记注解都各有用处。如果想要定义一个任何新方法都不会与之关联的类型，标记接口就是最好的选择。如果想要标记程序元素而非类和接口，考虑到未来可能要给标记添加更多的信息，或者标记要适合于已经广泛使用了注解类型的框架，那么标记注解就是正确的选择。如果你发现自己在编写的是目标为**ElementType.TYPE**的标记注解类型，就要花点时间考虑清楚，它是否真的应该为注解类型，想想标记接口是否会更加合适呢。

　　从某种意义上说，本条目与第19条中"如果不想定义类型就不要使用接口"的说法相反。本条目最接近的意思是说：如果想要定义类型，一定要使用接口。

# 第7章

# 方　法

**本**章要讨论方法设计的几个方面：如何处理参数和返回值，如何设计方法签名，如何为方法编写文档。本章中大多数内容既适用于构造器，也适用于普通的方法。与第5章一样，本章的焦点也集中在可用性、健壮性和灵活性上。

## 第 38 条：检查参数的有效性

绝大多数方法和构造器对于传递给它们的参数值都会有某些限制。例如，索引值必须是非负数，对象引用不能为null，等等，这些都是很常见的。你应该在文档中清楚地指明所有这些限制，并且在方法体的开头处检查参数，以强制施加这些限制。这是"应该在发生错误之后尽快检测出错误"这一普遍原则的一个具体情形。如果不能做到这一点，检测到错误的可能性就比较小，即使检测到错误了，也比较难以确定错误的根源。

如果传递无效的参数值给方法，这个方法在执行之前先对参数进行了检查，那么它很快就会失败，并且清楚地出现适当的异常（exception）。如果这个方法没有检查它的参数，就有可能发生几种情形。该方法可能在处理过程中失败，并且产生令人费解的异常。更糟糕的是，该方法可以正常返回，但是会悄悄地计算出错误的结果。最糟糕的是，该方法可以正常返回，但是却使得某个对象处于被破坏的状态，将来在某个不确定的时候，在某个不相关的点上会引发错误。

对于公有的方法，要用Javadoc的@throws标签（tag）在文档中说明违反参数值限制时会抛出的异常（见第62条）。这样的异常通常为IllegalArgumentException、IndexOutOfBoundsException或NullPointerException（见第60条）。一旦在文档中记录了对于方法参数的限制，并且记录了一旦违反这些限制将要抛出的异常，强加这些限制就是非常简单的事情了。下面是一个典型的例子：

```
/**
 * Returns a BigInteger whose value is (this mod m).  This method
 * differs from the remainder method in that it always returns a
 * non-negative BigInteger.
 *
 * @param  m the modulus, which must be positive
 * @return this mod m
 * @throws ArithmeticException if m is less than or equal to 0
 */
public BigInteger mod(BigInteger m) {
    if (m.signum() <= 0)
        throw new ArithmeticException("Modulus <= 0: " + m);
    ... // Do the computation
}
```

对于未被导出的方法（unexported method），作为包的创建者，你可以控制这个方法将在哪些情况下被调用，因此你可以，也应该确保只将有效的参数值传递进来。因此，非公有的方法通常应该使用断言（**assertion**）来检查它们的参数，具体做法如下所示：

```
// Private helper function for a recursive sort
private static void sort(long a[], int offset, int length) {
    assert a != null;
    assert offset >= 0 && offset <= a.length;
    assert length >= 0 && length <= a.length - offset;
    ... // Do the computation
}
```

从本质上讲，这些断言是在声称被断言的条件将会为真，无论外围包的客户端如何使用它。不同于一般的有效性检查，断言如果失败，将会抛出AssertionError。也不同于一般的有效性检查，如果它们没有起到作用，本质上也不会有成本开销，除非通过将-ea（或者-enableassertions）标记（flag）传递给Java解释器，来启用它们。关于断言的更多信息，请见Sun的教程[Asserts]。

对于有些参数，方法本身没有用到，却被保存起来供以后使用，检验这类参数的有效性尤为重要。例如，考虑第83页中的静态工厂方法，它的参数为一个int数组，并返回该数组的List视图。如果这个方法的客户端要传递null，该方法将会抛出一个NullPointerException，因为该方法包含一个显式的条件检查。如果省略了这个条件检查，它就会返回一个指向新建List实例的引用，一旦客户端企图使用这个引用，立即就会抛出NullPointerException。到那时，要想找到List实例的来源可能就非常困难了，从而使得调试工作极大地复杂化了。

如前所述，有些参数被方法保存起来供以后使用，构造器正是代表了这种原则的一种特殊情形。检查构造器参数的有效性是非常重要的，这样可以避免构造出来的对象违反了这个类的约束条件。

在方法执行它的计算任务之前，应该先检查它的参数，这一规则也有例外。一个很重要的例外是，在有些情况下，有效性检查工作非常昂贵，或者根本是不切实际的，而且有效性检查已隐含在计算过程中完成。例如，考虑一个为对象列表排序的方法：Collections.sort (List)。列表中的所有对象都必须是可以相互比较的。在为列表排序的过程中，列表中的每个对象将与其他某个对象进行比较。如果这些对象不能相互比较，其中的某个比较操作就会抛出ClassCastException，这正是sort方法所应该做的事情。因此，提前检查列表中的元素是否可以相互比较，这并没有多大意义。然而，请注意，不加选择地使用这种方法将会导致失去失败原子性（failure atomicity）（见第64条）。

有时候，某些计算会隐式地执行必要的有效性检查，但是如果检查不成功，就会抛出错误的异常。换句话说，由于无效的参数值而导致计算过程抛出的异常，与文档中标明这个方法将抛出的异常并不相符。在这种情况下，应该使用第61条中讲述的异常转译（**exception translation**）技术，将计算过程中抛出的异常转换为正确的异常。

不要从本条目的内容中得出这样的结论：对参数的任何限制都是件好事。相反，在设计方法时，应该使它们尽可能地通用，并符合实际的需要。假如方法对于它能接受的所有参数值都能够完成合理的工作，对参数的限制就应该是越少越好。然而，通常情况下，有些限制对于被实现的抽象来说是固有的。

简而言之，每当编写方法或者构造器的时候，应该考虑它的参数有哪些限制。应该把这些限制写到文档中，并且在这个方法体的开头处，通过显式的检查来实施这些限制。养成这样的习惯是非常重要的。只要有效性检查有一次失败，你为必要的有效性检查所付出的努力便都可以连本带利地得到偿还了。

## 第 39 条：必要时进行保护性拷贝

使Java使用起来如此舒适的一个因素在于，它是一门安全的语言（safe language）。这意味着，它对于缓冲区溢出、数组越界、非法指针以及其他的内存破坏错误都自动免疫，而这些错误却困扰着诸如C和C++这样的不安全语言。在一门安全语言中，在设计类的时候，可以确切地知道，无论系统的其他部分发生什么事情，这些类的约束都可以保持为真。对于那些"把所有内存当作一个巨大的数组来看待"的语言来说，这是不可能的。

即使在安全的语言中，如果不采取一点措施，还是无法与其他的类隔离开来。假设类的客户端会尽其所能来破坏这个类的约束条件，因此你必须保护性地设计程序。实际上，只有当有人试图破坏系统的安全性时，才可能发生这种情形；更有可能的是，对你的API产生误解的程序员，所导致的各种不可预期的行为，只好由类来处理。无论是哪种情况，编写一些面对客户的不良行为时仍能保持健壮性的类，这是非常值得投入时间去做的事情。

没有对象的帮助时，虽然另一个类不可能修改对象的内部状态，但是对象很容易在无意识的情况下提供这种帮助。例如，考虑下面的类，它声称可以表示一段不可变的时间周期：

```
// Broken "immutable" time period class
public final class Period {
    private final Date start;
    private final Date end;

    /**
     * @param   start the beginning of the period
     * @param   end the end of the period; must not precede start
     * @throws IllegalArgumentException if start is after end
     * @throws NullPointerException if start or end is null
     */
    public Period(Date start, Date end) {
        if (start.compareTo(end) > 0)
            throw new IllegalArgumentException(
                start + " after " + end);
        this.start = start;
        this.end   = end;
    }

    public Date start() {
        return start;
    }
    public Date end() {
        return end;
    }

    ... // Remainder omitted
}
```

乍一看，这个类似乎是不可变的，并且强加了约束条件：周期的起始时间（start）不能在结束时间（end）之后。然而，因为Date类本身是可变的，因此很容易违反这个约束条件：

```
// Attack the internals of a Period instance
Date start = new Date();
Date end = new Date();
Period p = new Period(start, end);
end.setYear(78);   // Modifies internals of p!
```

为了保护Period实例的内部信息避免受到这种攻击，对于构造器的每个可变参数进行保护性拷贝（**defensive copy**）是必要的，并且使用备份对象作为Period实例的组件，而不使用原始的对象：

```
// Repaired constructor - makes defensive copies of parameters
public Period(Date start, Date end) {
    this.start = new Date(start.getTime());
    this.end   = new Date(end.getTime());

    if (this.start.compareTo(this.end) > 0)
      throw new IllegalArgumentException(start +" after "+ end);
}
```

用了新的构造器之后，上述的攻击对于Period实例不再有效。注意，保护性拷贝是在检查参数的有效性（见第38条）之前进行的，并且有效性检查是针对拷贝之后的对象，而不是针对原始的对象。虽然这样做看起来有点不太自然，却是必要的。这样做可以避免在"危险阶段（window of vulnerability）"期间从另一个线程改变类的参数，这里的危险阶段是指从检查参数开始，直到拷贝参数之间的时间段。（在计算机安全社区中，这被称作**Time-Of-Check/Time-Of-Use**或者**TOCTOU**攻击[Viega01]。）

同时也请注意，我们没有用Date的clone方法来进行保护性拷贝。因为Date是非final的，不能保证clone方法一定返回类为java.util.Date的对象：它有可能返回专门出于恶意的目的而设计的不可信子类的实例。例如，这样的子类可以在每个实例被创建的时候，把指向该实例的引用记录到一个私有的静态列表中，并且允许攻击者访问这个列表。这将使得攻击者可以自由地控制所有的实例。为了阻止这种攻击，对于参数类型可以被不可信任方子类化的参数，请不要使用**clone**方法进行保护性拷贝。

虽然替换构造器就可以成功地避免上述的攻击，但是改变Period实例仍然是有可能的，因为它的访问方法提供了对其可变内部成员的访问能力：

```
// Second attack on the internals of a Period instance
Date start = new Date();
Date end = new Date();
Period p = new Period(start, end);
p.end().setYear(78);   // Modifies internals of p!
```

为了防御这第二种攻击，只需修改这两个访问方法，使它返回可变内部域的保护性拷贝即可：

```
// Repaired accessors - make defensive copies of internal fields
```

```
public Date start() {
    return new Date(start.getTime());
}

public Date end() {
    return new Date(end.getTime());
}
```

采用了新的构造器和新的访问方法之后，Period真正是不可变的了。不管程序员是多么恶意，或者多么不合格，都绝对不会违反"周期的起始时间不能落后于结束时间"这个约束条件。确实如此，因为除了Period类自身之外，其他任何类都无法访问Period实例中的任何一个可变域。这些域被真正封装在对象的内部。

访问方法与构造器不同，它们在进行保护性拷贝的时候允许使用clone方法。之所以如此，是因为我们知道，Period内部的Date对象的类是java.util.Date，而不可能是其他某个潜在的不可信子类。也就是说，基于第11条中所阐述的原因，一般情况下，最好使用构造器或者静态工厂。

参数的保护性拷贝并不仅仅针对不可变类。每当编写方法或者构造器时，如果它要允许客户提供的对象进入到内部数据结构中，则有必要考虑一下，客户提供的对象是否有可能是可变的。如果是，就要考虑你的类是否能够容忍对象进入数据结构之后发生变化。如果答案是否定的，就必须对该对象进行保护性拷贝，并且让拷贝之后的对象而不是原始对象进入到数据结构中。例如，如果你正在考虑使用由客户提供的对象引用作为内部Set实例的元素，或者作为内部Map实例的键（key），就应该意识到，如果这个对象在插入之后再被修改，Set或者Map的约束条件就会遭到破坏。

在内部组件被返回给客户端之前，对它们进行保护性拷贝也是同样的道理。不管类是否为不可变的，在把一个指向内部可变组件的引用返回给客户端之前，也应该加倍认真地考虑。解决方案是，应该返回保护性拷贝。记住长度非零的数组总是可变的。因此，在把内部数组返回给客户端之前，应该总要进行保护性拷贝。另一种解决方案是，给客户端返回该数组的不可变视图（immutable view）。这两种方法在第13条中都已经演示过了。

可以肯定地说，上述的真正启示在于，只要有可能，都应该使用不可变的对象作为对象内部的组件，这样就不必再为保护性拷贝（见第15条）操心。在前面的Period例子中，值得一提的是，有经验的程序员通常使用Date.getTime()返回的long基本类型作为内部的时间表示法，而不是使用Date对象引用。他们之所以这样做，主要因为Date是可变的。

保护性拷贝可能会带来相关的性能损失，这种说法并不总是正确的。如果类信任它的调用者不会修改内部的组件，可能因为类及其客户端都是同一个包的双方，那么不进行保护性拷贝也是可以的。在这种情况下，类的文档中就必须清楚地说明，调用者绝不能修改受到影响的参数或者返回值。

即使跨越包的作用范围，也并不总是适合在将可变参数整合到对象中之前，对它进行保护性拷贝。有一些方法和构造器的调用，要求参数所引用的对象必须有个显式的交接（**handoff**）过程。当客户端调用这样的方法时，它承诺以后不再直接修改该对象。如果方法或者构造器期望接管一个由客户端提供的可变对象，它就必须在文档中明确地指明这一点。

如果类所包含的方法或者构造器的调用需要移交对象的控制权，这个类就无法让自身抵御恶意的客户端。只有当类和它的客户端之间有着互相的信任，或者破坏类的约束条件不会伤害到除了客户端之外的其他对象时，这种类才是可以接受的。后一种情形的例子是包装类模式（wrapper class pattern）（见第16条）。根据包装类的本质特征，客户端只需在对象被包装之后直接访问它，就可以破坏包装类的约束条件，但是，这么做往往只会伤害到客户端自己。

简而言之，如果类具有从客户端得到或者返回到客户端的可变组件，类就必须保护性地拷贝这些组件。如果拷贝的成本受到限制，并且类信任它的客户端不会不恰当地修改组件，就可以在文档中指明客户端的职责是不得修改受到影响的组件，以此来代替保护性拷贝。

## 第 40 条：谨慎设计方法签名

本条目是若干API设计技巧的总结，它们都还不足以单独开设一个条目。综合来说，这些设计技巧将有助于使你的API更易于学习和使用，并且比较不容易出错。

**谨慎地选择方法的名称。** 方法的名称应该始终遵循标准的命名习惯（见第56条）。首要目标应该是选择易于理解的，并且与同一个包中的其他名称风格一致的名称。第二个目标应该是选择与大众认可的名称（如果存在的话）相一致的名称。如果还有疑问，请参考Java类库的API。尽管Java类库的API中也有大量不一致的地方，考虑到这些Java类库的规模和范围，这是不可避免的，但它还是得到了相当程度的认可。

**不要过于追求提供便利的方法。** 每个方法都应该尽其所能。方法太多会使类难以学习、使用、文档化、测试和维护。对于接口而言，这无疑是正确的，方法太多会使接口实现者和接口用户的工作变得复杂起来。对于类和接口所支持的每个动作，都提供一个功能齐全的方法。只有当一项操作被经常用到的时候，才考虑为它提供快捷方式（shorthand）。如果不能确定，还是不提供快捷为好。

**避免过长的参数列表。** 目标是四个参数，或者更少。大多数程序员都无法记住更长的参数列表。如果你编写的许多方法都超过了这个限制，你的API就不太便于使用，除非用户不停地参考它的文档。现代的IDE会有所帮助，但最好还是使用简短的参数列表。相同类型的长参数序列格外有害。API的用户不仅无法记住参数的顺序，而且，当他们不小心弄错了参数顺序时，他们的程序仍然可以编译和运行，只不过这些程序不会按照作者的意图进行工作。

有三种方法可以缩短过长的参数列表。第一种是把方法分解成多个方法，每个方法只需要这些参数的一个子集。如果不小心，这样做会导致方法过多。但是通过提升它们的正交性（orthogonality），还可以减少（**reduce**）方法的数目。例如，考虑java.util.List接口。它并没有提供"在子列表（sublist）中查找元素的第一个索引和最后一个索引"的方法，这两个方法都需要三个参数。相反，它提供了subList方法，这个方法带有两个参数，并返回子列表的一个视图（**view**）。这个方法可以与indexOf或者lastIndexOf方法结合起来，获得期望的功能，而这两个方法都分别只有一个参数。而且，subList方法也可以与其他任何"针对List实例进行操作"的方法结合起来，在子列表上执行任意的计算。这样得到的API就有很高的"功能－重量"（power-to-weight）比。

缩短长参数列表的第二种方法是创建辅助类（**helper class**），用来保存参数的分组。这些辅助类一般为静态成员类（见第22条）。如果一个频繁出现的参数序列可以被看作是代表了某个独特的实体，则建议使用这种方法。例如，假设你正在编写一个表示纸牌游戏的类，你会发现，经常要传递一个两参数的序列来表示纸牌的点数和花色。如果增加辅助类来表示一张纸牌，并且把每个参数序列都换成这个辅助类的单个参数，那么这个纸牌游戏类的API以及它的内部表示都可能会得到改进。

结合了前两种方法特征的第三种方法是，从对象构建到方法调用都采用Builder模式（请见第2条）。如果方法带有多个参数，尤其是当它们中有些是可选的时候，最好定义一个对象来表示所有参数，并允许客户端在这个对象上进行多次"setter"调用，每次调用都设置一个参数，或者设置一个较小的相关的集合。一旦设置了需要的参数，客户端就调用对象的"执行（execute）"方法，它对参数进行最终的有效性检查，并执行实际的计算。

对于参数类型，要优先使用接口而不是类（请见第52条）。只要有适当的接口可用来定义参数，就优先使用这个接口，而不是使用实现该接口的类。例如，没有理由在编写方法时使用HashMap类来作为输入，相反，应当使用Map接口作为参数。这使你可以传入一个Hashtable、HashMap、TreeMap、TreeMap的子映射表（submap），或者任何有待于将来编写的Map实现。如果使用的是类而不是接口，则限制了客户端只能传入特定的实现，如果碰巧输入的数据是以其他的形式存在，就会导致不必要的、可能非常昂贵的拷贝操作。

对于**boolean**参数，要优先使用两个元素的枚举类型。它使代码更易于阅读和编写，尤其当你在使用支持自动完成功能的IDE的时候。它也使以后更易于添加更多的选项。例如，你可能会有一个Thermometer类型，它带有一个静态工厂方法，而这个静态工厂方法的签名需要传入这个枚举的值：

```
public enum TemperatureScale { FAHRENHEIT, CELSIUS }
```

Thermometer.newInstance(TemperatureScale.CELSIUS)不仅比Thermometer.newInstance(true)更有用，而且你还可以在未来的发行版本中将KELVIN添加到TemperatureScale中，无需非得给Thermometer添加新的静态工厂。你还可以将依赖于温度刻度单位的代码重构到枚举常量的方法中（见第30条）。例如，每个刻度单位都可以有一个方法，它带有一个double值，并将它规格化成摄氏度。

## 第 41 条：慎用重载

下面这个程序的意图是好的，它试图根据一个集合（collection）是Set、List，还是其他的集合类型，来对它进行分类：

```java
// Broken! - What does this program print?
public class CollectionClassifier {
    public static String classify(Set<?> s) {
        return "Set";
    }

    public static String classify(List<?> lst) {
        return "List";
    }

    public static String classify(Collection<?> c) {
        return "Unknown Collection";
    }

    public static void main(String[] args) {
        Collection<?>[] collections = {
            new HashSet<String>(),
            new ArrayList<BigInteger>(),
            new HashMap<String, String>().values()
        };

        for (Collection<?> c : collections)
            System.out.println(classify(c));
    }
}
```

你可能期望这个程序会打印出"Set"，紧接着是"List"，以及"Unknown Collection"，但实际上不是这样。它是打印"Unknown Collection"三次。为什么会这样呢？因为classify方法被重载（**overloaded**）了，而要调用哪个重载（**overloading**）方法是在编译时做出决定的。对于for循环中的全部三次迭代，参数的编译时类型都是相同的：Collection<?>。每次迭代的运行时类型都是不同的，但这并不影响对重载方法的选择。因为该参数的编译时类型为Collection<?>，所以，唯一合适的重载方法是第三个：classify(Collection<?>)，在循环的每次迭代中，都会调用这个重载方法。

这个程序的行为有悖常理，因为对于重载方法（**overloaded method**）的选择是静态的，而对于被覆盖的方法（**overridden method**）的选择则是动态的。选择被覆盖的方法的正确版本是在运行时进行的，选择的依据是被调用方法所在对象的运行时类型。这里重新说明一下，当一个子类包含的方法声明与其祖先类中的方法声明具有同样的签名时，方法就被覆盖了。如果实例方法在子类中被覆盖了，并且这个方法是在该子类的实例上被调用的，那么子类中的覆盖方法（**overriding method**）将会执行，而不管该子类实例的编译时类型到底是什么。为了进行更具体的说明，考虑下面这个程序：

```
class Wine {
    String name() { return "wine"; }
}

class SparklingWine extends Wine {
    @Override String name() { return "sparkling wine"; }
}

class Champagne extends SparklingWine {
    @Override String name() { return "champagne"; }
}

public class Overriding {
    public static void main(String[] args) {
        Wine[] wines = {
            new Wine(), new SparklingWine(), new Champagne()
        };
        for (Wine wine : wines)
            System.out.println(wine.name());
    }
}
```

name方法是在类Wine中被声明的，但是在类SparklingWine和Champagne中被覆盖。正如你所预期的那样，这个程序打印出"wine，sparkling wine和champagne"，尽管在循环的每次迭代中，实例的编译时类型都为Wine。当调用被覆盖的方法时，对象的编译时类型不会影响到哪个方法将被执行；"最为具体的（most specific）"那个覆盖版本总是会得到执行。这与重载的情形相比，对象的运行时类型并不影响"哪个重载版本将被执行"；选择工作是在编译时进行的，完全基于参数的编译时类型。

在CollectionClassifier这个示例中，该程序的意图是：期望编译器根据参数的运行时类型自动将调用分发给适当的重载方法，以此来识别出参数的类型，就好像Wine的例子中的name方法所做的那样。方法重载机制完全没有提供这样的功能。假设需要有个静态方法，这个程序的最佳修正方案是，用单个方法来替换这三个重载的classify方法，并在这个方法中做一个显式的instanceof测试：

```
public static String classify(Collection<?> c) {
    return c instanceof Set  ? "Set" :
           c instanceof List ? "List" : "Unknown Collection";
}
```

因为覆盖机制是规范，而重载机制是例外，所以，覆盖机制满足了人们对于方法调用行为的期望。正如CollectionClassifier例子所示，重载机制很容易使这些期望落空。如果编写出来的代码的行为可能使程序员感到困惑，它就是很糟糕的实践。对于API来说尤其如此。如果API的普通用户根本不知道"对于一组给定的参数，其中的哪个重载方法将会被调用"，那么，使用这样的API就很可能导致错误。这些错误要等到运行时发生了怪异的行为之后才会显现出来，许多程序员无法诊断出这样的错误。因此，应该避免胡乱地使用重载机制。

到底怎样才算胡乱使用重载机制呢？这个问题仍有争议。安全而保守的策略是，永远不要导出两个具有相同参数数目的重载方法。如果方法使用可变参数（**varargs**），保守的策略是根本不要重载它，除第42条中所述的情形之外。如果你遵守这些限制，程序员永远也不会陷入到"对于任何一组实际的参数，哪个重载方法是适用的"这样的疑问中。这项限制并不麻烦，因为你始终可以给方法起不同的名称，而不使用重载机制。

例如，考虑ObjectOutputStream类。对于每个基本类型，以及几种引用类型，它的write方法都有一种变形。这些变形方法并不是重载write方法，而是具有诸如writeBoolean(boolean)、writeInt(int)和writeLong(long)这样的签名。与重载方案相比较，这种命名模式带来的好处是，有可能提供相应名称的读方法，比如readBoolean()、readInt()和readLong()。实际上，ObjectInputStream类正是提供了这样的读方法。

对于构造器，你没有选择使用不同名称的机会；一个类的多个构造器总是重载的。在许多情况下，可以选择导出静态工厂，而不是构造器（见第1条）。对于构造器，还不用担心重载和覆盖的相互影响，因为构造器不可能被覆盖。或许你有可能导出多个具有相同参数数目的构造器，所以有必要了解一下如何安全地做到这一点。

如果对于"任何一组给定的实际参数将应用于哪个重载方法上"始终非常清楚，那么，导出多个具有相同参数数目的重载方法就不可能使程序员感到混淆。如果对于每一对重载方法，至少有一个对应的参数在两个重载方法中具有"根本不同（radically different）"的类型，就属于这种情形。如果显然不可能把一种类型的实例转换为另一种类型，这两种类型就是根本不同的。在这种情况下，一组给定的实际参数应用于哪个重载方法上就完全由参数的运行时类型来决定，不可能受到其编译时类型的影响，所以主要的混淆根源就消除了。例如，ArrayList有一个构造器带一个int参数，另一个构造器带一个Collection参数。难以想像在什么情况下，会不清楚要调用哪一个构造器。

在Java 1.5发行版本之前，所有的基本类型都根本不同于所有的引用类型，但是当自动装箱出现之后，就不再如此了，它会导致真正的麻烦。考虑下面这个程序：

```java
public class SetList {
    public static void main(String[] args) {
        Set<Integer> set = new TreeSet<Integer>();
        List<Integer> list = new ArrayList<Integer>();

        for (int i = -3; i < 3; i++) {
            set.add(i);
            list.add(i);
        }
        for (int i = 0; i < 3; i++) {
            set.remove(i);
            list.remove(i);
        }
        System.out.println(set + " " + list);
    }
}
```

程序将−3至2之间的整数添加到了排好序的集合和列表中，然后在集合和列表中都进行3次相同的remove调用。如果像大多数人一样，希望程序从集合和列表中去除非整数值（0，1和2），并打印出[−3，−2，−1][−3，−2，−1]。事实上，程序从集合中去除了非整数，还从列表中去除了奇数值，打印出[−3，−2，−1][−2，0，2]。将这种行为称之为混乱，已是保守的说法。

实际发生的情况是：set.remove(i)调用选择重载方法remove(E)，这里的E是集合（Integer）的元素类型，将i从int自动装箱到Integer中。这是你所期待的行为，因此程序不会从集合中去除正值。另一方面，list.remove(i)调用选择重载方法remove(int i)，它从列表的指定位置上去除元素。如果从列表[−3，−2，−1，0，1，2]开始，去除第零个元素，接着去除第一个、第二个，得到的是[−2，0，2]，这个秘密被揭开了。为了解决这个问题，要将list.remove的参数转换成Integer，迫使选择正确的重载方法。另一种方法是，可以调用Integer.valueOf(i)，并将结果传给list.remove。这两种方法都如我们所料，打印出[−3，−2，−1][−3，−2，−1]：

```
for (int i = 0; i < 3; i++) {
    set.remove(i);
    list.remove((Integer) i);  // or remove(Integer.valueOf(i))
}
```

前一个范例中所示的混乱行为在这里也出现了，因为List<E>接口有两个重载的remove方法：remove(E)和remove(int)。当它在Java 1.5发行版本中被泛型化之前，List接口有一个remove(Object)而不是remove(E)，相应的参数类型：Object和int，则根本不同。但是自从有了泛型和自动装箱之后，这两种参数类型就不再根本不同了。换句话说，Java语言中添加了泛型和自动装箱之后，破坏了List接口。幸运的是，Java类库中几乎再没有API受到同样的破坏，但是这种情形清楚地说明了，自动装箱和泛型成了Java语言的一部分之后，谨慎重载显得更加重要了。

数组类型和Object之外的类截然不同。数组类型和Serializable与Cloneable之外的接口也截然不同。如果两个类都不是对方的后代，这两个独特的类就是不相关的（**unrelated**）[JLS，5.5]。例如，String和Throwable就是不相关的。任何对象都不可能是两个不相关的类的实例，因此不相关的类是根本不同的。

还有其他一些"类型对"的例子也是不能相互转换的[JLS，5.1.12]，但是，一旦超出了上述这些简单的情形，大多数程序员要想搞清楚"一组实际的参数应用于哪个重载方法上"就会非常困难。确定选择哪个重载方法的规则是非常复杂的。这些规则在语言规范中占了33页的篇幅[JLS，15.12.1-3]，很少程序员能够理解其中的所有微妙之处。

有时候，尤其在更新现有类的时候，可能会被迫违反本条目的指导原则。例如，自从Java1.4发行版本以来，String类就已经有一个contentEquals（StringBuffer）方法。在Java 1.5发行版本中，新增了一个称作CharSequence的接口，用来为StringBuffer、StringBuilder、String、CharBuffer以及其他类似的类型提供公共接口，为实现这个接口，对它们全都进行了改造。在Java平台中增加CharSequence的同时，String也配备了重载的contentEquals方法，即contentEquals（CharSequence）方法，这个方法表示，当且仅当此String表示与CharSequence序列相同的char值时，返回true。

尽管这样的重载很显然违反了本条目的指导原则，但是只要当这两个重载方法在同样的参数上被调用时，它们执行相同的功能，重载就不会带来危害。程序员可能并不知道哪个重载函数会被调用，但只要这两个方法返回相同的结果就行。确保这种行为的标准做法是，让更具体化的重载方法把调用转发给更一般化的重载方法：

```java
public boolean contentEquals(StringBuffer sb) {
    return contentEquals((CharSequence) sb);
}
```

虽然Java平台类库很大程度上遵循了本条目中的建议，但是也有诸多的类违背了。例如，String类导出两个重载的静态工厂方法：valueOf(char[])和valueOf(Object)，当这两个方法被传递了同样的对象引用时，它们所做的事情完全不同。没有正当的理由可以解释这一点，它应该被看作是一种反常行为，有可能会造成真正的混淆。

简而言之，"能够重载方法"并不意味着就"应该重载方法"。一般情况下，对于多个具有相同参数数目的方法来说，应该尽量避免重载方法。在某些情况下，特别是涉及构造器的时候，要遵循这条建议也许是不可能的。在这种情况下，至少应该避免这样的情形：同一组参数只需经过类型转换就可以被传递给不同的重载方法。如果不能避免这种情形，例如，因为正在改造一个现有的类以实现新的接口，就应该保证：当传递同样的参数时，所有重载方法的行为必须一致。如果不能做到这一点，程序员就很难有效地使用被重载的方法或者构造器，他们就不能理解它为什么不能正常地工作。

## 第 42 条：慎用可变参数

Java 1.5发行版本中增加了可变参数（varargs）方法，一般称作**variable arity method**（可匹配不同长度的变量的方法）[JLS，8.4.1]。可变参数方法接受0个或者多个指定类型的参数。可变参数机制通过先创建一个数组，数组的大小为在调用位置所传递的参数数量，然后将参数值传到数组中，最后将数组传递给方法。

例如，下面就是一个可变参数方法，带有int参数的一个序列，并返回它们的总和。正如你所期望的，sum(1, 2, 3)的值为6，sum()的值为0：

```
// Simple use of varargs
static int sum(int... args) {
    int sum = 0;
    for (int arg : args)
        sum += arg;
    return sum;
}
```

有时候，有必要编写需要1个或者多个某种类型参数的方法，而不是需要0个或者多个。例如，假设想要计算多个int参数的最小值。如果客户端没有传递参数，那这个方法的定义就不太好了。你可以在运行时检查数组长度：

```
// The WRONG way to use varargs to pass one or more arguments!
static int min(int... args) {
    if (args.length == 0)
        throw new IllegalArgumentException("Too few arguments");
    int min = args[0];
    for (int i = 1; i < args.length; i++)
        if (args[i] < min)
            min = args[i];
    return min;
}
```

这种解决方案有几个问题。其中最严重的问题是，如果客户端调用这个方法时，并没有传递参数进去，它就会在运行时而不是编译时失败。另一个问题是，这段代码很不美观。你必须在args中包含显式的有效性检查，除非将min初始化为Integer.MAX_VALUE，否则将无法使用for-each循环，这样的代码也不美观。

幸运的是，有一种更好的方法可以实现想要的这种效果。声明该方法带有两个参数，一个是指定类型的正常参数，另一个是这种类型的varargs参数。这种解决方案解决了前一个示例中的所有不足：

```
// The right way to use varargs to pass one or more arguments
static int min(int firstArg, int... remainingArgs) {
    int min = firstArg;
    for (int arg : remainingArgs)
        if (arg < min)
```

```
        min = arg;
    return min;
}
```

如你所见，当你真正需要让一个方法带有不定数量的参数时，可变参数就非常有效。可变参数是为printf而设计的，它是在Java 1.5发行版本中添加到平台中的，为了核心的反射机制（见第53条），在该发行版本中被改造成利用可变参数。printf和反射机制都从可变参数中极大地受益。

可以将以数组当作final参数的现有方法，改造成以可变参数代替，而不影响现有的客户端。但是可以并不意味着应该这么做！考虑Arrays.asList的情形。这个方法从来都不是设计成用来将多个参数集中到一个列表中的，但是当平台中增加了可变参数时，将它改造成这么做似乎是个好办法。因此，变成可以这样：

```
List<String> homophones = Arrays.asList("to", "too", "two");
```

这种用法有效，但是这么用就是个大错误。在Java 1.5发行版本之前，打印数组内容的常见做法如下：

```
// Obsolete idiom to print an array!
System.out.println(Arrays.asList(myArray));
```

这种做法在当时是必需的，因为数组从Object继承了它们的toString实现，因此直接在数组上调用toString，会产生没有意义的字符串，如[Ljava.lang.Integer;@3e25a5。这种做法只在对象引用类型的数组上才有用，但是如果不小心在基本类型的数组上尝试这么做，程序将无法编译。例如，这个程序：

```
public static void main(String[] args) {
    int[] digits = { 3, 1, 4, 1, 5, 9, 2, 6, 5, 4 };
    System.out.println(Arrays.asList(digits));
}
```

在发行版本1.4中，这个程序会产生这条错误消息：

```
Va.java:6: asList(Object[]) in Arrays can't be applied to (int[])
        System.out.println(Arrays.asList(digits));
                           ^
```

由于在Java 1.5发行版本中，令人遗憾地决定将Arrays.asList改造成可变参数方法，现在这个程序可以通过编译，并且没有错误或者警告。但是运行这个程序时，会输出无意识的也是无意义的结果：[[I@3e25a5。Arrays.asList方法现在"增强"为使用可变参数，将int类型的数组digits的对象引用集中到数组的单个元素数组中，并忠实地将它包装到List<int[]>实例中。打印这个列表会导致在列表中调用toString，从而导致在它唯一的元素int数组上调用toString，产生上述令人遗憾的结果。

从好的方面看，将数组转变成字符串的Arrays.asList做法现在是过时的，当前的做法要健壮得多。也是在Java 1.5发行版本中，Arrays类得到了补充完整的Arrays.toString方法（不是可变参数方法！），专门为了将任何类型的数组转变成字符串而设计的。如果用Arrays.toString代替Arrays.asList，这个程序就会产生想要的结果：

```
// The right way to print an array
System.out.println(Arrays.toString(myArray));
```

如果不改造Arrays.asList，更好的办法则是给Collections添加一个新的方法，专门用来将它的参数集中到列表中：

```
public static <T> List<T> gather(T... args) {
    return Arrays.asList(args);
}
```

这种方法可以提供收集功能，而不会危及对现有Arrays.asList方法的类型检查。

这个教训很明显。不必改造具有**final**数组参数的每个方法；只当确实是在数量不定的值上执行调用时才使用可变参数。

有两个方法签名特别可疑：

```
ReturnType1 suspect1(Object... args) { }
<T> ReturnType2 suspect2(T... args) { }
```

带有上述任何一种签名的方法都可以接受任何参数列表。改造之前进行的任何编译时的类型检查都会丢失，Arrays.asList发生的情形正是说明了这一点。

在重视性能的情况下，使用可变参数机制要特别小心。可变参数方法的每次调用都会导致进行一次数组分配和初始化。如果凭经验确定无法承受这一成本，但又需要可变参数的灵活性，还有一种模式可以让你如愿以偿。假设确定对某个方法95％的调用会有3个或者更少的参数，就声明该方法的5个重载，每个重载方法带有0至3个普通参数，当参数的数目超过3个时，就使用一个可变参数方法：

```
public void foo() { }
public void foo(int a1) { }
public void foo(int a1, int a2) { }
public void foo(int a1, int a2, int a3) { }
public void foo(int a1, int a2, int a3, int... rest) { }
```

现在你知道了，所有调用中只有5％参数数量超过3个的调用需要创建数组。就像大多数的性能优化一样，这种方法通常不太恰当，但是一旦真正需要它时，它可就帮上大忙了。

EnumSet类对它的静态工厂使用这种方法，最大限度地减少创建枚举集合的成本。当时这么做是有必要的，因为枚举集合为位域提供在性能方面有竞争力的替代方法，这是很重要的（见第32条）。

简而言之，在定义参数数目不定的方法时，可变参数方法是一种很方便的方式，但是它们不应该被过度滥用。如果使用不当，会产生混乱的结果。

## 第 43 条：返回零长度的数组或者集合，而不是 null

像下面这样的方法并不少见：

```
private final List<Cheese> cheesesInStock = ...;

/**
 * @return an array containing all of the cheeses in the shop,
 *     or null if no cheeses are available for purchase.
 */
public Cheese[] getCheeses() {
    if (cheesesInStock.size() == 0)
        return null;
    ...
}
```

把没有奶酪（cheese）可买的情况当作是一种特例，这是不合常理的。这样做会要求客户端中必须有额外的代码来处理null返回值，例如：

```
Cheese[] cheeses = shop.getCheeses();
if (cheeses != null &&
    Arrays.asList(cheeses).contains(Cheese.STILTON))
    System.out.println("Jolly good, just the thing.");
```

而不是下面这段代码：

```
if (Arrays.asList(shop.getCheeses()).contains(Cheese.STILTON))
    System.out.println("Jolly good, just the thing.");
```

对于一个返回null而不是零长度数组或者集合的方法，几乎每次用到该方法时都需要这种曲折的处理方式。这样做很容易出错，因为编写客户端程序的程序员可能会忘记写这种专门的代码来处理null返回值。这样的错误也许几年都不会被注意到，因为这样的方法通常返回一个或者多个对象。返回null而不是零长度的数组也会使返回数组或者集合的方法本身变得更加复杂，这一点虽然不是特别重要，但是也值得注意。

有时候会有人认为：null返回值比零长度数组更好，因为它避免了分配数组所需要的开销。这种观点是站不住脚的，原因有两点。第一，在这个级别上担心性能问题是不明智的，除非分析表明这个方法正是造成性能问题的真正源头（见第55条）。第二，对于不返回任何元素的调用，每次都返回同一个零长度数组是有可能的，因为零长度数组是不可变的，而不可变对象有可能被自由地共享（见第15条）。实际上，当你使用标准做法（standard idiom）把一些元素从一个集合转存到一个类型化的数组（typed array）中时，它正是这样做的：

```
// The right way to return an array from a collection
private final List<Cheese> cheesesInStock = ...;

private static final Cheese[] EMPTY_CHEESE_ARRAY = new Cheese[0];
```

```
/**
 * @return an array containing all of the cheeses in the shop.
 */
public Cheese[] getCheeses() {
    return cheesesInStock.toArray(EMPTY_CHEESE_ARRAY);
}
```

在这种习惯用法中，零长度数组常量被传递给toArray方法，以指明所期望的返回类型。正常情况下，toArray方法分配了返回的数组，但是，如果集合是空的，它将使用零长度的输入数组，Collection.toArray(T[])的规范保证：如果输入数组大到足够容纳这个集合，它就将返回这个输入数组。因此，这种做法永远也不会分配零长度的数组。

同样地，集合值的方法也可以做成在每当需要返回空集合时都返回同一个不可变的空集合。Collections.emptySet、emptyList和emptyMap方法提供的正是你所需要的，如下所示：

```
// The right way to return a copy of a collection
public List<Cheese> getCheeseList() {
    if (cheesesInStock.isEmpty())
        return Collections.emptyList(); // Always returns same list
    else
        return new ArrayList<Cheese>(cheesesInStock);
}
```

简而言之，返回类型为数组或集合的方法没理由返回null，而不是返回一个零长度的数组或者集合。这种习惯做法（指返回null）很有可能是从C程序设计语言中沿袭过来的，在C语言中，数组长度是与实际的数组分开返回的。在C语言中，如果返回的数组长度为零，再分配一个数组就没有任何好处。

## 第 44 条：为所有导出的 API 元素编写文档注释

如果要想使一个API真正可用，就必须为其编写文档。传统意义上的API文档是手工生成的，所以保持文档与代码同步是一件很繁琐的事情。Java语言环境提供了一种被称为Javadoc的实用工具，从而使这项任务变得很容易。Javadoc利用特殊格式的文档注释（**documentation comment**，通常被写作**doc comment**），根据源代码自动产生API文档。

如果你对文档注释的规范还不太熟悉，应该去了解这些规范。虽然这些规范还没有正式成为Java程序设计语言的一部分，但它们已经构成了每个程序员都应该知道的事实API。这些规范的内容在**Sun**公司关于如何编写文档注释（**How to Write Doc Comments**）的网页上进行了说明[Javadoc-guide]。虽然这个网页在Java 1.4发行版本之后还没有进行更新，但它仍然是个很有价值的资源。Java 1.5发行版本中，为Javadoc新增了两个重要的Javadoc标签：{@literal}和{@code}[Javadoc-5.0]。本条目中会讨论到这些标签。

为了正确地编写**API**文档，必须在每个被导出的类、接口、构造器、方法和域声明之前增加一个文档注释。如果类是可序列化的，也应该对它的序列化形式编写文档（见第75条）。如果没有文档注释，Javadoc所能够做的也就是重新生成该声明，作为受影响的API元素的唯一文档。使用没有文档注释的API是非常痛苦的，也很容易出错。为了编写出可维护的代码，还应该为那些没有被导出的类、接口、构造器、方法和域编写文档注释。

方法的文档注释应该简洁地描述出它和客户端之间的约定。除了专门为继承而设计的类中的方法（见第17条）之外，这个约定应该说明这个方法做了什么，而不是说明它是如何完成这项工作的。文档注释应该列举出这个方法的所有前提条件（**precondition**）和后置条件（**postcondition**），所谓前提条件是指为了使客户能够调用这个方法，而必须要满足的条件；所谓后置条件是指在调用成功完成之后，哪些条件必须要满足。一般情况下，前提条件是由@throws标签针对未受检的异常所隐含描述的；每个未受检的异常都对应一个前提违例（precondition violation）。同样地，也可以在一些受影响的参数的@param标记中指定前提条件。

除了前提条件和后置条件之外，每个方法还应该在文档中描述它的副作用（**side effect**）。所谓副作用是指系统状态中可以观察到的变化，它不是为了获得后置条件而明确要求的变化。例如，如果方法启动了后台线程，文档中就应该说明这一点。最后，文档注释也应该描述类或者方法的线程安全性（**thread safety**），正如第70条中所述。

为了完整地描述方法的约定，方法的文档注释应该让每个参数都有一个@param标签，以及一个@return标签（除非这个方法的返回类型为void），以及对于该方法抛出的每个异常，无论是受检的还是未受检的，都有一个@throws标签（见第62条）。按惯例，跟在@param标签或者@return标签后面的文字应该是一个名词短语，描述了这个参数或者返回值所表示的值。跟在@throws标签之后的文字应该包含单词"if"（如果），紧接着是一个名词短语，它描述了这个异常将在什么样的条件下会被抛出。有时候，也会用算术表达式来代替名词短语。按惯例，@param、@return或者@throws标签后面的短语或者子句都不用句点来结束。下面这个简短的文档注释演示了所有这些习惯做法：

```
/**
 * Returns the element at the specified position in this list.
 *
 * <p>This method is <i>not</i> guaranteed to run in constant
 * time. In some implementations it may run in time proportional
 * to the element position.
 *
 * @param  index index of element to return; must be
 *         non-negative and less than the size of this list
 * @return the element at the specified position in this list
 * @throws IndexOutOfBoundsException if the index is out of range
 *         ({@code index < 0 || index >= this.size()})
 */
E get(int index);
```

注意，这份文档注释中使用了HTML标签（<p>和<i>）。Javadoc工具会把文档注释翻译成HTML，文档注释中包含的任意HTML元素都会出现在结果HTML文档中。有时候，程序员会把HTML表格嵌入到它们的文档注释中，但是这种做法并不多见。

还要注意，@throws子句的代码片段中到处使用了Javadoc的{@code}标签。它有两个作用：造成该代码片段以代码字体（code font）进行呈现，并限制HTML标记和嵌套的Javadoc标签在代码片段中进行处理。后一种属性正是允许我们在代码片段中使用小于号（<）的东西，虽然它是一个HTML元字符。在Java 1.5发行版本之前，是通过使用HTML标签和HTML转义，将代码片段包含在文档注释中。现在再也没有必要在文档注释中使用**HTML <code>或者<tt>**标签了：**Javadoc {@code}标签更好，因为它避免了转义HTML元字符**。为了将多个代码示例包含在一个文档注释中，要使用包在HTML的<pre>标签里面的Javadoc {@code}标签。换句话说，是先在多行的代码示例前使用字符<pre>{@code，然后在代码后面加上}</pre>。

最后，要注意这个文档注释中用到了单词"this"。按惯例，当"this"被用在实例方法的文档注释中时，它应该始终是指方法调用所在的对象。

不要忘记，为了产生包含HTML元字符的文档，比如小于号（<）、大于号（>）以及"与"号（&），必须采取特殊的动作。让这些字符出现在文档中的最佳办法是用{@literal}标签将它们包围起来，这样就限制了HTML标记和嵌套的Javadoc标签的处理。除了它不以代码字体渲染文本之外，其余方面就像{@code}标签一样。例如，这个Javadoc片段：

```
 * The triangle inequality is {@literal |x + y| < |x| + |y|}.
```

产生了这样的文档："The triangle inequality is |x + y| < |x| + |y|."｛@literal｝标签也可以只是包住小于号，而不是整个不等式，所产生的文档是一样的，但是在源代码中见到的文档注释的可读性就会更差。这说明了一条通则：文档注释在源代码和产生的文档中都应该是易于阅读的。如果无法让两者都易读，产生的文档的可读性要优先于源代码的可读性。

每个文档注释的第一句话（如下所示）成了该注释所属元素的概要描述（**summary description**）。例如，第177页中文档注释中的概要描述为"返回这个列表中指定位置上的元素"。概要描述必须独立地描述目标元素的功能。为了避免混淆，同一个类或者接口中的两个成员或者构造器，不应该具有同样的概要描述。特别要注意重载的情形，在这种情况下，往往很自然地在描述中使用同样的第一句话（但在文档注释中这是不可接受的）。

注意所期待的概要描述中是否包括句点，因为句点会过早地终止这个描述。例如，一个以"A college degree, such as B.S., M.S., or Ph.D."开头的文档注释，会产生这样的概要描述："A college degree, such as B.S, M.S."问题在于，概要描述在后面接着空格、跳格或者行终结符的第一个句点处（或者在第一个块标签处）结束[Javadoc-ref]。在这种情况下，缩写"M.S."中的第二个句点就要接着用一个空格。最好的解决方法是，将讨厌的句点以及任何与｛@literal｝关联的文本都包起来，因此在源代码中，句点后面就不再是空格了：

```
/**
 * A college degree, such as B.S., {@literal M.S.} or Ph.D.
 * College is a fountain of knowledge where many go to drink.
 */
public class Degree { ... }
```

说概要描述是文档注释中的第一个句子（**sentence**），这似乎有点误导人。规范指出，概要描述很少是个完整的句子。对于方法和构造器而言，概要描述应该是个完整的动词短语（包含任何对象），它描述了该方法所执行的动作。例如：

- ArrayList(int initialCapacity)—Constructs an empty list with the specified initial capacity.（用指定的初始容量构造一个空的列表）

- Collection.size()—Returns the number of elements in this collection.（返回该集合中元素的数目）

对于类、接口和域，概要描述应该是一个名词短语，它描述了该类或者接口的实例，或者域本身所代表的事物。例如：

- TimerTask—A task that can be scheduled for one-time or repeated execution by a Timer.（可以调度一次的任务，或者被Timer重复执行的任务）

- Math.PI—The double value that is closer than any other to pi, the ratio of the circumference of a circle to its diameter. （非常接近于PI（圆周长度与直径的比值）的 double值）

Java 1.5发行版本中增加的三个特性在文档注释中需要特别小心：泛型、枚举和注解。当为泛型或者方法编写文档时，确保要在文档中说明所有的类型参数。

```
/**
 * An object that maps keys to values.  A map cannot contain
 * duplicate keys; each key can map to at most one value.
 *
 * (Remainder omitted)
 *
 * @param <K> the type of keys maintained by this map
 * @param <V> the type of mapped values
 */
public interface Map<K, V> {
    ... // Remainder omitted
}
```

当为枚举类型编写文档时，要确保在文档中说明常量，以及类型，还有任何公有的方法。注意，如果文档注释很简短，可以将整个注释放在一行上：

```
/**
 * An instrument section of a symphony orchestra.
 */
public enum OrchestraSection {
    /** Woodwinds, such as flute, clarinet, and oboe. */
    WOODWIND,

    /** Brass instruments, such as french horn and trumpet. */
    BRASS,

    /** Percussion instruments, such as timpani and cymbals */
    PERCUSSION,

    /** Stringed instruments, such as violin and cello. */
    STRING;
}
```

为注解类型编写文档时，要确保在文档中说明所有成员，以及类型本身。带有名词短语的文档成员，就像是域一样。对于该类型的概要描述，要使用一个动词短语，说明当程序元素具有这种类型的注解时它表示什么意思。

```
/**
 * Indicates that the annotated method is a test method that
 * must throw the designated exception to succeed.
 */
@Retention(RetentionPolicy.RUNTIME)
@Target(ElementType.METHOD)
public @interface ExceptionTest {
    /**
     * The exception that the annotated test method must throw
     * in order to pass. (The test is permitted to throw any
     * subtype of the type described by this class object.)
     */
```

```
    Class<? extends Exception> value();
}
```

从Java 1.5发行版本开始，包级私有的文档注释就应该放在一个称作package-info.java的文件中，而不是放在package.html中。除了包级私有的文档注释之外，package-info.java也可以（但并非必需）包含包声明和包注解。

类的导出API有两个特征经常被人忽视，即线程安全性和可序列化性。类是否是线程安全的，应该在文档中对它的线程安全级别进行说明，如第70条中所述。如果类是可序列化的，就应该在文档中说明它的序列化形式，如第75条中所述。

Javadoc具有"继承"方法注释的能力。如果API元素没有文档注释，Javadoc将会搜索最为适用的文档注释，接口的文档注释优先于超类的文档注释。搜索算法的细节可以在《*The Javadoc Reference Guide*》[Javadoc-ref]中找到。也可以利用{@inheritDoc}标签从超类型中继承文档注释的部分内容。这意味着，不说别的，类还可以重用它所实现的接口的文档注释，而不需要拷贝这些注释。这项机制有可能减轻维护多个几乎相同的文档注释的负担，但它使用起来比较需要一些小技巧（tricky），并具有一些局限性。关于这一点的详情超出了本书的范围，在此不做讨论。

为了降低文档注释中出错的可能性，一种简单的办法是通过一个**HTML有效性检查器**（**HTML validity checker**）来运行由Javadoc产生的HTML文件。这样可以检测出HTML标签的许多不正确用法，以及应该被转义的HTML元字符。Internet上有一些HTML有效性检查器可供下载，并且可以在线检验HTML[W3C-validator]。

关于文档注释有一点需要特别注意。虽然为所有导出的API元素提供文档注释是必要的，但是这样做并非永远就足够了。对于由多个相互关联的类组成的复杂API，通常有必要用一个外部文档来描述该API的总体结构，对文档注释进行补充。如果有这样的文档，相关的类或者包文档注释就应该包含一个对这个外部文档的链接。

本条目中所述的内容涵盖了基本的惯例。关于编写文档注解最权威的指导是Sun公司的《*How to Write Doc Comments*（如何编写文档注释）》[Javadoc-guide]。

简而言之，要为API编写文档，文档注释是最好、最有效的途径。对于所有可导出的API元素来说，使用文档注释应该被看作是强制性的。要采用一致的风格来遵循标准的约定。记住，在文档注释内部出现任何HTML标签都是允许的，但是HTML元字符必须要经过转义。

# 第8章

# 通用程序设计

**本**章主要讨论Java语言的具体细节，讨论了局部变量的处理、控制结构、类库的用法、各种数据类型的用法，以及两种不是由语言本身提供的机制（**reflection**和**native method**，反射机制和本地方法）的用法。最后讨论了优化和命名惯例。

## 第 45 条：将局部变量的作用域最小化

本条目与第13条（使类和成员的可访问性最小化）本质上是类似的。将局部变量的作用域最小化，可以增强代码的可读性和可维护性，并降低出错的可能性。

较早的程序设计语言（如C语言）要求局部变量必须在一个代码块的开头处进行声明，出于习惯，有些程序员们目前还是继续这样做。这个习惯应该改正。在此提醒，Java允许你在任何可以出现语句的地方声明变量。

要使局部变量的作用域最小化，最有力的方法就是在第一次使用它的地方声明。如果变量在使用之前进行声明，这只会造成混乱——对于试图理解程序功能的读者来说，这又多了一种只会分散他们注意力的因素。等到用到该变量的时候，读者可能已经记不起该变量的类型或者初始值了。

过早地声明局部变量不仅会使它的作用域过早地扩展，而且结束得也过于晚了。局部变量的作用域从它被声明的点开始扩展，一直到外围块（block）的结束处。如果变量是在"使用它的块"之外被声明的，当程序退出该块之后，该变量仍是可见的。如果变量在它的目标使用区域之前或者之后被意外地使用的话，后果将可能是灾难性的。

几乎每个局部变量的声明都应该包含一个初始化表达式。如果你还没有足够的信息来对一个变量进行有意义的初始化，就应该推迟这个声明，直到可以初始化为止。这条规则有个例外的情况与try-catch语句有关。如果一个变量被一个方法初始化，而这个方法可能会抛出一个受检的异常（checked exception），该变量就必须在try块的内部被初始化。如果变量的值必须在try块的外部被使用到，它就必须在try块之前被声明，但是在try块之前，它还不能被"有意义地初始化"。请参照第202页中的例子。

循环中提供了特殊的机会来将变量的作用域最小化。（无论是传统的还是for-each形式的）for循环，都允许声明循环变量（**loop variable**），它们的作用域被限定在正好需要的范围之内。（这个范围包括循环体，以及循环体之前的初始化、测试、更新部分。）因此，如果在循环终止之后不再需要循环变量的内容，**for**循环就优先于**while**循环。

例如，下面是一种遍历集合的首选做法（见第46条）：

```
// Preferred idiom for iterating over a collection
for (Element e : c) {
    doSomething(e);
}
```

在Java 1.5发行版本之前，首选的做法如下（现在仍然有适用之处）：

```
// No for-each loop or generics before release 1.5
for (Iterator i = c.iterator(); i.hasNext(); ) {
    doSomething((Element) i.next());
}
```

为了弄清楚为什么这个for循环比while循环更好，请考虑下面的代码片断，它包含两个while循环，以及一个Bug：

```
Iterator<Element> i = c.iterator();
while (i.hasNext()) {
    doSomething(i.next());
}
...
Iterator<Element> i2 = c2.iterator();
while (i.hasNext()) {                  // BUG!
    doSomethingElse(i2.next());
}
```

第二个循环中包含一个"剪切-粘贴"错误：它本来是要初始化一个新的循环变量i2，却使用了旧的循环变量i，遗憾的是，这时i仍然还在有效范围之内。结果代码仍然可以通过编译，运行的时候也不会抛出异常，但是它所做的事情却是错误的。第二个循环并没有在c2上迭代，而是立即终止，造成c2为空的假象。因为这个程序的错误是悄然发生的，所以可能在很长时间内都不会被发现。

如果类似的"剪切-粘贴"错误发生在前面任何一种for循环中，结果代码就根本不能通过编译。在第二个循环开始之前，第一个循环的元素（或者迭代器）变量已经不在它的作用域范围之内了：

```
for (Iterator<Element> i = c.iterator(); i.hasNext(); ) {
    doSomething(i.next());
}
    ...

// Compile-time error - cannot find symbol i
for (Iterator<Element> i2 = c2.iterator(); i.hasNext(); ) {
    doSomething(i2.next());
}
```

而且，如果使用for循环，犯这种"剪切-粘贴"错误的可能性就会大大降低，因为通常没有必要在两个循环中使用不同的变量名。循环是完全独立的，所以重用元素（或者迭代器）变量的名称不会有任何危害。实际上，这也是很流行的做法。

使用for循环与使用while循环相比还有另外一个优势：更简短，从而增强了可读性。

下面是另外一种对局部变量的作用域进行最小化的循环做法：

```
for (int i = 0, n = expensiveComputation(); i < n; i++) {
    doSomething(i);
}
```

关于这种做法要关注的一点是，它具有两个循环变量：i和n，两者具有完全相同的作用域。第二个变量n被用来保存第一个变量的极限值，从而避免在每次迭代中执行冗余计算的开销。通常，如果循环测试中涉及方法调用，它可以保证在每次迭代中都会返回同样的结果，就应该使用这种做法。

最后一种"将局部变量的作用域最小化"的方法是使方法小而集中。如果把两个操作（activity）合并到同一个方法中，与其中一个操作相关的局部变量就有可能会出现在执行另一个操作的代码范围之内。为了防止这种情况发生，只要把这个方法分成两个，每个方法各执行一个操作。

## 第 46 条：for-each 循环优先于传统的 for 循环

在Java 1.5发行版本之前，对集合进行遍历的首选做法如下：

```
// No longer the preferred idiom to iterate over a collection!
for (Iterator i = c.iterator(); i.hasNext(); ) {
    doSomething((Element) i.next()); // (No generics before 1.5)
}
```

遍历数组的首选做法如下：

```
// No longer the preferred idiom to iterate over an array!
for (int i = 0; i < a.length; i++) {
    doSomething(a[i]);
}
```

这些做法都比while循环（见第45条）更好，但是它们也并不完美。迭代器和索引变量都会造成一些混乱。而且，它们也代表着出错的可能。迭代器和索引变量在每个循环中出现三次，其中有两次让你很容易出错。一旦出错，就无法保证编译器能够发现错误。

Java 1.5发行版本中引入的for-each循环，通过完全隐藏迭代器或者索引变量，避免了混乱和出错的可能。这种模式同样适用于集合和数组：

```
// The preferred idiom for iterating over collections and arrays
for (Element e : elements) {
    doSomething(e);
}
```

当见到冒号（:）时，可以把它读作"在…里面"。因此上面的循环可以读作"对于元素中的每个元素e。"注意，利用for-each循环不会有性能损失，甚至用于数组也一样。实际上，在某些情况下，比起普通的for循环，它还稍有些性能优势，因为它对数组索引的边界值只计算一次。虽然可以手工完成这项工作（见第45条），但程序员并不总会这么做。

在对多个集合进行嵌套式迭代时，for-each循环相对于传统for循环的这种优势还会更加明显。下面就是人们在试图对两个集合进行嵌套迭代时经常会犯的错误：

```
// Can you spot the bug?
enum Suit { CLUB, DIAMOND, HEART, SPADE }
enum Rank { ACE, DEUCE, THREE, FOUR, FIVE, SIX, SEVEN, EIGHT,
            NINE, TEN, JACK, QUEEN, KING }
...
Collection<Suit> suits = Arrays.asList(Suit.values());
Collection<Rank> ranks = Arrays.asList(Rank.values());

List<Card> deck = new ArrayList<Card>();
for (Iterator<Suit> i = suits.iterator(); i.hasNext(); )
    for (Iterator<Rank> j = ranks.iterator(); j.hasNext(); )
        deck.add(new Card(i.next(), j.next()));
```

如果之前没有发现这个Bug也不必难过。许多专家级的程序员偶尔也会犯这样的错误。问题在于，在迭代器上对外部的集合（suits）调用了太多次next方法了。它应该从外部的循环进行调用，以便每种花色调用一次，但它却是从内部循环调用，因此它是每张牌调用一次。在用完所有花色之后，循环就会抛出NoSuchElementException异常。

如果真的那么不幸，并且外部集合的大小是内部集合大小的几倍——可能因为它们是相同的集合——循环就会正常终止，但是不会完成你想要的工作。例如，下面是个考虑不周的尝试，要打印一对骰子的所有可能的滚法。

```java
// Same bug, different symptom!
enum Face { ONE, TWO, THREE, FOUR, FIVE, SIX }
...
Collection<Face> faces = Arrays.asList(Face.values());

for (Iterator<Face> i = faces.iterator(); i.hasNext(); )
    for (Iterator<Face> j = faces.iterator(); j.hasNext(); )
        System.out.println(i.next() + " " + j.next());
```

这个程序不会抛出异常，而是只打印6个重复的词（从"ONE ONE"到"SIX SIX"），而不是预计的36种组合。

为了修正这些示例中的Bug，必须在外部循环的作用域中添加一个变量来保存外部元素：

```java
// Fixed, but ugly - you can do better!
for (Iterator<Suit> i = suits.iterator(); i.hasNext(); ) {
    Suit suit = i.next();
    for (Iterator<Rank> j = ranks.iterator(); j.hasNext(); )
        deck.add(new Card(suit, j.next()));
}
```

如果使用的是嵌套的for-each循环，这个问题就会完全消失。产生的代码就如你所希望得那样简洁。

```java
// Preferred idiom for nested iteration on collections and arrays
for (Suit suit : suits)
    for (Rank rank : ranks)
        deck.add(new Card(suit, rank));
```

for-each循环不仅让你遍历集合和数组，还让你遍历任何实现Iterable接口的对象。这个简单的接口由单个方法组成，与for-each循环同时被增加到Java平台中。下面就是这个接口的示例：

```java
public interface Iterable<E> {
    // Returns an iterator over the elements in this iterable
    Iterator<E> iterator();
}
```

实现Iterable接口并不难。如果你在编写的类型表示的是一组元素，即使你选择不让它实现Collection，也要让它实现Iterable。这样可以允许用户利用for-each循环遍历你的类型，会令用户永远感激不尽的。

　　总之，for-each循环在简洁性和预防Bug方面有着传统的for循环无法比拟的优势，并且没有性能损失。应该尽可能地使用for-each循环。遗憾的是，有三种常见的情况无法使用for-each循环：

1. **过滤**——如果需要遍历集合，并删除选定的元素，就需要使用显式的迭代器，以便可以调用它的remove方法。

2. **转换**——如果需要遍历列表或者数组，并取代它部分或者全部的元素值，就需要列表迭代器或者数组索引，以便设定元素的值。

3. **平行迭代**——如果需要并行地遍历多个集合，就需要显式地控制迭代器或者索引变量，以便所有迭代器或者索引变量都可以得到同步前移（就如上述关于有问题的牌和骰子的示例中无意中所示范的那样）。

　　在以上任何一种情况下，就要使用普通的for循环，要警惕本条目中提到的陷阱，并且要确保做到最好。

## 第 47 条：了解和使用类库

假设你希望产生位于0和某个上界之间的随机整数。面对这个常见的任务，许多程序员会编写出如下所示的方法：

```
private static final Random rnd = new Random();

// Common but deeply flawed!
static int random(int n) {
    return Math.abs(rnd.nextInt()) % n;
}
```

这个方法看起来可能不错，但是却有三个缺点。第一个缺点是，如果n是一个比较小的2的乘方，经过一段相当短的周期之后，它产生的随机数序列将会重复。第二个缺点是，如果n不是2的乘方，那么平均起来，有些数会比其他的数出现得更为频繁。如果n比较大，这个缺点就会非常明显。这可以通过下面的程序直观地体现出来，它会产生一百万个经过细心指定的范围内的随机数，并打印出有多少个数字落在随机数取值范围的前半部分：

```
public static void main(String[] args) {
    int n = 2 * (Integer.MAX_VALUE / 3);
    int low = 0;
    for (int i = 0; i < 1000000; i++)
        if (random(n) < n/2)
            low++;

    System.out.println(low);
}
```

如果random方法工作正常的话，这个程序打印出来的数将接近于一百万的一半，但是如果真正运行这个程序，就会发现它打印出来的数接近于666 666。由random方法产生的数字有2/3落在随机数取值范围的前半部分。

random方法的第三个缺点是，在极少数情况下，它的失败是灾难性的，返回一个落在指定范围之外的数。之所以如此，是因为这个方法试图通过调用Math.abs，将rnd.nextInt()返回的值映射为一个非负整数int。如果nextInt()返回Integer.MIN_VALUE，那么Math.abs也会返回Integer.MIN_VALUE，假设n不是2的乘方，那么取模操作符（%）将返回一个负数。这几乎肯定会使程序失败，而且这种失败很难重现。

为了编写能修正这三个缺点的random方法，有必要了解关于伪随机数生成器、数论和2的求补算法的相关知识。幸运的是，你并不需要自己来做这些工作——已经有现成的成果可以为你所用。它被称为Random.nextInt(int)，自Java 1.2发行版本以来，它已经成了Java平台的一部分。

你无需关心nextInt(int)的实现细节（如果你有强烈的好奇心，可以研究它的文档或者源代码）。具有算法背景的高级工程师已经花了大量的时间来设计、实现和测试这个方法，然后经过这个领域中的专家的审查，以确保它的正确性。然后，标准类库经过了Beta测试、发行和近十年的成千上万程序员的广泛使用。在这个方法中还没有发现过缺陷，但是，如果将来发现有缺陷，在下一个发行版本中就会修正这些缺陷。通过使用标准类库，可以充分利用这些编写标准类库的专家的知识，以及在你之前的其他人的使用经验。

使用标准类库的第二个好处是，不必浪费时间为那些与工作不太相关的问题提供特别的解决方案。就像大多数程序员一样，应该把时间花在应用程序上，而不是底层的细节上。

使用标准类库的第三个好处是，它们的性能往往会随着时间的推移而不断提高，无需你做任何努力。因为许多人在使用它们，被当作工业标准在使用，所以，提供这些标准类库的组织有强烈的动机要使它们运行得更快。这些年来，许多Java平台类库已经被重新编写了，有时候是重复编写，从而导致性能上有了显著的提高。

标准类库也会随着时间的推移而增加新的功能。如果类库中漏掉了某些功能，开发者社区（developer community）就会把这些缺点告示出来，漏掉的功能就会添加到后续的发行版本中。Java平台类库始终是在这个社区的推动下不断发展的。

使用标准类库的最后一个好处是，可以使自己的代码融入主流。这样的代码更易读、更易维护、更易被大多数的开发人员重用。

既然有那么多的优点，使用标准类库机制而不选择专门的实现，这显然是符合逻辑的，然而还是有相当一部分的程序员没有这样做。为什么呢？可能他们并不知道有这些类库机制的存在。在每个重要的发行版本中，都会有许多新的特性被加入到类库中，所以与这些新特性保持同步是值得的。每次Java平台有重要的发行时，Sun公司都会发布一个网页，说明新的特性。这些网页值得好好读一读[Java5-feat，Java6-feat]。这些标准类库太庞大了，以至于不可能去学习所有的文档[JavaSE6]，但是每个程序员都应该熟悉**java.lang**、**java.util**，某种程度上还有**java.io**中的内容。关于其他类库的知识可以根据需要随时学习。

本条目不可能总结类库中所有的便利工具，但是有两种工具值得特别一提。在1.2发行版本中，**Collections Framework**（集合框架）被加入到java.util包中。它应该成为每个程序员基本工具箱中的一部分。Collections Framework是一个统一的体系结构，用来表示和操作集合，允许它们对集合进行独立于表示细节的操作。它减轻了编程的负担，同时还提升了性能。它考虑到不相关的API之间的互操作性，减少了为设计和学习新的API所要付出的努力，并且鼓励软件重用。如果想要了解更多这方面的细节，请参见Sun公司网站上的文章[Collections]，或者阅读有关的教程[Bloch06]。

1.5发行版本中，在**java.util.concurrent**包中增加了一组并发实用工具。这个包既包含高级的并发工具来简化多线程的编程任务，还包含低级别的并发基本类型，允许专家们自己编写更高级的并发抽象。java.util.concurrent的高级部分，也应该是每个程序员基本工具箱中的一部分（见第68条和第69条）。

在有些情况下，一个类库工具并不能满足你的需要。你的需求越是特殊，这种情形就越有可能发生。虽然你的第一个念头应该是使用标准类库，但是，如果你在观察了它们在某些领域所提供的功能之后，确定它不能满足需要，你就得使用其他的实现。任何一组类库所提供的功能总是难免会有遗漏。如果你所需要的功能不存在，那么，就只能自己实现这些功能，别无选择。

总而言之，不要重新发明轮子。如果你要做的事情看起来是十分常见的，有可能类库中已经有某个类完成了这样的工作。如果确实是这样，就使用现成的；如果还不清楚是否存在这样的类，就去查一查。一般而言，类库的代码可能比你自己编写的代码更好一些，并且会随着时间的推移而不断改进。这并不是在影射你作为一个程序员的能力。从经济角度的分析表明：类库代码受到的关注远远超过大多数普通程序员在同样的功能上所能够给予的投入。

## 第 48 条：如果需要精确的答案，请避免使用 float 和 double

float和double类型主要是为了科学计算和工程计算而设计的。它们执行二进制浮点运算（**binary floating-point arithmetic**），这是为了在广泛的数值范围上提供较为精确的快速近似计算而精心设计的。然而，它们并没有提供完全精确的结果，所以不应该被用于需要精确结果的场合。**float**和**double**类型尤其不适合用于货币计算，因为要让一个float或者double精确地表示0.1（或者10的任何其他负数次方值）是不可能的。

例如，假设你的口袋中有$1.03，花掉了42¢之后还剩下多少钱呢？下面是一个很简单的程序片断，要回答这个问题：

```
System.out.println(1.03 - .42);
```

遗憾的是，它输出的结果是0.6100000000000001。这并不是个别的例子。假设你的口袋里有$1，你买了9个垫圈，每个为10¢。那么你应该找回多少零头呢？

```
System.out.println(1.00 - 9 * .10);
```

根据这个程序片断，你得到的是$0.09999999999999998。

你可能会认为，只要在打印之前将结果做一下舍入就可以解决这个问题，但遗憾的是，这种做法并不总是可行。例如，假设你的口袋里有$1，你看到货架上有一排美味的糖果，标价分别为10¢、20¢、30¢，等等，一直到$1。你打算从标价为10¢的糖果开始，每种买1颗，一直到不能支付货架上下一种价格的糖果为止，那么你可以买多少颗糖果？还会找回多少零头？下面是一个简单的程序，用来解决这个问题：

```
// Broken - uses floating point for monetary calculation!
public static void main(String[] args) {
    double funds = 1.00;
    int itemsBought = 0;
    for (double price = .10; funds >= price; price += .10) {
        funds -= price;
        itemsBought++;
    }
    System.out.println(itemsBought + " items bought.");
    System.out.println("Change: $" + funds);
}
```

如果真正运行这个程序，你会发现你可以支付3颗糖果，并且还剩下$0.3999999999999999。这个答案是不正确的！解决这个问题的正确办法是使用**BigDecimal**、**int**或者**long**进行货币计算。

下面的程序是上一个程序的简单翻版，它使用BigDecimal类型代替double：

```java
public static void main(String[] args) {
    final BigDecimal TEN_CENTS = new BigDecimal( ".10");

    int itemsBought = 0;
    BigDecimal funds = new BigDecimal("1.00");
    for (BigDecimal price = TEN_CENTS;
            funds.compareTo(price) >= 0;
            price = price.add(TEN_CENTS)) {
        itemsBought++;
        funds = funds.subtract(price);
    }
    System.out.println(itemsBought + " items bought.");
    System.out.println("Money left over: $" + funds);
}
```

如果运行这个修改过的程序，就会发现你可以支付4颗糖果，还剩下$0.00。这才是正确的答案。

然而，使用BigDecimal有两个缺点：与使用基本运算类型相比，这样做很不方便，而且很慢。对于解决这样一个简单的问题，后一种缺点并不要紧，但是前一种缺点可能会让你很不舒服。

除了使用BigDecimal之外，还有一种办法是使用int或者long，到底选用int或者long要取决于所涉及数值的大小，同时要自己处理十进制小数点。在这个示例中，最明显的做法是以分为单位进行计算，而不是以元为单位。下面是这个例子的简单翻版，展示了这种做法：

```java
public static void main(String[] args) {
    int itemsBought = 0;
    int funds = 100;
    for (int price = 10; funds >= price; price += 10) {
        itemsBought++;
        funds -= price;
    }
    System.out.println(itemsBought + " items bought.");
    System.out.println("Money left over: "+ funds + " cents");
}
```

总而言之，对于任何需要精确答案的计算任务，请不要使用float或者double。如果你想让系统来记录十进制小数点，并且不介意因为不使用基本类型而带来的不便，就请使用BigDecimal。使用BigDecimal还有一些额外的好处，它允许你完全控制舍入，每当一个操作涉及舍入的时候，它允许你从8种舍入模式中选择其一。如果你正通过法定要求的舍入行为进行业务计算，使用BigDecimal是非常方便的。如果性能非常关键，并且你又不介意自己记录十进制小数点，而且所涉及的数值又不太大，就可以使用int或者long。如果数值范围没有超过9位十进制数字，就可以使用int；如果不超过18位数字，就可以使用long。如果数值可能超过18位数字，就必须使用BigDecimal。

## 第 49 条：基本类型优先于装箱基本类型

Java有一个类型系统由两部分组成，包含基本类型（**primitive**），如int、double和boolean，和引用类型（**reference type**），如String和List。每个基本类型都有一个对应的引用类型，称作装箱基本类型（**boxed primitive**）。装箱基本类型中对应于int、double和boolean的是Integer、Double和Boolean。

Java 1.5发行版本中增加了自动装箱（**autoboxing**）和自动拆箱（**auto-unboxing**）。如第5条所述，这些特性模糊了但并没有完全抹去基本类型和装箱基本类型之间的区别。这两种类型之间真正是有差别的，要很清楚在使用的是哪种类型，并且要对这两种类型进行谨慎的选择，这些都非常重要。

在基本类型和装箱基本类型之间有三个主要区别。第一，基本类型只有值，而装箱基本类型则具有与它们的值不同的同一性。换句话说，两个装箱基本类型可以具有相同的值和不同的同一性。第二，基本类型只有功能完备的值，而每个装箱基本类型除了它对应基本类型的所有功能值之外，还有个非功能值：null。最后一点区别是，基本类型通常比装箱基本类型更节省时间和空间。如果不小心，这三点区别都会让你陷入麻烦之中。

考虑下面这个比较器，它被设计用来表示Integer值的递增数字顺序。（回想一下，比较器的compare方法返回的数值到底为负数、零还是正数，要取决于它的第一个参数是小于、等于还是大于它的第二个参数。）在实践中并不需要你编写这个在Integer中实现自然顺序的比较器，因为这是不需要比较器就可以得到的，但它展示了一个值得关注的例子：

```
// Broken comparator - can you spot the flaw?
Comparator<Integer> naturalOrder = new Comparator<Integer>() {
    public int compare(Integer first, Integer second) {
        return first < second ? -1 : (first == second ? 0 : 1);
    }
};
```

这个比较器表面看起来似乎不错，它可以通过许多测试。例如，它可以通过Collections.sort正确地给一个有一百万个元素的列表进行排序，无论这个列表中是否包含重复的元素。但是这个比较器有着严重的缺陷。如果你要让自己信服，只要打印naturalOrder.Compare(new Integer(42)和new Integer(42))的值。这两个Integer实例都表示相同的值(42)，因此这个表达式的值应该为0，但它输出的却是1，这表明第一个Integer值大于第二个。

问题出在哪呢？naturalOrder中的第一个测试工作得很好。对表达式first < second执行计算会导致被first和second引用的Integer实例被自动拆箱（**auto-unboxed**）；也就是说，它提取了它们的基本类型值。计算动作要检查产生的第一个int值是否小于第二个。但是假设答案

是否定的。下一个测试就是执行计算表达式first == second，它在两个对象引用上执行同一性比较（**identity comparison**）。如果first和second引用表示同一个int值的不同的Integer实例，这个比较操作就会返回false，比较器会错误地返回1，表示第一个Integer值大于第二个。对装箱基本类型运用==操作符几乎总是错误的。

修正这个问题最清楚的做法是添加两个局部变量，来保存对应于first和second的基本类型int值，并在这些变量上执行所有的比较操作。这样可以避免大量的同一性比较：

```
Comparator<Integer> naturalOrder = new Comparator<Integer>() {
    public int compare(Integer first, Integer second) {
        int f = first;   // Auto-unboxing
        int s = second;  // Auto-unboxing
        return f < s ? -1 : (f == s ? 0 : 1); // No unboxing
    }
};
```

接下来，考虑这个小程序：

```
public class Unbelievable {
    static Integer i;

    public static void main(String[] args) {
        if (i == 42)
            System.out.println("Unbelievable");
    }
}
```

它不是打印出Unbelievable——但是它的行为也是很奇怪的。它在计算表达式（i == 42）的时候抛出NullPointerException异常。问题在于，i是个Integer，而不是int，就像所有的对象引用域一样，它的初始值为null。当程序计算表达式(i == 42)时，它会将Integer与int进行比较。几乎在任何一种情况下，当在一项操作中混合使用基本类型和装箱基本类型时，装箱基本类型就会自动拆箱，这种情况无一例外。如果null对象引用被自动拆箱，就会得到一个NullPointerException异常。就如这个程序所示，它几乎可以在任何位置发生。修正这个问题很简单，声明i是个int而不是Integer就可以了。

最后，考虑第5条中的这个程序：

```
// Hideously slow program! Can you spot the object creation?
public static void main(String[] args) {
    Long sum = 0L;
    for (long i = 0; i < Integer.MAX_VALUE; i++) {
        sum += i;
    }
    System.out.println(sum);
}
```

这个程序运行起来比预计的要慢一些，因为它不小心将一个局部变量（sum）声明为是装箱基本类型Long，而不是基本类型long。程序编译起来没有错误或者警告，变量被反复地装箱和拆箱，导致明显的性能下降。

在本条目中所讨论的这三个程序中，问题是一样的：程序员忽略了基本类型和装箱基本类型之间的区别，并尝到了苦头。在前两个程序中，其结果是彻底的失败；在第三个程序中，则有严重的性能问题。

那么什么时候应该使用装箱基本类型呢？它们有几个合理的用处。第一个是作为集合中的元素、键和值。你不能将基本类型放在集合中，因此必须使用装箱基本类型。这是一种更通用的特例。在参数化类型（见第5章）中，必须使用装箱基本类型作为类型参数，因为Java不允许使用基本类型。例如，你不能将变量声明为ThreadLocal<int>类型，因此必须使用ThreadLocal<Integer>代替。最后，在进行反射的方法调用（见第53条）时，必须使用装箱基本类型。

总之，当可以选择的时候，基本类型要优先于装箱基本类型。基本类型更加简单，也更加快速。如果必须使用装箱基本类型，要特别小心！自动装箱减少了使用装箱基本类型的繁琐性，但是并没有减少它的风险。当程序用==操作符比较两个装箱基本类型时，它做了个同一性比较，这几乎肯定不是你所希望的。当程序进行涉及装箱和拆箱基本类型的混合类型计算时，它会进行拆箱，当程序进行拆箱时，会抛出NullPointerException异常。最后，当程序装箱了基本类型值时，会导致高开销和不必要的对象创建。

## 第 50 条：如果其他类型更适合，则尽量避免使用字符串

字符串被用来表示文本，它在这方面也确实做得很好。因为字符串很通用，并且Java语言也支持得很好，所以自然就会有这样一种倾向：即使在不适合使用字符串的场合，人们往往也会使用字符串。本条目就是讨论一些不应该使用字符串的情形。

**字符串不适合代替其他的值类型**。当一段数据从文件、网络，或者键盘设备，进入到程序中之后，它通常以字符串的形式存在。有一种自然的倾向是让它继续保留这种形式，但是，只有当这段数据本质上确实是文本信息时，这种想法才是合理的。如果它是数值，就应该被转换为适当的数值类型，比如int、float或者BigInteger类型。如果它是一个"是－或－否"这种问题的答案，就应该被转换为boolean类型。如果存在适当的值类型，不管是基本类型，还是对象引用，大多应该使用这种类型；如果不存在这样的类型，就应该编写一个类型。虽然这条建议是显而易见的，但却经常遭到违反。

**字符串不适合代替枚举类型**。正如第30条中所讨论的，枚举类型比字符串更加适合用来表示枚举类型的常量。

**字符串不适合代替聚集类型**。如果一个实体有多个组件，用一个字符串来表示这个实体通常是很不恰当的。例如，下面这行代码来自于真实的系统——标识符的名称已经被修改了，以免发生纠纷：

```
// Inappropriate use of string as aggregate type
String compoundKey = className + "#" + i.next();
```

这种方法有许多缺点。如果用来分隔域的字符也出现在某个域中，结果就会出现混乱。为了访问单独的域，必须解析该字符串，这个过程非常慢，也很繁琐，还容易出错。你无法提供equals、toString或者compareTo方法，只好被迫接受String提供的行为。更好的做法是，简单地编写一个类来描述这个数据集，通常是一个私有的静态成员类（见第22条）。

**字符串也不适合代替能力表（capabilities）**。有时候，字符串被用于对某种功能进行授权访问。例如，考虑设计一个提供线程局部变量（thread-local variable）的机制。这个机制提供的变量在每个线程中都有自己的值。自从Java 1.2发行版以来，Java类库就有提供线程局部变量的机制，但在那之前，程序员必须自己完成。几年前面对这样的设计任务时，有些人自己提出了同样的设计方案：利用客户提供的字符串键，对每个线程局部变量的内容进行访问授权：

```
// Broken - inappropriate use of string as capability!
public class ThreadLocal {
    private ThreadLocal() { } // Noninstantiable
```

```
    // Sets the current thread's value for the named variable.
    public static void set(String key, Object value);

    // Returns the current thread's value for the named variable.
    public static Object get(String key);
}
```

这种方法的问题在于，这些字符串键代表了一个共享的全局命名空间。要使这种方法可行，客户端提供的字符串键必须是唯一的：如果两个客户端各自决定为它们的线程局部变量使用同样的名称，它们实际上就无意中共享了这个变量，这样往往会导致两个客户端都失败。而且，安全性也很差。恶意的客户端可能有意地使用与另一个客户端相同的键，以便非法地访问其他客户端的数据。

要修正这个API并不难，只要用一个不可伪造的键（unforgeable key，有时被称为能力（**capability**））来代替字符串即可：

```
public class ThreadLocal {
    private ThreadLocal() { }  // Noninstantiable

    public static class Key {  // (Capability)
        Key() { }
    }

    // Generates a unique, unforgeable key
    public static Key getKey() {
        return new Key();
    }

    public static void set(Key key, Object value);
    public static Object get(Key key);
}
```

虽然这解决了基于字符串的API的两个问题，但是你还可以做得更好。你实际上不再需要静态方法，它们可以被代之以键（Key）中的实例方法，这样这个键就不再是键，而是线程局部变量了。此时，这个不可被实例化的顶层类也不再做任何实质性的工作，因此可以删除这个顶层类，并将内层的嵌套类命名为ThreadLocal：

```
public final class ThreadLocal {
    public ThreadLocal() { }
    public void set(Object value);
    public Object get();
}
```

这个API不是类型安全的，因为当你从线程局部变量得到它时，必须将值从Object转换成它实际的值。不可能使原始的基于String的API为类型安全的，要使基于Key的API为类型安全的也很困难，但是，通过将ThreadLocal类泛型化（见第26条），使这个API变成类型安全的就是很简单的事情了：

```
public final class ThreadLocal<T> {
```

```
    public ThreadLocal() { }
    public void set(T value);
    public T get();
}
```

粗略地讲，这正是java.util.ThreadLocal提供的API。除了解决了基于字符串的API的问题之外，与前面的两个基于键的API相比，它还更快速、更优雅。

总而言之，如果可以使用更加合适的数据类型，或者可以编写更加适当的数据类型，就应该避免用字符串来表示对象。若使用不当，字符串会比其他的类型更加笨拙、更不灵活、速度更慢，也更容易出错。经常被错误地用字符串来代替的类型包括基本类型、枚举类型和聚集类型。

## 第51条：当心字符串连接的性能

字符串连接操作符（+，string concatenation operator）是把多个字符串合并为一个字符串的便利途径。要想产生单独一行的输出，或者构造一个字符串来表示一个较小的、大小固定的对象，使用连接操作符是非常合适的，但是它不适合运用在大规模的场景中。为连接n个字符串而重复地使用字符串连接操作符，需要n的平方级的时间。这是由于字符串不可变（见第15条）而导致的不幸结果。当两个字符串被连接在一起时，它们的内容都要被拷贝。

例如，考虑下面的方法，它通过反复连接每个项目行，构造出一个代表该对账单的字符串。代码如下：

```java
// Inappropriate use of string concatenation - Performs horribly!
public String statement() {
    String result = "";
    for (int i = 0; i < numItems(); i++)
        result += lineForItem(i);  // String concatenation
    return result;
}
```

如果项目数量巨大，这个方法的执行时间就难以估算。为了获得可以接受的性能，请使用**StringBuilder**替代**String**，来存储建造中的对账单。（Java 1.5发行版本中增加了非同步StringBuilder类，代替了现在已经过时的StringBuffer类。）：

```java
public String statement() {
    StringBuilder b = new StringBuilder(numItems() * LINE_WIDTH);
    for (int i = 0; i < numItems(); i++)
        b.append(lineForItem(i));
    return b.toString();
}
```

上述两种做法的性能差别非常大。如果numItems返回100，并且lineForItem返回一个固定长度为80个字符的字符串，在我的机器上，第二种做法比第一种做法要快85倍。因为第一种做法的开销随项目数量而呈平方级增加，第二种做法则是线性增加，所以，项目数越大，性能的差别会越显著。注意，第二种做法预先分配了一个StringBuilder，使它大到足以容纳结果字符串。即使因为预先不知道字符串长度，使用了默认大小的StringBuilder，它仍然比第一种做法快50倍。

原则很简单：不要使用字符串连接操作符来合并多个字符串，除非性能无关紧要。相反，应该使用StringBuilder的append方法。另一种方法是，使用字符数组，或者每次只处理一个字符串，而不是将它们组合起来。

## 第 52 条：通过接口引用对象

第40条中有一个建议：应该使用接口而不是用类作为参数的类型。更一般地讲，应该优先使用接口而不是类来引用对象。如果有合适的接口类型存在，那么对于参数、返回值、变量和域来说，就都应该使用接口类型进行声明。只有当你利用构造器创建某个对象的时候，才真正需要引用这个对象的类。为了更具体地说明这一点，我们来考虑Vector的情形，它是List接口的一个实现。在声明变量的时候应该养成这样的习惯：

```
// Good - uses interface as type
List<Subscriber> subscribers = new Vector<Subscriber>();
```

而不是像这样的声明：

```
// Bad - uses class as type!
Vector<Subscriber> subscribers = new Vector<Subscriber>();
```

如果你养成了用接口作为类型的习惯，你的程序将会更加灵活。当你决定更换实现时，所要做的就只是改变构造器中类的名称（或者使用一个不同的静态工厂）。例如，第一个声明可以被改变为：

```
List<Subscriber> subscribers = new ArrayList<Subscriber>();
```

周围的所有代码都可以继续工作。周围的代码并不知道原来的实现类型，所以它们对于这种变化并不在意。

有一点值得注意：如果原来的实现提供了某种特殊的功能，而这种功能并不是这个接口的通用约定所要求的，并且周围的代码又依赖于这种功能，那么很关键的一点是，新的实现也要提供同样的功能。例如，如果第一个声明周围的代码依赖于Vector的同步策略，在声明中用ArrayList代替Vector就是不正确的。如果依赖于实现的任何特殊属性，就要在声明变量的地方给这些需求建立相应的文档说明。

那么，为什么要改变实现呢？因为新的实现提供了更好的性能，或者因为它提供了期望得到的额外功能。有个真实的例子与ThreadLocal类有关。在内部，这个类在Thread中使用了一个包级私有的Map域，将每个线程的值（per-thread values）与ThreadLocal实例关联起来。在1.3发行版本中，这个域被初始化为HashMap实例。在1.4发行版本中，Java平台增加了一个新的、被称为IdentityHashMap的专用Map实现。只需将初始化域的那一行代码改变为IdentityHashMap，代替原来的HashMap，ThreadLocal机制就会变快许多。ThreadLocal实现曾经一度发展为利用一个没有实现Map接口的高度优化过的存储结构，但是即使这样仍然不影响"通过接口引用对象"的这个观点。

　　如果把这个域声明为HashMap而不是Map，则无法保证只改变一行代码就足够了。如果客户端代码已经在Map接口之外使用了HashMap操作，或者把这个映射（Map）传递给了一个需要HashMap的方法，那么，若将该域改变为一个IdentityHashMap，代码就不再能通过编译。用接口类型声明域"让你保持诚实"。

　　如果没有合适的接口存在，完全可以用类而不是接口来引用对象。例如，考虑值类（**value class**），比如String和BigInteger。记住，值类很少会用多个实现编写。它们通常是final的，并且很少有对应的接口。使用这种值类作为参数、变量、域或者返回类型是再合适不过的了。更一般地讲，如果具体类没有相关联的接口，不管它是否表示一个值，你都没有别的选择，只有通过它的类来引用它的对象。Random类就属于这种情形。

　　不存在适当接口类型的第二种情形是，对象属于一个框架，而框架的基本类型是类，不是接口。如果对象属于这种基于类的框架（**class-based framework**），就应该用相关的基类（**base class**）（往往是抽象类）来引用这个对象，而不是用它的实现类。java.util.TimerTask抽象类就属于这种情形。

　　不存在适当接口类型的最后一种情形是，类实现了接口，但是它提供了接口中不存在的额外方法——例如LinkedHashMap。如果程序依赖于这些额外的方法，这种类就应该只被用来引用它的实例。它很少应该被用作参数类型（见第40条）。

　　以上这些例子并不全面，而只是代表了一些"适合于用类来引用对象"的情形。实际上，给定的对象是否具有适当的接口应该是很显然的。如果是，用接口引用对象就会使程序更加灵活；如果不是，则使用类层次结构中提供了必要功能的最基础的类。

## 第 53 条：接口优先于反射机制

核心反射机制（**core reflection facility**）java.lang.reflect，提供了"通过程序来访问关于已装载的类的信息"的能力。给定一个Class实例，你可以获得Constructor、Method和Field实例，分别代表了该Class实例所表示的类的Constructor（构造器）、Method（方法）和Field（域）。这些对象提供了"通过程序来访问类的成员名称、域类型、方法签名等信息"的能力。

而且，Constructor、Method和Field实例使你能够通过反射机制操作它们的底层对等体：通过调用Constructor、Method和Field实例上的方法，可以构造底层类的实例、调用底层类的方法，并访问底层类中的域。例如，Method.invoke使你可以调用任何类的任何对象上的任何方法（遵从常规的安全限制）。反射机制（reflection）允许一个类使用另一个类，即使当前者被编译的时候后者还根本不存在。然而，这种能力也要付出代价：

- **丧失了编译时类型检查的好处**，包括异常检查。如果程序企图用反射方式调用不存在的或者不可访问的方法，在运行时它将会失败，除非采取了特别的预防措施。

- **执行反射访问所需要的代码非常笨拙和冗长**。编写这样的代码非常乏味，阅读起来也很困难。

- **性能损失**。反射方法调用比普通方法调用慢了许多。具体慢了多少，这很难说，因为受到了多个因素的影响。在我的机器上，速度的差异可能小到2倍，也可能大到50倍。

核心反射机制最初是为了基于组件的应用创建工具而设计的。这类工具通常要根据需要装载类，并且用反射功能找出它们支持哪些方法和构造器。这些工具允许用户交互式地构建出访问这些类的应用程序，但是所产生出来的这些应用程序能够以正常的方式访问这些类，而不是以反射的方式。反射功能只是在设计时（**design time**）被用到。通常，普通应用程序在运行时不应该以反射方式访问对象。

有一些复杂的应用程序需要使用反射机制。这些示例中包括类浏览器、对象监视器、代码分析工具、解释型的内嵌式系统。在RPC（远程过程调用）系统中使用反射机制也是非常合适的，这样可以不再需要存根编译器（stub compiler）。如果你对自己的应用程序是否也属于这一类应用程序而感到怀疑，它很有可能就不属于这一类。

如果只是以非常有限的形式使用反射机制，虽然也要付出少许代价，但是可以获得许多好处。对于有些程序，它们必须用到在编译时无法获取的类，但是在编译时存在适当的接口或者超类，通过它们可以引用这个类（见第52条）。如果是这种情况，就可以以反射方式创建实例，然后通过它们的接口或者超类，以正常的方式访问这些实例。如果适当的构造器不带参数，甚至根本不需要使用java.lang .reflect包；Class.newInstance方法就已经提供了所需的功能。

　　例如，下面的程序创建了一个Set<String>实例，它的类是由第一个命令行参数指定的。该程序把其余的命令行参数插入到这个集合中，然后打印该集合。不管第一个参数是什么，程序都会打印出余下的命令行参数，其中重复的参数会被消除掉。这些参数的打印顺序取决于第一个参数中指定的类。如果指定"java.util.HashSet"，显然这些参数就会以随机的顺序打印出来；如果指定"java.util.TreeSet"，则它们就会按照字母顺序打印出来，因为TreeSet中的元素是排好序的。相应的代码如下：

```
// Reflective instantiation with interface access
public static void main(String[] args) {
    // Translate the class name into a Class object
    Class<?> cl = null;
    try {
        cl = Class.forName(args[0]);
    } catch(ClassNotFoundException e) {
        System.err.println("Class not found.");
        System.exit(1);
    }

    // Instantiate the class
    Set<String> s = null;
    try {
        s = (Set<String>) cl.newInstance();
    } catch(IllegalAccessException e) {
        System.err.println("Class not accessible.");
        System.exit(1);
    } catch(InstantiationException e) {
        System.err.println("Class not instantiable.");
        System.exit(1);
    }

    // Exercise the set
    s.addAll(Arrays.asList(args).subList(1, args.length));
    System.out.println(s);
}
```

　　尽管这个程序就像一个"玩偶"，但是它所演示的这种方法是非常强大的。这个玩偶程序可以很容易地变成一个通用的集合测试器，通过侵入式地操作一个或者多个集合实例，并检查是否遵守Set接口的约定，以此来验证指定的Set实现。同样地，它也可以变成一个通用的集合性能分析工具。实际上，它所演示的这种方法足以实现一个成熟的服务提供者框架（**service provider framework**）（见第1条）。绝大多数情况下，使用反射机制时需要的也正是这种方法。

　　这个示例演示了反射机制的两个缺点。第一，这个例子会产生3个运行时错误，如果不使用反射方式的实例化，这3个错误都会成为编译时错误。第二，根据类名生成它的实例需要20行冗长的代码，而调用一个构造器可以非常简洁地只使用一行代码。然而，这些缺点还仅仅局限于实例化对象的那部分代码。一旦对象被实例化，它与其他的Set实例就难以区分。在实际的程序中，通过这种限定使用反射的方法，绝大部分代码可以不受影响。

如果试着编译这个程序，会得到下面的错误消息：

```
Note: SetEx.java uses unchecked or unsafe operations.
Note: Recompile with -Xlint:unchecked for details.
```

这条警告与程序中使用了泛型有关，但它并不能说明真正的问题。要了解禁止这种警告的最佳方法，请参见第24条。

另一个值得注意的附带问题是，这个程序使用了System.exit。很少有需要调用这个方法的时候，它会终止整个VM（虚拟机）。但是，它对于命令行有效性的非法终止是很合适的。

类对于在运行时可能不存在的其他类、方法或者域的依赖性，用反射法进行管理，这种用法是合理的，但是很少使用。如果要编写一个包，并且它运行的时候必须依赖其他某个包的多个版本，这种做法可能就非常有用。这种做法就是，在支持包所需要的最小环境下对它进行编译，通常是最老的版本，然后以反射方式访问任何更加新的类或者方法。如果企图访问的新类或者新方法在运行时不存在，为了使这种方法有效你还必须采取适当的动作。所谓适当的动作，可能包括使用某种其他可替换的办法来达到同样的目的，或者使用简化的功能进行处理。

简而言之，反射机制是一种功能强大的机制，对于特定的复杂系统编程任务，它是非常必要的，但它也有一些缺点。如果你编写的程序必须要与编译时未知的类一起工作，如有可能，就应该仅仅使用反射机制来实例化对象，而访问对象时则使用编译时已知的某个接口或者超类。

## 第 54 条：谨慎地使用本地方法

Java Native Interface（JNI）允许Java应用程序可以调用本地方法（**native method**），所谓本地方法是指用本地程序设计语言（比如C或者C++）来编写的特殊方法。本地方法在本地语言中可以执行任意的计算任务，并返回到Java程序设计语言。

从历史上看，本地方法主要有三种用途。它们提供了"访问特定于平台的机制"的能力，比如访问注册表（registry）和文件锁（file lock）。它们还提供了访问遗留代码库的能力，从而可以访问遗留数据（legacy data）。最后，本地方法可以通过本地语言，编写应用程序中注重性能的部分，以提高系统的性能。

使用本地方法来访问特定于平台的机制是合法的，但是随着Java平台的不断成熟，它提供了越来越多以前只有在宿主平台上才拥有的特性。例如，1.4发行版本中新增加的java.util.prefs包，提供了注册表的功能，1.6发行版本中增加了java.awt.SystemTray，提供了访问桌面系统托盘区的能力。使用本地方法来访问遗留代码也是合法的。

使用本地方法来提高性能的做法不值得提倡。在早期的发行版本中（1.3发行版本之前），这样做往往是很有必要的，但是JVM实现变得越来越快了。对于大多数任务，现在即使不使用本地方法也可以获得与之相当的性能。举例来说，当Java 1.1发行版本中增加了java.math时，BigInteger是在一个用C编写的快速多精度运算库的基础上实现的。在当时，为了获得足够的性能这样做是必要的。在1.3发行版本中，BigInteger则完全用Java重写了，并且进行了精心的性能调优。即便如此，新的版本还是比原来的版本更快，在这些年间，VM也已经变得更快了。

使用本地方法有一些严重的缺点。因为本地语言不是安全的（见第39条），所以，使用本地方法的应用程序也不再能免受内存毁坏错误的影响。因为本地语言是与平台相关的，使用本地方法的应用程序也不再是可自由移植的。使用本地方法的应用程序也更难调试。在进入和退出本地代码时，需要相关的固定开销，所以，如果本地代码只是做少量的工作，本地方法就可能降低（**decrease**）性能。最后一点，需要"胶合代码"的本地方法编写起来单调乏味，并且难以阅读。

总而言之，在使用本地方法之前务必三思。极少数情况下会需要使用本地方法来提高性能。如果你必须要使用本地方法来访问底层的资源，或者遗留代码库，也要尽可能少用本地代码，并且要全面进行测试。本地代码中的一个Bug就有可能破坏整个应用程序。

## 第 55 条：谨慎地进行优化

有三条与优化有关的格言是每个人都应该知道的。这些格言我们可能已经耳熟能详，但是，如果对它们还不太熟悉，请看下面：

很多计算上的过失都被归咎于效率（没有必要达到的效率），而不是任何其他的原因——甚至包括盲目地做傻事。

——William A. Wulf[Wulf72]

不要去计较效率上的一些小小的得失，在97%的情况下，不成熟的优化才是一切问题的根源。

——Donald E. Knuth[Knuth74]

在优化方面，我们应该遵守两条规则：

规则1：不要进行优化。

规则2（仅针对专家）：还是不要进行优化——也就是说，在你还没有绝对清晰的未优化方案之前，请不要进行优化。

——M. A. Jackson[Jackson75]

所有这些格言都比Java程序设计语言的出现早了20年。它们讲述了一个关于优化的深刻真理：优化的弊大于利，特别是不成熟的优化。在优化过程中，产生的软件可能既不快速，也不正确，而且还不容易修正。

不要因为性能而牺牲合理的结构。要努力编写好的程序而不是快的程序。如果好的程序不够快，它的结构将使它可以得到优化。好的程序体现了信息隐藏（**information hiding**）的原则：只要有可能，它们就会把设计决策集中在单个模块中，因此，可以改变单个决策，而不会影响到系统的其他部分（见第13条）。

这并不意味着，在完成程序之前就可以忽略性能问题。实现上的问题可以通过后期的优化而得到修正，但是，遍布全局并且限制性能的结构缺陷几乎是不可能被改正的，除非重新编写系统。在系统完成之后再改变设计的某个基本方面，会导致系统的结构很不好，从而难以维护和改进。因此，必须在设计过程中考虑到性能问题。

努力避免那些限制性能的设计决策。当一个系统设计完成之后，其中最难以更改的组件是那些指定了模块之间交互关系以及模块与外界交互关系的组件。在这些设计组件之中，最主要的是API、线路层（wire-level）协议以及永久数据格式。这些设计组件不仅在事后难以甚至不可能改变，而且它们都有可能对系统本该达到的性能产生严重的限制。

要考虑API设计决策的性能后果。使公有的类型成为可变的（mutable），这可能会导致大量不必要的保护性拷贝（见第39条）。同样地，在适合使用复合模式的公有类中使用继承，会把这个类与它的超类永远地束缚在一起，从而人为地限制了子类的性能（见第16条）。最后一个例子，在API中使用实现类型而不是接口，会把你束缚在一个具体的实现上，即使将来出现更快的实现你也无法使用（见第52条）。

API设计对于性能的影响是非常实际的。考虑java.awt.Component类中的getSize方法。这个决定就是，这个注重性能的方法将返回Dimension实例，与此密切相关的决定是，Dimension实例是可变的，迫使这个方法的任何实现都必须为每个调用分配一个新的Dimension实例。尽管在现代VM上分配小对象的开销并不大，但是分配数百万个不必要的对象仍然会严重地损害性能。

在这种情况下，有几种可供选择的替换方案。理想情况下，Dimension应该是不可变的（见第15条）；另一种方案是，用两个方法来替换getSize方法，它们分别返回Dimension对象的单个基本组件。实际上，在1.2发行版本中，出于性能方面的原因，两个这样的方法已经被加入到Component API中。然而，原先的客户端代码仍然可以使用getSize方法，但是仍然要承受原始API设计决策所带来的性能影响。

幸运的是，一般而言，好的API设计也会带来好的性能。为获得好的性能而对API进行包装，这是一种非常不好的想法。导致你对API进行包装的性能因素可能会在平台未来的发行版本中，或者在将来的底层软件中不复存在，但是被包装的API以及由它引起的问题将永远困扰着你。

一旦谨慎地设计了程序，并且产生了一个清晰、简明、结构良好的实现，那么就到了该考虑优化的时候了，假定此时你对于程序的性能还不满意。

回想一下Jackson的两条优化规则："不要优化"以及"（仅针对专家）还是不要优化"。他可以再增加一条：在每次试图做优化之前和之后，要对性能进行测量。你可能会惊讶于自己的发现。试图做的优化通常对于性能并没有明显的影响，有时候甚至会使性能变得更差。主要的原因在于，要猜出程序把时间花在哪些地方并不容易。你认为程序慢的地方可能并没有问题，这种情况下实际上是在浪费时间去尝试优化。大多数人认为：程序把80%的时间花在20%的代码上了。

性能剖析工具有助于你决定应该把优化的重心放在哪里。这样的工具可以为你提供运行时的信息，比如每个方法大致上花费了多少时间、它被调用多少次。除了确定优化的重点之外，它还可以警告你是否需要改变算法。如果一个平方级（或更差）的算法潜藏在程序中，无论怎么调整和优化都很难解决问题。你必须用更有效的算法来替换原来的算法。系统中的代码越多，使用性能剖析器就显得越发重要。这就好像要在一堆干草中寻找一根针：这堆干草越大，使用金属探测器就越有用。JDK带了简单的性能剖析器，现代的IDE也提供了更加成熟的性能剖析工具。

在Java平台上对优化的结果进行测量，比在其他的传统平台上更有必要，因为Java程序设计语言没有很强的性能模型（**performance model**）。各种基本操作的相对开销也没有明确定义。程序员所编写的代码与CPU执行的代码之间存在"语义沟（semantic gap）"，而且这条语义沟比传统编译语言中的更大，这使得要想可靠地预测出任何优化的性能结果都非常困难。大量流传的关于性能的说法最终都被证明为半真半假，或者根本就不正确。

不仅Java的性能模型未得到很好的定义，而且在不同的JVM实现，或者不同的发行版本，以及不同的处理器，在它们这些当中也都各不相同。如果将要在多个JVM实现和多种硬件平台上运行程序，很重要的一点是，需要在每个Java实现上测量优化效果。有时候，还必须在从不同JVM实现或者硬件平台上得到的性能结果之中进行权衡。

总而言之，不要费力去编写快速的程序——应该努力编写好的程序，速度自然会随之而来。在设计系统的时候，特别是在设计API、线路层协议和永久数据格式的时候，一定要考虑性能的因素。当构建完系统之后，要测量它的性能。如果它足够快，你的任务就完成了。如果不够快，则可以在性能剖析器的帮助下，找到问题的根源，然后设法优化系统中相关的部分。第一个步骤是检查所选择的算法：再多的低层优化也无法弥补算法的选择不当。必要时重复这个过程，在每次改变之后都要测量性能，直到满意为止。

## 第 56 条：遵守普通接受的命名惯例

　　Java平台建立了一整套很好的命名惯例（**naming convention**），其中有许多命名惯例包含在了《*The Java Language Specification*》[JLS, 6.8]中。不严格地讲，这些命名惯例分为两大类：字面的（typographical）和语法的（grammatical）。

　　字面的命名惯例比较少，但也涉及包、类、接口、方法、域和类型变量。应该尽量不违反这些惯例，不到万不得已，千万不要违反。如果API违反了这些惯例，它使用起来可能会很困难。如果实现违反了它们，它可能会难以维护。在这两种情况下，违反惯例都会潜在地给使用这些代码的其他程序员带来困惑和苦恼，并且使他们做出错误的假设，造成程序出错。本条目将对这些惯例做简要的介绍。

　　包的名称应该是层次状的，用句号分隔每个部分。每个部分都包括小写字母和数字（很少使用数字）。任何将在你的组织之外使用的包，其名称都应该以你的组织的Internet域名开头，并且顶级域名放在前面，例如edu.cmu、com.sun、gov.nsa。标准类库和一些可选的包，其名称以java和javax开头，这属于这一规则的例外。用户创建的包的名称绝不能以java和javax开头。关于将Internet域名转换为包名称前缀的详细规则，请参见《*The Java Language Specification*》[JLS, 7.7]。

　　包名称的其余部分应该包括一个或者多个描述该包的组成部分。这些组成部分应该比较简短，通常不超过8个字符。鼓励使用有意义的缩写形式，例如，使用util而不是utilities。只取首字母的缩写形式也是可以接受的，例如awt。每个组成部分通常都应该由一个单词或者一个缩写词组成。

　　许多包的名称中除了Internet域名就只有一个组成部分。大型工具包可适当使用额外的组成部分，它们的规模决定了应该分割成非正式的层次结构。例如，javax.swing包有着非常丰富的包层次，如javax.swing.plaf.metal。这样的包通常被称为子包，尽管Java语言并没有提供对包层次的支持。

　　类和接口的名称，包括枚举和注解类型的名称，都应该包括一个或者多个单词，每个单词的首字母大写，例如Timer和TimerTask。应该尽量避免用缩写，除非是一些首字母缩写和一些通用的缩写，比如max和min。对于首字母缩写，到底应该全部大写还是只有首字母大写，没有统一的说法。虽然大写更常见一些，但还是强烈建议采用仅有首字母大写的形式：即使连续出现多个首字母缩写的形式，你仍然可以区分出一个单词的起始处和结束处。下面这两个类名你更愿意看到哪一个，HTTPURL还是HttpUrl？

　　方法和域的名称与类和接口的名称一样，都遵守相同的字面惯例，只不过方法或者域的名称的第一个字母应该小写，例如remove、ensureCapacity。如果由首字母缩写组成的单词是一个方法或者域名称的第一个单词，它就应该是小写形式。

上述规则的唯一例外是"常量域"，它的名称应该包含一个或者多个大写的单词，中间用下划线符号隔开，例如VALUES或NEGATIVE_INFINITY。常量域是个静态final域，它的值是不可变的。如果静态final域有基本类型，或者有不可变的引用类型（见第15条），它就是个常量域。例如，枚举常量是常量域。如果静态final域有个可变的引用类型，若被引用的对象是不可变的，它也仍然可以是个常量域。注意，常量域是唯一推荐使用下划线的情形。

局部变量名称的字面命名惯例与成员名称类似，只不过它也允许缩写，单个字符和短字符序列的意义取决于局部变量所在的上下文环境，例如i、xref和houseNumber。

类型参数名称通常由单个字母组成。这个字母通常是以下五种类型之一：T表示任意的类型，E表示集合的元素类型，K和V表示映射的键和值类型，X表示异常。任何类型的序列可以是T、U、V或者T1、T2、T3。

为了快速查阅，表8-1列出了字面惯例的例子。

表8-1 字面惯例的例子

| 标识符类型 | 例 子 |
| --- | --- |
| 包 | com.google.inject，org.joda.time.format |
| 类或者接口 | Timer, FutureTask, LinkedHashMap, HttpServlet |
| 方法或者域 | remove, ensureCapacity, getCrc |
| 常量域 | MIN_VALUE, NEGATIVE_INFINITY |
| 局部变量 | i, xref, houseNumber |
| 类型参数 | T, E, K, V, X, T1, T2 |

语法命名惯例比字面惯例更加灵活，也更有争议。对于包而言，没有语法命名惯例。类（包括枚举类型）通常用一个名词或者名词短语命名，例如Timer、BufferedWriter或者ChessPiece。接口的命名与类相似，例如Collection或Comparator，或者用一个以"-able"或"-ible"结尾的形容词来命名，例如Runnable、Iterable或者Accessible。由于注解类型有这么多用处，因此没有单独安排词类。名词、动词、介词和形容词都很常用，例如BindingAnnotation、Inject、ImplementedBy或者Singleton。

执行某个动作的方法通常用动词或者动词短语来命名，例如append或drawImage。对于返回boolean值的方法，其名称往往以单词"is"开头，很少用has，后面跟名词或名词短语，或者任何具有形容词功能的单词或短语，例如isDigit、isProbablePrime、isEmpty、isEnabled或者hasSiblings。

如果方法返回被调用对象的一个非boolean的函数或者属性，它通常用名词、名词短语，或者以动词"get"开头的动词短语来命名，例如size、hashCode或者getTime。有一种声音认为，只有第三种形式（以"get"开头）才可以接受，但是这种说法没有什么根据。前两种形式往往会产生可读性更好的代码，例如：

```
if (car.speed() > 2 * SPEED_LIMIT)
    generateAudibleAlert("Watch out for cops!");
```

如果方法所在的类是个Bean[JavaBeans]，就要强制使用以"get"开头的形式，而且，如果考虑将来要把这个类转变成Bean，这么做也是明智的。另外，如果这个类包含一个方法用于设置同样的属性，则强烈建议采用这种形式。在这种情况下，这两个方法应该被命名为getAttribute和setAttribute。

有些方法的名称值得专门提及。转换对象类型的方法、返回不同类型的独立对象的方法，通常被称为toType，例如toString和toArray。返回视图（**view**，见第5条，视图的类型不同于接收对象的类型）的方法通常被称为asType，例如asList。返回一个与被调用对象同值的基本类型的方法，通常被称为typeValue，例如intValue。静态工厂的常用名称为valueOf、of、getInstance、newInstance、getType和NewType（见第1条）。

域名称的语法惯例没有很好地建立起来，也没有类、接口和方法名称的惯例那么重要，因为设计良好的API很少会包含暴露出来的域。boolean类型的域命名与boolean类型的访问方法（accessor method）很类似，但是省去了初始的"is"，例如initialized和composite。其他类型的域通常用名词或者名词短语来命名，比如height、digits或bodyStyle。局部变量的语法惯例类似于域的语法惯例，但是更弱一些。

总而言之，把标准的命名惯例当作一种内在的机制来看待，并且学着用它们作为第二特性。字面惯例是非常直接和明确的；语法惯例则更复杂，也更松散。下面这句话引自《The Java Language Specification》[JLS, 6.8]："如果长期养成的习惯用法与此不同，请不要盲目遵从这些命名惯例。"请运用常识。

# 第9章

# 异　常

**充**分发挥异常的优点，可以提高程序的可读性、可靠性和可维护性。如果使用不当，它们也会带来负面影响。本章提供了一些关于有效使用异常的指导原则。

## 第 57 条：只针对异常的情况才使用异常

某一天，如果你不走运的话，可能会碰到下面这样的代码：

```
// Horrible abuse of exceptions. Don't ever do this!
try {
    int i = 0;
    while(true)
        range[i++].climb();
} catch(ArrayIndexOutOfBoundsException e) {
}
```

这段代码有什么作用？看起来根本不明显，这正是它没有真正被使用的原因（见第55条）。事实证明，作为一个要对数组元素进行遍历的实现方式，它的构想是非常拙劣的。当这个循环企图访问数组边界之外的第一个数组元素时，用抛出（throw）、捕获（catch）、忽略ArrayIndexOutOfBoundsException的手段来达到终止无限循环的目的。假定它与数组循环的标准模式是等价的，对于任何一个Java程序员来说，下面的标准模式一看就会明白：

```
for (Mountain m : range)
    m.climb();
```

那么，为什么有人会优先使用基于异常的模式，而不是用行之有效的模式呢？这是被误导了，他们企图利用Java的错误判断机制来提高性能，因为VM对每次数组访问都要检查越界情况，所以他们认为正常的循环终止测试被编译器隐藏了，但在for-each循环中仍然可见，这无疑是多余的，应该避免。这种想法有三个错误：

• 因为异常机制的设计初衷是用于不正常的情形，所以很少会有JVM实现试图对它们进行优化，使得与显式的测试一样快速。

- 把代码放在try-catch块中反而阻止了现代JVM实现本来可能要执行的某些特定优化。

- 对数组进行遍历的标准模式并不会导致冗余的检查。有些现代的JVM实现会将它们优化掉。

实际上，在现代的JVM实现上，基于异常的模式比标准模式要慢得多。在我的机器上，对于一个有100个元素的数组，基于异常的模式比标准模式慢了2倍。

基于异常的循环模式不仅模糊了代码的意图，降低了它的性能，而且它还不能保证正常工作！如果出现了不相关的Bug，这个模式会悄悄地失效，从而掩盖了这个Bug，极大地增加了调试过程的复杂性。假设循环体中的计算过程调用了一个方法，这个方法执行了对某个不相关数组的越界访问。如果使用合理的循环模式，这个Bug会产生未被捕捉的异常，从而导致线程立即结束，产生完整的堆栈轨迹。如果使用这个误导的基于异常的循环模式，与这个Bug相关的异常将会被捕捉到，并且被错误地解释为正常的循环终止条件。

这个例子的教训很简单：顾名思义，异常应该只用于异常的情况下；它们永远不应该用于正常的控制流。更一般地，应该优先使用标准的、容易理解的模式，而不是那些声称可以提供更好性能的、弄巧成拙的方法。即使真的能够改进性能，面对平台实现的不断改进，这种模式的性能优势也不可能一直保持。然而，由这种过度聪明的模式带来的微妙的Bug，以及维护的痛苦却依然存在。

这条原则对于API设计也有启发。设计良好的**API**不应该强迫它的客户端为了正常的控制流而使用异常。如果类具有"状态相关（state-dependent）"的方法，即只有在特定的不可预知的条件下才可以被调用的方法，这个类往往也应该有个单独的"状态测试（state-testing）"方法，即指示是否可以调用这个状态相关的方法。例如，Iterator接口有一个"状态相关"的next方法，和相应的状态测试方法hasNext。这使得利用传统的for循环（以及for-each循环，在这里，是在内部使用hasNext方法）对集合进行迭代的标准模式成为可能：

```
for (Iterator<Foo> i = collection.iterator(); i.hasNext(); ) {
    Foo foo = i.next();
    ...
}
```

如果Iterator缺少hasNext方法，客户端将被迫改用下面的做法：

```
// Do not use this hideous code for iteration over a collection!
try {
    Iterator<Foo> i = collection.iterator();
    while(true) {
        Foo foo = i.next();
        ...
```

```
    }
} catch (NoSuchElementException e) {
}
```

这应该非常类似于本条目刚开始时对数组进行迭代的例子。除了代码繁琐且令人误解之外，这个基于异常的模式可能执行起来也比标准模式更差，并且还可能掩盖系统中其他不相关部分中的Bug。

另一种提供单独的状态测试方法的做法是，如果"状态相关的"方法被调用时，该对象处于不适当的状态之中，它就会返回一个可识别的值，比如null。这种方法对于Iterator而言并不合适，因为null是next方法的合法返回值。

对于"状态测试方法"和"可识别的返回值"这两种做法，有些指导原则可以帮助你在两者之中做出选择。如果对象将在缺少外部同步的情况下被并发访问，或者可被外界改变状态，使用可被识别的返回值可能是很有必要的，因为在调用"状态测试"方法和调用对应的"状态相关"方法的时间间隔之中，对象的状态有可能会发生变化。如果单独的"状态测试"方法必须重复"状态相关"方法的工作，从性能的角度考虑，就应该使用可被识别的返回值。如果所有其他方面都是等同的，那么"状态测试"方法则略优于可被识别的返回值。它提供了更好的可读性，对于使用不当的情形，可能更加易于检测和改正：如果忘了去调用状态测试方法，状态相关的方法就会抛出异常，使这个Bug变得很明显；如果忘了去检查可识别的返回值，这个Bug就很难会被发现。

总而言之，异常（exception）是为了在异常情况下使用而设计的。不要将它们用于普通的控制流，也不要编写迫使它们这么做的API。

## 第 58 条：对可恢复的情况使用受检异常，对编程错误使用运行时异常

Java程序设计语言提供了三种可抛出结构（throwable）：受检的异常（**checked exception**）、运行时异常（**run-time exception**）和错误（**error**）。关于什么时候适合使用哪种可抛出结构，程序员中间存在一些困惑。虽然这项决定并不总是那么清晰，但还是有些一般性的原则提出了强有力的指导。

在决定使用受检的异常或是未受检的异常时，主要的原则是：*如果期望调用者能够适当地恢复，对于这种情况就应该使用受检的异常*。通过抛出受检的异常，强迫调用者在一个catch子句中处理该异常，或者将它传播出去。因此，方法中声明要抛出的每个受检的异常，都是对API用户的一种潜在指示：与异常相关联的条件是调用这个方法的一种可能的结果。

API的设计者让API用户面对受检的异常，以此强制用户从这个异常条件中恢复。用户可以忽视这样的强制要求，只需捕获异常并忽略即可，但这往往不是个好办法（见第65条）。

有两种未受检的可抛出结构：运行时异常和错误。在行为上两者是等同的：它们都是不需要也不应该被捕获的可抛出结构。如果程序抛出未受检的异常或者错误，往往就属于不可恢复的情形，继续执行下去有害无益。如果程序没有捕捉到这样的可抛出结构，将会导致当前线程停止（halt），并出现适当的错误消息。

*用运行时异常来表明编程错误*。大多数的运行时异常都表示前提违例（**precondition violation**）。所谓前提违例是指API的客户没有遵守API规范建立的约定。例如，数组访问的约定指明了数组的下标值必须在零和数组长度减1之间。ArrayIndexOutOfBoundsException表明这个前提被违反了。

虽然JLS（Java语言规范）并没有要求，但是按照惯例，错误往往被JVM保留用于表示资源不足、约束失败，或者其他使程序无法继续执行的条件。由于这已经是个几乎被普遍接受的惯例，因此最好不要再实现任何新的Error子类。因此，*你实现的所有未受检的抛出结构都应该是*RuntimeException*的子类（直接的或者间接的）*。

要想定义一个抛出结构，它不是Exception、RuntimeException或Error的子类，这也是可能的。JLS并没有直接规定这样的抛出结构，而是隐式地指定了：从行为意义上讲它们等同于普通的受检异常（即Exception的子类，但不是RuntimeException的子类）。那么，什么时候应该使用这样的抛出结构呢？总之，永远也不会用到。它与普通的受检异常相比没有任何益处，只会困扰API的用户。

总而言之，对于可恢复的情况，使用受检的异常；对于程序错误，则使用运行时异常。当

然，情况并不总是那么黑白分明。例如，考虑资源枯竭的情形，这可能是由于程序错误而引起的，比如分配了一块不合理的过大的数组，也可能确实是由于资源不足而引起。如果资源枯竭是由于临时的短缺，或是临时需求太大所造成的，这种情况可能就是可恢复的。API设计者需要判断这样的资源枯竭是否允许恢复。如果你相信一种情况可能允许恢复，就使用受检的异常；如果不是，则使用运行时异常。如果不清楚是否有可能恢复，最好使用未受检的异常，原因请参见第59条的讨论。

API的设计者往往会忘记，异常也是个完全意义上的对象，可以在它上面定义任意的方法。这些方法的主要用途是为捕获异常的代码而提供额外的信息，特别是关于引发这个异常条件的信息。如果没有这样的方法，程序员必须要懂得如何解析"该异常的字符串表示法"，以便获得这些额外信息。这是极为不好的做法（见第10条）。类很少会指定它们的字符串表示法中的细节，因此，不同的实现，不同的版本，字符串表示法会大相径庭。因此，"解析异常的字符串表示法"的代码可能是不可移植的，也是非常脆弱的。

因为受检的异常往往指明了可恢复的条件，所以，对于这样的异常，提供一些辅助方法尤其重要，通过这些方法，调用者可以获得一些有助于恢复的信息。例如，假设因为用户没有储存足够数量的钱，他企图在一个收费电话上进行呼叫就会失败，于是抛出受检的异常。这个异常应该提供一个访问方法，以便允许客户查询所缺的费用金额，从而可以将这个数值传递给电话用户。

## 第 59 条：避免不必要地使用受检的异常

受检的异常是Java程序设计语言的一项很好的特性。与返回代码不同，它们强迫程序员处理异常的条件，大大增强了可靠性。也就是说，过分使用受检的异常会使API使用起来非常不方便。如果方法抛出一个或者多个受检的异常，调用该方法的代码就必须在一个或者多个catch块中处理这些异常，或者它必须声明它抛出这些异常，并让它们传播出去。无论哪种方法，都给程序员增添了不可忽视的负担。

如果正确地使用API并不能阻止这种异常条件的产生，并且一旦产生异常，使用API的程序员可以立即采取有用的动作，这种负担就被认为是正当的。除非这两个条件都成立，否则更适合于使用未受检的异常。作为一个"石蕊"测试<sup>⊖</sup>，你可以试着问自己：程序员将如何处理该异常。下面的做法是最好的吗？

```
} catch(TheCheckedException e) {
    throw new AssertionError(); // Can't happen!
}
```

下面这种做法如何？

```
} catch(TheCheckedException e) {
    e.printStackTrace();        // Oh well, we lose.
    System.exit(1);
}
```

如果使用API的程序员无法做得比这更好，那么未受检的异常可能更为合适。这种例子就是CloneNotSupportedException。它是被Object.clone抛出来的，而Object.clone应该只是在实现了Cloneable的对象上才可以被调用（见第11条）。在实践中，catch块几乎总是具有断言（assertion）失败的特征。异常受检的本质并没有为程序员提供任何好处，它反而需要付出努力，还使程序更为复杂。

被一个方法单独抛出的受检异常，会给程序员带来非常高的额外负担。如果这个方法还有其他的受检异常，它被调用的时候一定已经出现在一个try块中，所以这个异常只需要另外一个catch块。如果方法只抛出单个受检的异常，仅仅一个异常就会导致该方法不得不处于try块中。在这些情况下，应该问自己，是否有别的途径来避免使用受检的异常。

"把受检的异常变成未受检的异常"的一种方法是，把这个抛出异常的方法分成两个方法，其中第一个方法返回一个boolean，表明是否应该抛出异常。这种API重构，把下面的调用序列：

---

⊖ 石蕊测试指简单而具有决定性的测试。——编辑注

```
// Invocation with checked exception
try {
    obj.action(args);
} catch(TheCheckedException e) {
    // Handle exceptional condition
    ...
}
```

重构为：

```
// Invocation with state-testing method and unchecked exception
if (obj.actionPermitted(args)) {
    obj.action(args);
} else {
    // Handle exceptional condition
    ...
}
```

　　这种重构并不总是恰当的，但是，凡是在恰当的地方，它都会使API用起来更加舒服。虽然后者的调用序列没有前者的漂亮，但是这样得到的API更加灵活。如果程序员知道调用将会成功，或者不介意由于调用失败而导致的线程终止，这种重构还允许以下这个更为简单的调用形式：

```
obj.action(args);
```

　　如果你怀疑这个简单的调用序列是否合乎要求，这个API重构可能就是恰当的。这种重构之后的API在本质上等同于第57条中的"状态测试方法"，并且，同样的告诫依然适用：如果对象将在缺少外部同步的情况下被并发访问，或者可被外界改变状态，这种重构就是不恰当的，因为在actionPermitted和action这两个调用的时间间隔之中，对象的状态有可能会发生变化。如果单独的actionPermitted方法必须重复action方法的工作，出于性能的考虑，这种API重构就不值得去做。

## 第 60 条：优先使用标准的异常

专家级程序员与缺乏经验的程序员一个最主要的区别在于，专家追求并且通常也能够实现高度的代码重用。代码重用是值得提倡的，这是一条通用的规则，异常也不例外。Java平台类库提供了一组基本的未受检的异常，它们满足了绝大多数API的异常抛出需要。本条目中，我们将讨论这些常见的可重用异常。

重用现有的异常有多方面的好处。其中最主要的好处是，它使你的API更加易于学习和使用，因为它与程序员已经熟悉的习惯用法是一致的。第二个好处是，对于用到这些API的程序而言，它们的可读性会更好，因为它们不会出现很多程序员不熟悉的异常。最后（也是最不重要的）一点是，异常类越少，意味着内存印迹（footprint）就越小，装载这些类的时间开销也越少。

最经常被重用的异常是IllegalArgumentException。当调用者传递的参数值不合适的时候，往往就会抛出这个异常。例如，假设一个参数代表了"某个动作的重复次数"，如果程序员给这个参数传递了一个负数，就会抛出这个异常。

另一个经常被重用的异常是IllegalStateException。如果因为接收对象的状态而使调用非法，通常就会抛出这个异常。例如，如果在某个对象被正确地初始化之前，调用者就企图使用这个对象，就会抛出这个异常。

可以这么说，所有错误的方法调用都可以被归结为非法参数或者非法状态，但是，其他还有一些标准异常也被用于某些特定情况下的非法参数和非法状态。如果调用者在某个不允许null值的参数中传递了null，习惯的做法就是抛出NullPointerException，而不是IllegalArgument-Exception。同样地，如果调用者在表示序列下标的参数中传递了越界的值，应该抛出的就是IndexOutOfBoundsException，而不是IllegalArgumentException。

另一个值得了解的通用异常是ConcurrentModificationException。如果一个对象被设计为专用于单线程或者与外部同步机制配合使用，一旦发现它正在（或已经）被并发地修改，就应该抛出这个异常。

最后一个值得注意的通用异常是UnsupportedOperationException。如果对象不支持所请求的操作，就会抛出这个异常。与本条目中讨论的其他异常相比，它很少用到，因为绝大多数对象都会支持它们实现的所有方法。如果接口的具体实现没有实现该接口所定义的一个或者多个可选操作，它就可以使用这个异常。例如，对于只支持追加操作的List实现，如果有人试图从列表中删除元素，它就会抛出这个异常。

表9-1概括了最常见的可重用异常。

表9-1　常用的异常

| 异　常 | 使 用 场 合 |
| --- | --- |
| IllegalArgumentException | 非null的参数值不正确 |
| IllegalStateException | 对于方法调用而言，对象状态不合适 |
| NullPointerException | 在禁止使用null的情况下参数值为null |
| IndexOutOfBoundsException | 下标参数值越界 |
| ConcurrentModificationException | 在禁止并发修改的情况下，检测到对象的并发修改 |
| UnsupportedOperationException | 对象不支持用户请求的方法 |

　　虽然它们是Java平台类库中迄今为止最常被重用的异常，但是，在条件许可的情况下，其他的异常也可以被重用。例如，如果要实现诸如复数或者有理数之类的算术对象，也可以重用ArithmeticException和NumberFormatException。如果某个异常能够满足你的需要，就不要犹豫，使用就是，不过，一定要确保抛出异常的条件与该异常的文档中描述的条件一致。这种重用必须建立在语义的基础上，而不是建立在名称的基础之上。而且，如果希望稍微增加更多的失败－捕获（failure-capture）信息（见第63条），可以放心地把现有的异常进行子类化。

　　最后，一定要清楚，选择重用哪个异常并不总是那么精确，因为上表中的"使用场合"并不是相互排斥的。例如，考虑表示一副纸牌的对象。假设有个处理发牌操作的方法，它的参数是发一手牌的纸牌张数。假设调用者在这个参数中传递的值大于整副纸牌的剩余张数。这种情形既可以被解释为IllegalArgumentException（handSize参数的值太大），也可以被解释为IllegalStateException（相对于客户的请求而言，纸牌对象包含的纸牌太少）。在这个例子中，感觉IllegalArgumentException要好一些，不过，这里并没有严格的规则。

## 第 61 条：抛出与抽象相对应的异常

如果方法抛出的异常与它所执行的任务没有明显的联系，这种情形将会使人不知所措。当方法传递由低层抽象抛出的异常时，往往会发生这种情况。除了使人感到困惑之外，这也让实现细节污染了更高层的API。如果高层的实现在后续的发行版本中发生了变化，它所抛出的异常也可能会跟着发生变化，从而潜在地破坏现有的客户端程序。

为了避免这个问题，更高层的实现应该捕获低层的异常，同时抛出可以按照高层抽象进行解释的异常。这种做法被称为异常转译（exception translation），如下所示：

```
// Exception Translation
try {
    // Use lower-level abstraction to do our bidding
    ...
} catch(LowerLevelException e) {
    throw new HigherLevelException(...);
}
```

下面的异常转译例子取自于AbstractSequentialList类，该类是List接口的一个骨架实现（skeletal implementation）（见第18条）。在这个例子中，按照List<E>接口中get方法的规范要求，异常转译是必需的：

```
/**
 * Returns the element at the specified position in this list.
 * @throws IndexOutOfBoundsException if the index is out of range
 *         ({@code index < 0 || index >= size()}).
 */
public E get(int index) {
    ListIterator<E> i = listIterator(index);
    try {
        return i.next();
    } catch(NoSuchElementException e) {
        throw new IndexOutOfBoundsException("Index: " + index);
    }
}
```

一种特殊的异常转译形式称为异常链（exception chaining），如果低层的异常对于调试导致高层异常的问题非常有帮助，使用异常链就很合适。低层的异常（原因）被传到高层的异常，高层的异常提供访问方法（Throwable.getCause）来获得低层的异常：

```
// Exception Chaining
try {
    ... // Use lower-level abstraction to do our bidding
} catch (LowerLevelException cause) {
    throw new HigherLevelException(cause);
}
```

高层异常的构造器将原因传到支持链（chaining-aware）的超级构造器，因此它最终将被传给Throwable的其中一个运行异常链的构造器，例如Throwable（Throwable）：

```
// Exception with chaining-aware constructor
class HigherLevelException extends Exception {
    HigherLevelException(Throwable cause) {
        super(cause);
    }
}
```

大多数标准的异常都有支持链的构造器。对于没有支持链的异常，可以利用Throwable的initCause方法设置原因。异常链不仅让你可以通过程序（用getCause）访问原因，它还可以将原因的堆栈轨迹集成到更高层的异常中。

尽管异常转译与不加选择地从低层传递异常的做法相比有所改进，但是它也不能被滥用。如有可能，处理来自低层异常的最好做法是，在调用低层方法之前确保它们会成功执行，从而避免它们抛出异常。有时候，可以在给低层传递参数之前，检查更高层方法的参数的有效性，从而避免低层方法抛出异常。

如果无法避免低层异常，次选方案是，让更高层来悄悄地绕开这些异常，从而将高层方法的调用者与低层的问题隔离开来。在这种情况下，可以用某种适当的记录机制（如java.util.logging）将异常记录下来。这样有助于管理员调查问题，同时又将客户端代码和最终用户与问题隔离开来。

总而言之，如果不能阻止或者处理来自更低层的异常，一般的做法是使用异常转译，除非低层方法碰巧可以保证它抛出的所有异常对高层也合适才可以将异常从低层传播到高层。异常链对高层和低层异常都提供了最佳的功能：它允许抛出适当的高层异常，同时又能捕获底层的原因进行失败分析（见第63条）。

## 第 62 条：每个方法抛出的异常都要有文档

描述一个方法所抛出的异常，是正确使用这个方法时所需文档的重要组成部分。因此，花点时间仔细地为每个方法抛出的异常建立文档是特别重要的。

始终要单独地声明受检的异常，并且利用Javadoc的@throws标记，准确地记录下抛出每个异常的条件。如果一个方法可能抛出多个异常类，则不要使用"快捷方式"声明它会抛出这些异常类的某个超类。永远不要声明一个方法"throws Exception"，或者更糟糕的是声明它"throws Throwable"，这是非常极端的例子。这样的声明不仅没有为程序员提供关于"这个方法能够抛出哪些异常"的任何指导信息，而且大大地妨碍了该方法的使用，因为它实际上掩盖了该方法在同样的执行环境下可能抛出的任何其他异常。

虽然Java语言本身并不要求程序员为一个方法声明它可能会抛出的未受检异常，但是，如同受检异常一样，仔细地为它们建立文档是非常明智的。未受检的异常通常代表编程上的错误（见第58条），让程序员了解所有这些错误都有助于帮助他们避免犯这样的错误。对于方法可能抛出的未受检异常，如果将这些异常信息很好地组织成列表文档，就可以有效地描述出这个方法被成功执行的前提条件（**precondition**）。每个方法的文档应该描述它的前提条件，这是很重要的，在文档中记录下未受检的异常是满足前提条件的最佳做法。

对于接口中的方法，在文档中记录下它可能抛出的未受检异常显得尤为重要。这份文档构成了该接口的通用约定（**general contract**）的一部分，它指定了该接口的多个实现必须遵循的公共行为。

使用Javadoc的@throws标签记录下一个方法可能抛出的每个未受检异常，但是不要使用throws关键字将未受检的异常包含在方法的声明中。使用API的程序员必须知道哪些异常是需要受检的，哪些是不需要受检的，这很重要，因为这两种情况下他们的责任是不同的。当缺少由throws声明产生的方法标头时，由Javadoc的@throws标签所产生的文档就会提供明显的提示信息，以帮助程序员区分受检的异常和未受检的异常。

应该注意到，为每个方法可能抛出的所有未受检异常建立文档是很理想的，但是在实践中并非总能做到这一点。当类被修订之后，如果有个导出方法被修改了，它将会抛出额外的未受检异常，这不算违反源代码或者二进制兼容性。假设一个类调用了另一个独立类中的方法。第一个类的编写者可能会为每个方法抛出的未受检异常仔细地建立文档，但是，如果第二个类被修订了，抛出了额外的未受检异常，很有可能第一个类（它并没有被修订）就会把新的未受检异常传播出去，尽管它并没有声明这些异常。

如果一个类中的许多方法出于同样的原因而抛出同一个异常，在该类的文档注释中对这个异常建立文档，这是可以接受的，而不是为每个方法单独建立文档。一个常见的例子是 NullPointerException。如果类的文档注释中有这样的描述：“（All methods in this class throw a NullPointerException if a null object reference is passed in any parameter）如果null对象引用被传递到任何一个参数中，这个类中的所有方法都会抛出NullPointerException”，或者有其他类似的语句，这是可以的。

　　总而言之，要为你编写的每个方法所能抛出的每个异常建立文档。对于未受检和受检的异常，以及对于抽象的和具体的方法也都一样。要为每个受检异常提供单独的throws子句，不要为未受检的异常提供throws子句。如果没有为可以抛出的异常建立文档，其他人就很难或者根本不可能有效地使用你的类和接口。

## 第63条：在细节消息中包含能捕获失败的信息

当程序由于未被捕获的异常而失败的时候，系统会自动地打印出该异常的堆栈轨迹。在堆栈轨迹中包含该异常的字符串表示法（**string representation**），即它的toString方法的调用结果。它通常包含该异常的类名，紧随其后的是细节消息（**detail message**）。通常，这只是程序员或者域服务人员（field service personnel，指检查软件失败的人）在调查软件失败原因时必须检查的信息。如果失败的情形不容易重现，要想获得更多的信息会非常困难，甚至是不可能的。因此，异常类型的toString方法应该尽可能多地返回有关失败原因的信息，这一点特别重要。换句话说，异常的细节消息应该捕获住失败，便于以后分析。

为了捕获失败，异常的细节信息应该包含所有"对该异常有贡献"的参数和域的值。例如，IndexOutOfBoundsException异常的细节消息应该包含下界、上界以及没有落在界内的下标值。该细节消息提供了许多关于失败的信息。这三个值中任何一个或者全部都有可能是错的。实际的下标值可能小于下界或等于上界（"越界错误"），或者它可能是个无效值，太小或太大。下界也有可能大于上界（严重违反内部约束条件的一种情况）。每一种情形都代表了不同的问题，如果程序员知道应该去查找哪种错误，就可以极大地加速诊断过程。

虽然在异常的细节消息中包含所有相关的"硬数据（hard data）"是非常重要的，但是包含大量的描述信息往往没有什么意义。堆栈轨迹的用途是与源文件结合起来进行分析，它通常包含抛出该异常的确切文件和行数，以及堆栈中所有其他方法调用所在的文件和行数。关于失败的冗长描述信息通常是不必要的，这些信息可以通过阅读源代码而获得。

异常的细节消息不应该与"用户层次的错误消息"混为一谈，后者对于最终用户而言必须是可理解的。与用户层次的错误消息不同，异常的字符串表示法主要是让程序员或者域服务人员用来分析失败的原因。因此，信息的内容比可理解性要重要得多。

为了确保在异常的细节消息中包含足够的能捕获失败的信息，一种办法是在异常的构造器而不是字符串细节消息中引入这些信息。然后，有了这些信息，只要把它们放到消息描述中，就可以自动产生细节消息。例如，IndexOutOfBoundsException并不是有个String构造器，而是有个这样的构造器：

```
/**
 * Construct an IndexOutOfBoundsException.
 *
 * @param lowerBound the lowest legal index value.
 * @param upperBound the highest legal index value plus one.
 * @param index      the actual index value.
 */
public IndexOutOfBoundsException(int lowerBound, int upperBound,
                                 int index) {
    // Generate a detail message that captures the failure
```

```
super("Lower bound: "   + lowerBound +
      ", Upper bound: " + upperBound +
      ", Index: "       + index);

    // Save failure information for programmatic access
    this.lowerBound = lowerBound;
    this.upperBound = upperBound;
    this.index = index;
}
```

　　遗憾的是，Java平台类库并没有广泛地使用这种做法，但是，这种做法仍然值得大力推荐。它使程序员更加易于抛出异常以捕获失败。实际上，这种做法使程序员不想捕获失败都难！这种做法可以有效地把代码集中起来放在异常类中，由这些代码对异常类自身中的异常产生高质量的细节消息，而不是要求类的每个用户都多余地产生细节消息。

　　正如第58条中所建议的，为异常的"失败捕获"信息提供一些访问方法是合适的（在上述例子中的lowerBound、upperBound和index方法）提供一些访问方法是合适的。提供这样的访问方法对于受检的异常，比对于未受检的异常更为重要，因为失败——捕获信息对于从失败中恢复是非常有用的。程序员希望通过程序的手段来访问未受检异常的细节，这很少见（尽管也是可以想像得到的）。然而，即使对于未受检的异常，作为一般原则提供这些访问方法也是明智的（见第44页中的第10条）。

## 第 64 条：努力使失败保持原子性

当对象抛出异常之后，通常我们期望这个对象仍然保持在一种定义良好的可用状态之中，即使失败是发生在执行某个操作的过程中间。对于受检的异常而言，这尤为重要，因为调用者期望能从这种异常中进行恢复。一般而言，失败的方法调用应该使对象保持在被调用之前的状态。具有这种属性的方法被称为具有失败原子性（**failure atomic**）。

有几种途径可以实现这种效果。最简单的办法莫过于设计一个不可变的对象（见第15条）。如果对象是不可变的，失败原子性就是显然的。如果一个操作失败了，它可能会阻止创建新的对象，但是永远也不会使已有的对象保持在不一致的状态之中，因为当每个对象被创建之后它就处于一致的状态之中，以后也不会再发生变化。

对于在可变对象上执行操作的方法，获得失败原子性最常见的办法是，在执行操作之前检查参数的有效性（见第38条）。这可以使得在对象的状态被修改之前，先抛出适当的异常。例如，考虑第6条中的Stack.pop方法：

```
public Object pop() {
    if (size == 0)
        throw new EmptyStackException();
    Object result = elements[--size];
    elements[size] = null; // Eliminate obsolete reference
    return result;
}
```

如果取消对初始大小（size）的检查，当这个方法企图从一个空栈中弹出元素时，它仍然会抛出异常。然而，这将会导致size域保持在不一致的状态（负数）之中，从而导致将来对该对象的任何方法调用都会失败。此外，那时候pop方法抛出的异常也不适于抽象（见第61条）。

一种类似的获得失败原子性的办法是，调整计算处理过程的顺序，使得任何可能会失败的计算部分都在对象状态被修改之前发生。如果对参数的检查只有在执行了部分计算之后才能进行，这种办法实际上就是上一种办法的自然扩展。例如，考虑TreeMap的情形，它的元素被按照某种特定的顺序做了排序。为了向TreeMap中添加元素，该元素的类型就必须是可以利用TreeMap的排序准则与其他元素进行比较的。如果企图增加类型不正确的元素，在tree以任何方式被修改之前，自然会导致ClassCastException异常。

第三种获得失败原子性的办法远远没有那么常用，做法是编写一段恢复代码（**recovery code**），由它来拦截操作过程中发生的失败，以及使对象回滚到操作开始之前的状态上。这种办法主要用于永久性的（基于磁盘的（disk-based））数据结构。

最后一种获得失败原子性的办法是，在对象的一份临时拷贝上执行操作，当操作完成之后再用临时拷贝中的结果代替对象的内容。如果数据保存在临时的数据结构中，计算过程会更加迅速，使用这种办法就是件很自然的事。例如，Collections.sort在执行排序之前，首先把它的输入列表转到一个数组中，以便降低在排序的内循环中访问元素所需要的开销。这是出于性能考虑的做法，但是，它增加了一项优势：即使排序失败，它也能保证输入列表保持原样。

　　虽然一般情况下都希望实现失败原子性，但并非总是可以做到。例如，如果两个线程企图在没有适当的同步机制的情况下，并发地修改同一个对象，这个对象就有可能被留在不一致的状态之中。因此，在捕获了ConcurrentModificationException异常之后再假设对象仍然是可用的，这就是不正确的。错误（相对于异常）通常是不可恢复的，当方法抛出错误时，它们不需要努力保持失败原子性。

　　即使在可以实现失败原子性的场合，它也并不总是人们所期望的。对于某些操作，它会显著地增加开销或者复杂性。但一旦意识到这个问题，实现失败原子性往往轻松自如。

　　一般而言，作为方法规范的一部分，产生的任何异常都应该让对象保持在该方法调用之前的状态。如果违反这条规则，API文档就应该清楚地指明对象将会处于什么样的状态。遗憾的是，大量现有的API文档都未能做到这一点。

## 第 65 条：不要忽略异常

　　尽管这条建议看上去是显而易见的，但是它却常常被违反，因而值得再次提出来。当API的设计者声明一个方法将抛出某个异常的时候，他们等于正在试图说明某些事情。所以，请不要忽略它！要忽略一个异常非常容易，只需将方法调用通过try语句包围起来，并包含一个空的catch块：

```
// Empty catch block ignores exception - Highly suspect!
try {
    ...
} catch (SomeException e) {
}
```

　　空的catch块会使异常达不到应有的目的，即强迫你处理异常的情况。忽略异常就如同忽略火警信号一样——若把火警信号器关掉了，当真正的火灾发生时，就没有人能看到火警信号了。或许你会侥幸逃过劫难，或许结果将是灾难性的。每当见到空的catch块时，应该警钟长鸣。至少，catch块也应该包含一条说明，解释为什么可以忽略这个异常。

　　有一种情形可以忽略异常，即关闭FileInputStream的时候。因为你还没有改变文件的状态，因此不必执行任何恢复动作，并且已经从文件中读取到所需要的信息，因此不必终止正在进行的操作。即使在这种情况下，把异常记录下来还是明智的做法，因为如果这些异常经常发生，你就可以调查异常的原因。

　　本条目中的建议同样适用于受检异常和未受检的异常。不管异常代表了可预见的异常条件，还是编程错误，用空的catch块忽略它，将会导致程序在遇到错误的情况下悄然地执行下去。然后，有可能在将来的某个点上，当程序不能再容忍与错误源明显相关的问题时，它就会失败。正确地处理异常能够彻底挽回失败。只要将异常传播给外界，至少会导致程序迅速地失败，从而保留了有助于调试该失败条件的信息。

# 第10章

# 并　发

**线**程（Thread）机制允许同时进行多个活动。并发程序设计比单线程程序设计要困难得多，因为有更多的东西可能出错，也很难以重现失败。但是你无法避免并发，因为我们所做的大部分事情都需要并发，而且并发也是能否从多核的处理器中获得好的性能的一个条件，这些现在都是很平常的事了。本章阐述的建议可以帮助你编写出清晰、正确、文档组织良好的并发程序。

## 第 66 条：同步访问共享的可变数据

关键字synchronized可以保证在同一时刻，只有一个线程可以执行某一个方法，或者某一个代码块。许多程序员把同步的概念仅仅理解为一种互斥的方式，即，当一个对象被一个线程修改的时候，可以阻止另一个线程观察到对象内部不一致的状态。按照这种观点，对象被创建的时候处于一致的状态（见第15条），当有方法访问它的时候，它就被锁定了。这些方法观察到对象的状态，并且可能会引起状态转变（**state transition**），即把对象从一种一致的状态转换到另一种一致的状态。正确地使用同步可以保证没有任何方法会看到对象处于不一致的状态中。

这种观点是正确的，但是它并没有说明同步的全部意义。如果没有同步，一个线程的变化就不能被其他线程看到。同步不仅可以阻止一个线程看到对象处于不一致的状态之中，它还可以保证进入同步方法或者同步代码块的每个线程，都看到由同一个锁保护的之前所有的修改效果。

Java语言规范保证读或者写一个变量是原子的（**atomic**），除非这个变量的类型为long或者double[JLS，17.4.7]。换句话说，读取一个非long或double类型的变量，可以保证返回的值是某个线程保存在该变量中的，即使多个线程在没有同步的情况下并发地修改这个变量也是如此。

你可能听说过，为了提高性能，在读或写原子数据的时候，应该避免使用同步。这个建议是非常危险而错误的。虽然语言规范保证了线程在读取原子数据的时候，不会看到任意的数值，但是它并不保证一个线程写入的值对于另一个线程将是可见的。为了在线程之间进行可靠的通信，也为了互斥访问，同步是必要的。这归因于Java语言规范中的内存模型（**memory model**），它规定了一个线程所做的变化何时以及如何变成对其他线程可见[JLS, 17, Goetz06 16]。

如果对共享的可变数据的访问不能同步，其后果将非常可怕，即使这个变量是原子可读写的。考虑下面这个阻止一个线程妨碍另一个线程的任务。Java的类库中提供了Thread.stop方法，但是这个方法在很久以前就不提倡使用，因为它本质上是不安全的（**unsafe**）——使用它会导致数据遭到破坏。不要使用**Thread.stop**。要阻止一个线程妨碍另一个线程，建议做法是让第一个线程轮询（poll）一个boolean域，这个域一开始为false，但是可以通过第二个线程设置为true，以表示第一个线程将终止自己。由于boolean域的读和写操作都是原子的，程序员在访问这个域的时候不再使用同步：

```
// Broken! - How long would you expect this program to run?
public class StopThread {
    private static boolean stopRequested;

    public static void main(String[] args)
            throws InterruptedException {
        Thread backgroundThread = new Thread(new Runnable() {
            public void run() {
                int i = 0;
                while (!stopRequested)
                    i++;
            }
        });
        backgroundThread.start();

        TimeUnit.SECONDS.sleep(1);
        stopRequested = true;
    }
}
```

你可能期待这个程序运行大约一秒钟左右，之后主线程将stopRequested设置为true，致使后台线程的循环终止。但是在我的机器上，这个程序永远不会终止：因为后台线程永远在循环！

问题在于，由于没有同步，就不能保证后台线程何时"看到"主线程对stopRequested的值所做的改变。没有同步，虚拟机将这个代码：

```
while (!done)
    i++;
```

转变成这样：

```
if (!done)
    while (true)
        i++;
```

　　这是可以接受的。这种优化称作提升（**hoisting**），正是HopSpot Server VM的工作。结果是个活性失败（**liveness failure**）：这个程序无法前进。修正这个问题的一种方式是同步访问stopRequested域。这个程序会如预期般在大约一秒钟之内终止：

```
// Properly synchronized cooperative thread termination
public class StopThread {
    private static boolean stopRequested;
    private static synchronized void requestStop() {
        stopRequested = true;
    }
    private static synchronized boolean stopRequested() {
        return stopRequested;
    }

    public static void main(String[] args)
            throws InterruptedException {
        Thread backgroundThread = new Thread(new Runnable() {
            public void run() {
                int i = 0;
                while (!stopRequested())
                    i++;
            }
        });
        backgroundThread.start();

        TimeUnit.SECONDS.sleep(1);
        requestStop();
    }
}
```

　　注意写方法（**requestStop**）和读方法（**stopRequested**）都被同步了。只同步写方法还不够！实际上，如果读和写操作没有都被同步，同步就不会起作用。

　　StopThread中被同步方法的动作即使没有同步也是原子的。换句话说，这些方法的同步只是为了它的通信效果，而不是为了互斥访问。虽然循环的每个迭代中的同步开销很小，还是有其他更正确的替代方法，它更加简洁，性能也可能更好。如果stopRequested被声明为volatile，第二种版本的StopThread中的锁就可以省略。虽然volatile修饰符不执行互斥访问，但它可以保证任何一个线程在读取该域的时候都将看到最近刚刚被写入的值：

```
// Cooperative thread termination with a volatile field
public class StopThread {
    private static volatile boolean stopRequested;

    public static void main(String[] args)
            throws InterruptedException {
        Thread backgroundThread = new Thread(new Runnable() {
            public void run() {
                int i = 0;
                while (!stopRequested)
                    i++;
            }
```

```
        });
        backgroundThread.start();

        TimeUnit.SECONDS.sleep(1);
        stopRequested = true;
    }
}
```

在使用volatile的时候务必要小心。考虑下面的方法,假设它要产生序列号:

```
// Broken - requires synchronization!
private static volatile int nextSerialNumber = 0;

public static int generateSerialNumber() {
    return nextSerialNumber++;
}
```

这个方法的目的是要确保每个调用都返回不同的值(只要不超过 $2^{32}$ 个调用)。这个方法的状态只包含一个可原子访问的域:nextSerialNumber,这个域的所有可能的值都是合法的。因此,不需要任何同步来保护它的约束条件。然而,如果没有同步,这个方法仍然无法正常工作。

问题在于,增量操作符(++)不是原子的。它在nextSerialNumber域中执行两项操作:首先它读取值,然后写回一个新值,相当于原来的值再加上1。如果第二个线程在第一个线程读取旧值和写回新值期间读取这个域,第二个线程就会与第一个线程一起看到同一个值,并返回相同的序列号。这就是安全性失败(**safety failure**):这个程序会计算出错误的结果。

修正generateSerialNumber方法的一种方法是在它的声明中增加synchronized修饰符。这样可以确保多个调用不会交叉存取,确保每个调用都会看到之前所有调用的效果。一旦这么做,就可以且应该从nextSerialNumber中删除volatile修饰符。为了让这个方法更可靠,要用long代替int,或者在nextSerialNumber快要重叠时抛出异常。

最好还是遵循第47条中的建议,使用类AtomicLong,它是java.util.concurrent.atomic的一部分。它所做的工作正是你想要的,并且有可能比同步版的generateSerialNumber执行得更好:

```
private static final AtomicLong nextSerialNum = new AtomicLong();

public static long generateSerialNumber() {
    return nextSerialNum.getAndIncrement();
}
```

避免本条目中所讨论到的问题的最佳办法是不共享可变的数据。要么共享不可变的数据(见第15条),要么压根不共享。换句话说,将可变数据限制在单个线程中。如果采用这一策略,对它建立文档就很重要,以便它可以随着程序的发展而得到维护。深刻地理解正在使用的框架和类库也很重要,因为它们引入了你所不知道的线程。

让一个线程在短时间内修改一个数据对象，然后与其他线程共享，这是可以接受的，只同步共享对象引用的动作。然后其他线程没有进一步的同步也可以读取对象，只要它没有再被修改。这种对象被称作事实上不可变的（**effectively immutable**）[Goetz06 3.5.4]。将这种对象引用从一个线程传递到其他的线程被称作安全发布（**safe publication**）[Goetz06 3.5.3]。安全发布对象引用有许多种方法：可以将它保存在静态域中，作为类初始化的一部分；可以将它保存在volatile域、final域或者通过正常锁定访问的域中；或者可以将它放到并发的集合中（见第69条）。

简而言之，当多个线程共享可变数据的时候，每个读或者写数据的线程都必须执行同步。如果没有同步，就无法保证一个线程所做的修改可以被另一个线程获知。未能同步共享可变数据会造成程序的活性失败（**liveness failure**）和安全性失败（**safety failure**）。这样的失败是最难以调试的。它们可能是间歇性的，且与时间相关，程序的行为在不同的VM上可能根本不同。如果只需要线程之间的交互通信，而不需要互斥，volatile修饰符就是一种可以接受的同步形式，但要正确地使用它可能需要一些技巧。

## 第 67 条：避免过度同步

第66条告诫我们缺少同步的危险性。本条目则关注相反的问题。依据情况的不同，过度同步可能会导致性能降低、死锁，甚至不确定的行为。

为了避免活性失败和安全性失败，在一个被同步的方法或者代码块中，永远不要放弃对客户端的控制。换句话说，在一个被同步的区域内部，不要调用设计成要被覆盖的方法，或者是由客户端以函数对象的形式提供的方法（见第21条）。从包含该同步区域的类的角度来看，这样的方法是外来的（alien）。这个类不知道该方法会做什么事情，也无法控制它。根据外来方法的作用，从同步区域中调用它会导致异常、死锁或者数据损坏。

为了对这个过程进行更具体的说明，来考虑下面的类，它实现了一个可以观察到的集合包装（set wrapper）。该类允许客户端在将元素添加到集合中时预订通知。这就是观察者（Observer）模式[Gamma95, p.293]。为了简洁起见，类在从集合中删除元素时没有提供通知，但要提供通知也是件很容易的事情。这个类是在第73页第16条中可重用的ForwardingSet上实现的：

```java
// Broken - invokes alien method from synchronized block!
public class ObservableSet<E> extends ForwardingSet<E> {
    public ObservableSet(Set<E> set) { super(set); }

    private final List<SetObserver<E>> observers =
        new ArrayList<SetObserver<E>>();

    public void addObserver(SetObserver<E> observer) {
        synchronized(observers) {
            observers.add(observer);
        }
    }
    public boolean removeObserver(SetObserver<E> observer) {
        synchronized(observers) {
            return observers.remove(observer);
        }
    }
    private void notifyElementAdded(E element) {
        synchronized(observers) {
            for (SetObserver<E> observer : observers)
                observer.added(this, element);
        }
    }
    @Override public boolean add(E element) {
        boolean added = super.add(element);
        if (added)
            notifyElementAdded(element);
        return added;
    }

    @Override public boolean addAll(Collection<? extends E> c) {
        boolean result = false;
        for (E element : c)
            result |= add(element);  // calls notifyElementAdded
```

```
        return result;
    }
}
```

Observer通过调用addObserver方法预订通知，通过调用removeObserver方法取消预订。在这两种情况下，这个回调接口的实例都会被传递给方法：

```java
public interface SetObserver<E> {
    // Invoked when an element is added to the observable set
    void added(ObservableSet<E> set, E element);
}
```

如果只是粗略地检验一下，ObservableSet会显得很正常。例如，下面的程序打印出0～99的数字：

```java
public static void main(String[] args) {
    ObservableSet<Integer> set =
        new ObservableSet<Integer>(new HashSet<Integer>());

    set.addObserver(new SetObserver<Integer>() {
        public void added(ObservableSet<Integer> s, Integer e) {
            System.out.println(e);
        }
    });

    for (int i = 0; i < 100; i++)
        set.add(i);
}
```

现在我们来尝试一些更复杂点的例子。假设我们用一个addObserver调用来代替这个调用，用来替换的那个addObserver调用传递了一个打印Integer值的观察者，这个值被添加到该集合中，如果值为23，这个观察者要将自身删除：

```java
set.addObserver(new SetObserver<Integer>() {
    public void added(ObservableSet<Integer> s, Integer e) {
        System.out.println(e);
        if (e == 23) s.removeObserver(this);
    }
});
```

你可能以为这个程序会打印0～23的数字，之后观察者会取消预订，程序会悄悄地完成它的工作。实际上却是打印出0～23的数字，然后抛出ConcurrentModificationException。问题在于，当notifyElementAdded调用观察者的added方法时，它正处于遍历observers列表的过程中。added方法调用可观察集合的removeObserver方法，从而调用observers.remove。现在我们有麻烦了。我们正企图在遍历列表的过程中，将一个元素从列表中删除，这是非法的。notifyElementAdded方法中的迭代是在一个同步的块中，可以防止并发的修改，但是无法防止迭代线程本身回调到可观察的集合中，也无法防止修改它的observers列表。

现在我们要尝试一些比较奇特的例子：我们来编写一个试图取消预订的观察者，但是不直接调用removeObserver，它用另一个线程的服务来完成。这个观察者使用了一个**executor** service（见第68条）：

```
// Observer that uses a background thread needlessly
set.addObserver(new SetObserver<Integer>() {
    public void added(final ObservableSet<Integer> s, Integer e) {
        System.out.println(e);
        if (e == 23) {
            ExecutorService executor =
                Executors.newSingleThreadExecutor();
            final SetObserver<Integer> observer = this;
            try {
                executor.submit(new Runnable() {
                    public void run() {
                        s.removeObserver(observer);
                    }
                }).get();
            } catch (ExecutionException ex) {
                throw new AssertionError(ex.getCause());
            } catch (InterruptedException ex) {
                throw new AssertionError(ex.getCause());
            } finally {
                executor.shutdown();
            }
        }
    }
});
```

这一次我们没有遇到异常，而是遭遇了死锁。后台线程调用s.removeObserver，它企图锁定observers，但它无法获得该锁，因为主线程已经有锁了。在这期间，主线程一直在等待后台线程来完成对观察者的删除，这正是造成死锁的原因。

这个例子是刻意编写用来示范的，因为观察者实际上没理由使用后台线程，但这个问题却是真实的。从同步区域中调用外来方法，在真实的系统中已经造成了许多死锁，例如GUI工具箱。

在前面这两个例子中（异常和死锁），我们都还算幸运的。调用外来方法（**added**）时，同步区域（**observers**）所保护的资源处于一致的状态。假设当同步区域所保护的约束条件暂时无效时，你要从同步区域中调用一个外来方法。由于Java程序设计语言中的锁是可重入的（reentrant），这种调用不会死锁。就像在第一个例子中一样，它会产生一个异常，因为调用线程已经有这个锁了，因此当该线程试图再次获得该锁时会成功，尽管概念上不相关的另一项操作正在该锁所保护的数据上进行着。这种失败的后果可能是灾难性的。从本质上来说，这个锁没有尽到它的职责。可再入的锁简化了多线程的面向对象程序的构造，但是它们可能会将活性失败（lireness failure）变成安全性失败（safety failure）。

幸运的是，通过将外来方法的调用移出同步的代码块来解决这个问题通常并不太困难。对于notifyElementAdded方法，这还涉及给observers列表拍张"快照"，然后没有锁也可以安全地遍历这个列表了。经过这一修改，前两个例子运行起来便再也不会出现异常或者死锁了：

```
// Alien method moved outside of synchronized block - open calls
private void notifyElementAdded(E element) {
```

```
    List<SetObserver<E>> snapshot = null;
    synchronized(observers) {
        snapshot = new ArrayList<SetObserver<E>>(observers);
    }
    for (SetObserver<E> observer : snapshot)
        observer.added(this, element);
}
```

事实上，要将外来方法的调用移出同步的代码块，还有一种更好的方法。自从Java 1.5发行版本以来，Java类库就提供了一个并发集合（**concurrent collection**），见第69条，称作CopyOnWriteArrayList，这是专门为此定制的。这是ArrayList的一种变体，通过重新拷贝整个底层数组，在这里实现所有的写操作。由于内部数组永远不改动，因此迭代不需要锁定，速度也非常快。如果大量使用，CopyOnWriteArrayList的性能将大受影响，但是对于观察者列表来说却是很好的，因为它们几乎不改动，并且经常被遍历。

如果这个列表改成使用CopyOnWriteArrayList，就不必改动ObservableSet的add和addAll方法。下面是这个类的其余代码。注意其中并没有任何显式的同步。

```
// Thread-safe observable set with CopyOnWriteArrayList
private final List<SetObserver<E>> observers =
    new CopyOnWriteArrayList<SetObserver<E>>();

public void addObserver(SetObserver<E> observer) {
    observers.add(observer);
}
public boolean removeObserver(SetObserver<E> observer) {
    return observers.remove(observer);
}
private void notifyElementAdded(E element) {
    for (SetObserver<E> observer : observers)
        observer.added(this, element);
}
```

在同步区域之外被调用的外来方法被称作"开放调用（**open call**）" [Lea00, 2.4.1.3]。除了可以避免死锁之外，开放调用还可以极大地增加并发性。外来方法的运行时间可能会任意长。如果在同步区域内调用外来方法，其他线程对受保护资源的访问就会遭到不必要的拒绝。

通常，你应该在同步区域内做尽可能少的工作。获得锁，检查共享数据，根据需要转换数据，然后放掉锁。如果你必须要执行某个很耗时的动作，则应该设法把这个动作移到同步区域的外面，而不违背第66条中的指导方针。

本条目的第一部分是关于正确性的。接下来，我们要简单地讨论一下性能。虽然自从Java平台早期以来，同步的成本已经下降了，但更重要的是，永远不要过度同步。在这个多核的时代，过度同步的实际成本并不是指获取锁所花费的CPU时间；而是指失去了并行的机会，以及因为需要确保每个核都有一个一致的内存视图而导致的延迟。过度同步的另一项潜在开销在于，它会限制VM优化代码执行的能力。

如果一个可变的类要并发使用，应该使这个类变成是线程安全的（见第70条），通过内部同步，你还可以获得明显比从外部锁定整个对象更高的并发性。否则，就不要在内部同步。让客户在必要的时候从外部同步。在Java平台出现的早期，许多类都违背了这些指导方针。例如，StringBuffer实例几乎总是被用于单个线程之中，而它们执行的却是内部同步。为此，StringBuffer基本上都由StringBuilder代替，它在Java 1.5发行版本中是个非同步的StringBuffer。当你不确定的时候，就不要同步你的类，而是应该建立文档，注明它不是线程安全的（见第70条）。

如果你在内部同步了类，就可以使用不同的方法来实现高并发性，例如分拆锁（lock splitting）、分离锁（lock striping）和非阻塞（nonblocking）并发控制。这些方法都超出了本书的讨论范围，但有其他著作对此进行了阐述[Goetz06, Lea00]。

如果方法修改了静态域，那么你也必须同步对这个域的访问，即使它往往只用于单个线程。客户要在这种方法上执行外部同步是不可能的，因为不可能保证其他不相关的客户也会执行外部同步。第232页中的generateSerialNumber方法就是这样的一个例子。

简而言之，为了避免死锁和数据破坏，千万不要从同步区域内部调用外来方法。更为一般地讲，要尽量限制同步区域内部的工作量。当你在设计一个可变类的时候，要考虑一下它们是否应该自己完成同步操作。在现在这个多核的时代，这比永远不要过度同步来得更重要。只有当你有足够的理由一定要在内部同步类的时候，才应该这么做，同时还应该将这个决定清楚地写到文档中（见第70条）。

## 第 68 条：executor 和 task 优先于线程

本书第1版中阐述了简单的工作队列（**work queue**）[Bloch01，见第50条]的代码。这个类允许客户将后台线程异步处理的工作项目加入队列（enqueue）。当不再需要这个工作队列时，客户端可以调用一个方法，让后台线程在完成了已经在队列中的所有工作之后，优雅地终止自己。这个实现几乎就像件玩具，但即使如此，它还是需要一整页精细的代码，一不小心，就容易出现安全问题或者导致活性失败（liveness failure）。幸运的是，你再也不需要编写这样的代码了。

在Java 1.5发行版本中，Java平台中增加了java.util.concurrent。这个包中包含了一个**Executor Framework**，这是一个很灵活的基于接口的任务执行工具。它创建了一个在各方面都比本书第一版更好的工作队列，却只需要这一行代码：

```
ExecutorService executor = Executors.newSingleThreadExecutor();
```

下面是为执行提交一个runnable的方法：

```
executor.execute(runnable);
```

下面是告诉executor如何优雅地终止（如果做不到这一点，虚拟机可能将不会退出）：

```
executor.shutdown();
```

你可以利用executor service完成更多的事情。例如，可以等待完成一项特殊的任务（就如第236页第67条中的"后台线程SetObserver"中的一样），你可以等待一个任务集合中的任何任务或者所有任务完成（利用invokeAny或者invokeAll方法），你可以等待executor service优雅地完成终止（利用awaitTermination方法），你可以在任务完成时逐个地获取这些任务的结果（利用ExecutorCompletionService），等等。

如果想让不止一个线程来处理来自这个队列的请求，只要调用一个不同的静态工厂，这个工厂创建了一种不同的executor service，称作线程池（**thread pool**）。你可以用固定或者可变数目的线程创建一个线程池。java.util.concurrent.Executors类包含了静态工厂，能为你提供所需的大多数executor。然而，如果你想来点特别的，可以直接使用ThreadPoolExecutor类。这个类允许你控制线程池操作的几乎每个方面。

为特殊的应用程序选择executor service是很有技巧的。如果编写的是小程序，或者是轻载的服务器，使用Executors.newCachedThreadPool通常是个不错的选择，因为它不需要配置，并且一般情况下能够正确地完成工作。但是对于大负载的服务器来说，缓存的线程池就不是很好的选择了！在缓存的线程池中，被提交的任务没有排成队列，而是直接交给线程执行。如果没有线程可用，就创建一个新的线程。如果服务器负载得太重，以致它所有的CPU都完全被占用了，当有更多的任务时，就会创建更多的线程，这样只会使情况变得更糟。因此，在大负载的产品服务器中，最好使用Executors.newFixedThreadPool，它为你提供了一个包含固定线程数目的线程池，或者为了最大限度地控制它，就直接使用ThreadPoolExecutor类。

你不仅应该尽量不要编写自己的工作队列，而且还应该尽量不直接使用线程。现在关键的抽象不再是Thread了，它以前可是既充当工作单元，又是执行机制。现在工作单元和执行机制是分开的。现在关键的抽象是工作单元，称作任务（task）。任务有两种：Runnable及其近亲Callable（它与Runnable类似，但它会返回值）。执行任务的通用机制是executor service。如果你从任务的角度来看问题，并让一个executor service替你执行任务，在选择适当的执行策略方面就获得了极大的灵活性。从本质上讲，Executor Famework所做的工作是执行，犹如Collections Framework所做的工作是聚集（aggregation）一样。

Executor Framework也有一个可以代替java.util.Timer的东西，即ScheduledThreadPool-Executor。虽然timer使用起来更加容易，但是被调度的线程池executor更加灵活。timer只用一个线程来执行任务，这在面对长期运行的任务时，会影响到定时的准确性。如果timer唯一的线程抛出未被捕获的异常，timer就会停止执行。被调度的线程池executor支持多个线程，并且优雅地从抛出未受检异常的任务中恢复。

Executor Framework的完整处理方法超出了本书的讨论范围，但是有兴趣的读者可以参阅《Java Concurrency in Practice》 ⊖一书[Goetz06]。

---

## 第 69 条：并发工具优先于 wait 和 notify

本书第1版中专门用了一个条目来说明如何正确地使用wait和notify（Bloch01，见第50条）。它提出的建议仍然有效，并且在本条目的最后也对此做了概述，但是这条建议现在远远没有之前那么重要了。这是因为几乎没有理由再使用wait和notify了。自从Java 1.5发行版本开始，Java平台就提供了更高级的并发工具，它们可以完成以前必须在wait和notify上手写代码来完成的各项工作。既然正确地使用**wait和notify**比较困难，就应该用更高级的并发工具来代替。

java.util.concurrent中更高级的工具分成三类：Executor Framework、并发集合（Concurrent Collectioin）以及同步器（Synchronizer），Executor Framework只在第68条中简单地提到过。并发集合和同步器将在本条目中进行简单的阐述。

并发集合为标准的集合接口（如List、Queue和Map）提供了高性能的并发实现。为了提供高并发性，这些实现在内部自己管理同步（见第67条）。因此，并发集合中不可能排除并发活动；将它锁定没有什么作用，只会使程序的速度变慢。

这意味着客户无法原子地对并发集合进行方法调用。因此有些集合接口已经通过依赖状态的修改操作（state-dependent modify operation）进行了扩展，它将几个基本操作合并到了单个原子操作中。例如，ConcurrentMap扩展了Map接口，并添加了几个方法，包括putIfAbsent(key, value)，当键没有映射时会替它插入一个映射，并返回与键关联的前一个值，如果没有这样的值，则返回null。这样使得实现线程安全的标准Map就很容易了。例如，下面这个方法模拟了String.intern的行为：

```
// Concurrent canonicalizing map atop ConcurrentMap - not optimal
private static final ConcurrentMap<String, String> map =
    new ConcurrentHashMap<String, String>();

public static String intern(String s) {
    String previousValue = map.putIfAbsent(s, s);
    return previousValue == null ? s : previousValue;
}
```

事实上，你还可以做得更好。ConcurrentHashMap对获取操作（如get）进行了优化。因此，只有当get表明有必要的时候，才值得先调用get，再调用putIfAbsent：

```
// Concurrent canonicalizing map atop ConcurrentMap - faster!
public static String intern(String s) {
    String result = map.get(s);
    if (result == null) {
        result = map.putIfAbsent(s, s);
        if (result == null)
            result = s;
    }
    return result;
}
```

ConcurrentHashMap除了提供卓越的并发性之外，速度也非常快。在我的机器上，上面这个优化过的intern方法比String.intern速度快了超过6倍（但是记住，String.intern必须使用某种弱引用，来避免随着时间的推移而发生内存泄露）。除非不得已，否则应该优先使用**ConcurrentHashMap**，*而不是使用***Collections.synchronizedMap**或者**Hashtable**。只要用并发Map替换老式的同步Map，就可以极大地提升并发应用程序的性能。更一般地，应该优先使用并发集合，而不是使用外部同步的集合。

有些集合接口已经通过阻塞操作（**blocking operation**）进行了扩展，它们会一直等待（或者阻塞）到可以成功执行为止。例如，BlockingQueue扩展了Queue接口，并添加了包括take在内的几个方法，它从队列中删除并返回了头元素，如果队列为空，就等待。这样就允许将阻塞队列用于工作队列（**work queue**），也称作生产者-消费者队列（**producer-consumer queue**），一个或者多个生产者线程（**producer thread**）在工作队列中添加工作项目，并且当工作项目可用时，一个或者多个消费者线程（**consumer thread**）则从工作队列中取出队列并处理工作项目。不出所料，大多数ExecutorService实现（包括ThreadPoolExecutor）都使用BlockingQueue（见第68条）。

同步器（Synchronizer）是一些使线程能够等待另一个线程的对象，允许它们协调动作。最常用的同步器是CountDownLatch和Semaphore。较不常用的是CyclicBarrier和Exchanger。

倒计数锁存器（Countdown Latch）是一次性的障碍，允许一个或者多个线程等待一个或多个其他线程来做某些事情。CountDownLatch的唯一构造器带有一个int类型的参数，这个int参数是指允许所有在等待的线程被处理之前，必须在锁存器上调用countDown方法的次数。

要在这个简单的基本类型之上构建一些有用的东西，做起来是相当的容易。例如，假设想要构建一个简单的框架，用来给一个动作的并发执行定时。这个框架中包含单个方法，这个方法带有一个执行该动作的executor，一个并发级别（表示要并发执行该动作的次数），以及表示该动作的runnable。所有的工作线程（worker thread）自身都准备好，要在timer线程启动时钟之前运行该动作（为了实现准确的定时，这是必需的）。当最后一个工作线程准备好运行该动作时，timer线程就"发起头炮"，同时允许工作线程执行该动作。一旦最后一个工作线程执行完该动作，timer线程就立即停止计时。直接在wait和notify之上实现这个逻辑至少来说会很混乱，而在CountDownLatch之上实现则相当简单：

```
// Simple framework for timing concurrent execution
public static long time(Executor executor, int concurrency,
        final Runnable action) throws InterruptedException {
    final CountDownLatch ready = new CountDownLatch(concurrency);
    final CountDownLatch start = new CountDownLatch(1);
    final CountDownLatch done = new CountDownLatch(concurrency);
    for (int i = 0; i < concurrency; i++) {
        executor.execute(new Runnable() {
```

```
        public void run() {
            ready.countDown(); // Tell timer we're ready
            try {
                start.await(); // Wait till peers are ready
                action.run();
            } catch (InterruptedException e) {
                Thread.currentThread().interrupt();
            } finally {
                done.countDown();  // Tell timer we're done
            }
        }
    });
}
ready.await();      // Wait for all workers to be ready
long startNanos = System.nanoTime();
start.countDown(); // And they're off!
done.await();       // Wait for all workers to finish
return System.nanoTime() - startNanos;
}
```

注意这个方法使用了三个倒计数锁存器。第一个是ready，工作线程用它来告诉timer线程它们已经准备好了。然后工作线程在第二个锁存器上等待，也就是start。当最后一个工作线程调用ready.countDown时，timer线程记录下起始时间，并调用start.countDown，允许所有的工作线程继续进行。然后timer线程在第三个锁存器（即done）上等待，直到最后一个工作线程运行完该动作，并调用done.countDown。一旦调用这个，timer线程就会苏醒过来，并记录下结束的时间。

还有一些细节值得注意。传递给time方法的executor必须允许创建至少与指定并发级别一样多的线程，否则这个测试就永远不会结束。这就是**线程饥饿死锁（thread starvation deadlock）** [Goetz06 8.1.1]。如果工作线程捕捉到InterruptedException，就会利用习惯用法Thread.currentThread().interrupt()重新断言中断，并从它的run方法中返回。这样就允许executor在必要的时候处理中断，事实上也理当如此。最后，注意利用了System.nanoTime来给活动定时，而不是利用System.currentTimeMillis。*对于间歇式的定时，始终应该优先使用System.nanoTime，而不是使用System.currentTimeMills*。System.nanoTime更加准确也更加精确，它不受系统的实时时钟的调整所影响。

本条目仅仅触及了并发工具的一些皮毛。例如，前一个例子中的那三个倒计数锁存器（CountdownLatch）其实可以用一个CyclicBarrier来代替。这样产生的代码更加简洁，但是理解起来比较困难。更多信息，请参阅《*Java Concurrency in Practice*》一书[Goetz06]。

虽然你始终应该优先使用并发工具，而不是使用wait和notify，但可能必须维护使用了wait和notify的遗留代码。wait方法被用来使线程等待某个条件。它必须在同步区域内部被调用，这个同步区域将对象锁定在了调用wait方法的对象上。下面是使用wait方法的标准模式：

```
// The standard idiom for using the wait method
synchronized (obj) {
    while (<condition does not hold>)
```

```
        obj.wait(); // (Releases lock, and reacquires on wakeup)
        ... // Perform action appropriate to condition
}
```

始终应该使用**wait**循环模式来调用**wait**方法；永远不要在循环之外调用**wait**方法。循环会在等待之前和之后测试条件。

在等待之前测试条件，当条件已经成立时就跳过等待，这对于确保活性（liveness）是必要的。如果条件已经成立，并且在线程等待之前，notify（或者notifyAll）方法已经被调用，则无法保证该线程将会从等待中苏醒过来。

在等待之后测试条件，如果条件不成立的话继续等待，这对于确保安全性（safety）是必要的。当条件不成立的时候，如果线程继续执行，则可能会破坏被锁保护的约束关系。当条件不成立时，有下面一些理由可使一个线程苏醒过来：

- 另一个线程可能已经得到了锁，并且从一个线程调用notify那一刻起，到等待线程苏醒过来的这段时间中，得到锁的线程已经改变了受保护的状态。

- 条件并不成立，但是另一个线程可能意外地或恶意地调用了notify。在公有可访问的对象上等待，这些类实际上把自己暴露在了这种危险的境地中。公有可访问对象的同步方法中包含的wait都会出现这样的问题。

- 通知线程（notifying thread）在唤醒等待线程时可能会过度"大方"。例如，即使只有某一些等待线程的条件已经被满足，但是通知线程可能仍然调用notifyAll。

- 在没有通知的情况下，等待线程也可能（但很少）会苏醒过来。这被称为"伪唤醒（spurious wakeup）" [Posix, 11.4.3.6.1；JavaSE6]。

一个相关的话题是，为了唤醒正在等待的线程，你应该使用notify还是notifyAll（回忆一下，notify唤醒的是单个正在等待的线程，假设有这样的线程存在，而notifyAll唤醒的则是所有正在等待的线程）。一种常见的说法是，你总是应该使用notifyAll。这是合理而保守的建议。它总会产生正确的结果，因为它可以保证你将会唤醒所有需要被唤醒的线程。你可能也会唤醒其他一些线程，但是这不会影响程序的正确性。这些线程醒来之后，会检查它们正在等待的条件，如果发现条件并不满足，就会继续等待。

从优化的角度来看，如果处于等待状态的所有线程都在等待同一个条件，而每次只有一个线程可以从这个条件中被唤醒，那么你就应该选择调用notify，而不是notifyAll。

即使这些条件都是真的，也许还是有理由使用notifyAll而不是notify。就好像把wait调用放在一个循环中，以避免在公有可访问对象上的意外或恶意的通知一样，与此类似，使用

notifyAll代替notify可以避免来自不相关线程的意外或恶意的等待。否则，这样的等待会"吞掉"一个关键的通知，使真正的接收线程无限地等待下去。

　　简而言之，直接使用wait和notify就像用"并发汇编语言"进行编程一样，而java.util.concurrent则提供了更高级的语言。没有理由在新代码中使用**wait**和**notify**，即使有，也是极少的。如果你在维护使用wait和notify的代码，务必确保始终是利用标准的模式从while循环内部调用wait。一般情况下，你应该优先使用notifyAll，而不是使用notify。如果使用notify，请一定要小心，以确保程序的活性（liveness）。

## 第70条：线程安全性的文档化

当一个类的实例或者静态方法被并发使用的时候，这个类的行为如何，是该类与其客户端程序建立的约定的重要组成部分。如果你没有在一个类的文档中描述其行为的并发性情况，使用这个类的程序员将不得不做出某些假设。如果这些假设是错误的，这样得到的程序就可能缺少足够的同步（见第66条），或者过度同步（见第67条）。无论属于这其中的哪种情况，都可能会发生严重的错误。

你可能听到过这样的说法：通过查看文档中是否出现synchronized修饰符，可以确定一个方法是否是线程安全的。这种说法从几个方面来说都是错误的。在正常的操作中，Javadoc并没有在它的输出中包含synchronized修饰符，这是有理由的。因为在一个方法声明中出现**synchronized**修饰符，这是个实现细节，并不是导出的**API**的一部分。它并不一定表明这个方法是线程安全的。

而且，"出现了synchronized关键字就足以用文档说明线程安全性"的这种说法隐含了一个错误的观念，即认为线程安全性是一种"要么全有要么全无"的属性。实际上，线程安全性有多种级别。一个类为了可被多个线程安全地使用，必须在文档中清楚地说明它所支持的线程安全性级别。

下面的列表概括了线程安全性的几种级别。这份列表并没有涵盖所有的可能，而只是些常见的情形：

- **不可变的（immutable）**——这个类的实例是不变的。所以，不需要外部的同步。这样的例子包括String、Long和BigInteger（见第15条）。

- **无条件的线程安全（unconditionally thread-safe）**——这个类的实例是可变的，但是这个类有着足够的内部同步，所以，它的实例可以被并发使用，无需任何外部同步。其例子包括Random和ConcurrentHashMap。

- **有条件的线程安全（conditionally thread-safe）**——除了有些方法为进行安全的并发使用而需要外部同步之外，这种线程安全级别与无条件的线程安全相同。这样的例子包括Collections.synchronized包装返回的集合，它们的迭代器（iterator）要求外部同步。

- **非线程安全（not thread-safe）**——这个类的实例是可变的。为了并发地使用它们，客户必须利用自己选择的外部同步包围每个方法调用（或者调用序列）。这样的例子包括通用的集合实现，例如ArrayList和HashMap。

- 线程对立的（thread-hostile）——这个类不能安全地被多个线程并发使用，即使所有的方法调用都被外部同步包围。线程对立的根源通常在于，没有同步地修改静态数据。没有人会有意编写一个线程对立的类；这种类是因为没有考虑到并发性而产生的后果。幸运的是，在Java平台类库中，线程对立的类或者方法非常少。System.runFinalizersOnExit方法是线程对立的，但已经被废除了。

这些分类（除了线程对立的之外）粗略对应于《*Java Concurrency in Practice*》一书中的线程安全注解（thread safety annotation），分别为Immutable、ThreadSafe和NotThreadsafe[Goetz06, Appendix A]。上述分类中无条件和有条件的线程安全类别都涵盖在ThreadSafe注解中了。

在文档中描述一个有条件的线程安全类要特别小心。你必须指明哪个调用序列需要外部同步，还要指明为了执行这些序列，必须获得哪一把锁（极少的情况下是指哪几把锁）。通常情况下，这是指作用在实例自身上的那把锁，但也有例外。如果一个对象代表了另一个对象的一个视图（view），客户通常就必须在后台对象上同步，以防止其他线程直接修改后台对象。例如，Collections.synchronizedMap的文档应该有这样的说明：

It is imperative that the user manually synchronize on the returned map when

iterating over any of its collection views:

（当遍历任何被返回Map的集合视图时，用户必须手工对它们进行同步：）

```
Map<K, V> m = Collections.synchronizedMap(new HashMap<K, V>());
    ...
Set<K> s = m.keySet();  // Needn't be in synchronized block
    ...
synchronized(m) {  // Synchronizing on m, not s!
    for (K key : s)
        key.f();
}
```

如果没有遵循这样的建议，就可能造成不确定的行为。

类的线程安全说明通常放在它的文档注释中，但是带有特殊线程安全属性的方法则应该在它们自己的文档注释中说明它们的属性。没有必要说明枚举类型的不可变性。除非从返回类型来看已经很明显，否则静态工厂必须在文档中说明被返回对象的线程安全性，如Collections.synchronizedMap（上述）所示。

当一个类承诺了"使用一个公有可访问的锁对象"时，就意味着允许客户端以原子的方式执行一个方法调用序列，但是，这种灵活性是要付出代价的。并发集合（如ConcurrentHash-Map和ConcurrentLinkedQueue）使用的那种并发控制，并不能与高性能的内部并发控制相兼容。客户端还可以发起拒绝服务（denial-of service）攻击，他只需超时地保持公有可访问锁即可。

这有可能是无意的，也可能是有意的。

为了避免这种拒绝服务攻击，应该使用一个私有锁对象（private lock object）来代替同步的方法（隐含着一个公有可访问锁）：

```
// Private lock object idiom - thwarts denial-of-service attack
private final Object lock = new Object();

public void foo() {
    synchronized(lock) {
        ...
    }
}
```

因为这个私有锁对象不能被这个类的客户端程序所访问，所以它们不可能妨碍对象的同步。实际上，我们正是在应用第13条的建议，把锁对象封装在它所同步的对象中。

注意lock域被声明为final的。这样可以防止不小心改变它的内容，而导致不同步访问包含对象的悲惨后果（见第66条）。我们这是在应用第15条的建议，将lock域的可变性减到最小。

重申一下，私有锁对象模式只能用在无条件的线程安全类上。有条件的线程安全类不能使用这种模式，因为它们必须在文档中说明：在执行某些方法调用序列时，它们的客户端程序必须获得哪把锁。

私有锁对象模式特别适用于那些专门为继承而设计的类（见第17条）。如果这种类使用它的实例作为锁对象，子类可能很容易在无意中妨碍基类的操作，反之亦然。出于不同的目的而使用相同的锁，子类和基类可能会"相互绊住对方的脚"。这不只是一个理论意义上的问题。例如，这种现象在Thread类上就出现过[Bloch05，Puzzle 77]。

简而言之，每个类都应该利用字斟句酌的说明或者线程安全注解，清楚地在文档中说明它的线程安全属性。synchronized修饰符与这个文档毫无关系。有条件的线程安全类必须在文档中指明"哪个方法调用序列需要外部同步，以及在执行这些序列的时候要获得哪把锁"。如果你编写的是无条件的线程安全类，就应该考虑使用私有锁对象来代替同步的方法。这样可以防止客户端程序和子类的不同步干扰，让你能够在后续的版本中灵活地对并发控制采用更加复杂的方法。

## 第71条：慎用延迟初始化

延迟初始化（lazy initialization）是延迟到需要域的值时才将它初始化的这种行为。如果永远不需要这个值，这个域就永远不会被初始化。这种方法既适用于静态域，也适用于实例域。虽然延迟初始化主要是一种优化，但它也可以用来打破类和实例初始化中的有害循环[Bloch05，Puzzle 51]。

就像大多数的优化一样，对于延迟初始化，最好建议"除非绝对必要，否则就不要这么做"（见第55条）。延迟初始化就像一把双刃剑。它降低了初始化类或者创建实例的开销，却增加了访问被延迟初始化的域的开销。根据延迟初始化的域最终需要初始化的比例、初始化这些域要多少开销，以及每个域多久被访问一次，延迟初始化（就像其他的许多优化一样）实际上降低了性能。

也就是说，延迟初始化有它的好处。如果域只在类的实例部分被访问，并且初始化这个域的开销很高，可能就值得进行延迟初始化。要确定这一点，唯一的办法就是测量类在用和不用延迟初始化时的性能差别。

当有多个线程时，延迟初始化是需要技巧的。如果两个或者多个线程共享一个延迟初始化的域，采用某种形式的同步是很重要的，否则就可能造成严重的Bug（见第66条）。本条目中讨论的所有初始化方法都是线程安全的。

在大多数情况下，正常的初始化要优先于延迟初始化。下面是正常初始化的实例域的一个典型声明。注意其中使用了final修饰符（见第15条）：

```
// Normal initialization of an instance field
private final FieldType field = computeFieldValue();
```

如果利用延迟优化来破坏初始化的循环，就要使用同步访问方法，因为它是最简单、最清楚的替代方法：

```
// Lazy initialization of instance field - synchronized accessor
private FieldType field;

synchronized FieldType getField() {
    if (field == null)
        field = computeFieldValue();
    return field;
}
```

这两种习惯模式（正常的初始化和使用了同步访问方法的延迟初始化）应用到静态域上时保持不变，除了给域和访问方法声明添加了static修饰符之外。

如果出于性能的考虑而需要对静态域使用延迟初始化，就使用**lazy initialization holder class**模式。这种模式（也称作**initialize-on-demand holder class idiom**）保证了类要到被用到的时候才会被初始化[JLS，12.4.1]。如下所示：

```
// Lazy initialization holder class idiom for static fields
private static class FieldHolder {
    static final FieldType field = computeFieldValue();
}
static FieldType getField() { return FieldHolder.field; }
```

当getField方法第一次被调用时，它第一次读取FieldHolder.field，导致FieldHolder类得到初始化。这种模式的魅力在于，getField方法没有被同步，并且只执行一个域访问，因此延迟初始化实际上并没有增加任何访问成本。现代的VM将在初始化该类的时候，同步域的访问。一旦这个类被初始化，VM将修补代码，以便后续对该域的访问不会导致任何测试或者同步。

如果出于性能的考虑而需要对实例域使用延迟初始化，就使用双重检查模式（double-check idiom）。这种模式避免了在域被初始化之后访问这个域时的锁定开销（见第67条）。这种模式背后的思想是：两次检查域的值[因此名字叫双重检查（double-check）]，第一次检查时没有锁定，看看这个域是否被初始化了；第二次检查时有锁定。只有当第二次检查时表明这个域没有被初始化，才会调用computeFieldValue方法对这个域进行初始化。因为如果域已经被初始化就不会有锁定，域被声明为volatile很重要（见第66条）。下面就是这种习惯模式：

```
// Double-check idiom for lazy initialization of instance fields
private volatile FieldType field;
FieldType getField() {
    FieldType result = field;
    if (result == null) {  // First check (no locking)
        synchronized(this) {
            result = field;
            if (result == null)  // Second check (with locking)
                field = result = computeFieldValue();
        }
    }
    return result;
}
```

这段代码可能看起来似乎有些费解。尤其对于需要用到局部变量result可能有点不解。这个变量的作用是确保field只在已经被初始化的情况下读取一次。虽然这不是严格需要，但是可以提升性能，并且因为给低级的并发编程应用了一些标准，因此更加优雅。在我的机器上，上述的方法比没用局部变量的方法快了大约25%。

在Java 1.5发行版本之前，双重检查模式的功能很不稳定，因为volatile修饰符的语义不够强，难以支持它[Pugh01]。Java 1.5发行版本中引入的内存模式解决了这个问题[JLS，17，Goetz06 16]。如今，双重检查模式是延迟初始化一个实例域的方法。虽然你也可以对静态域应用双重检查模式，但是没有理由这么做，因为lazy initialization holder class idiom是更好的选择。

　　双重检查模式的两个变量值得一提。有时候，你可能需要延迟初始化一个可以接受重复初始化的实例域。如果处于这种情况，就可以使用双重检查惯用法的一个变形，它省去了第二次检查。没错，它就是单重检查模式（**single-check idiom**）。下面就是这样的一个例子。注意field仍然被声明为volatile：

```
// Single-check idiom - can cause repeated initialization!
private volatile FieldType field;

private FieldType getField() {
    FieldType result = field;
    if (result == null)
        field = result = computeFieldValue();
    return result;
}
```

　　本条目中讨论的所有初始化方法都适用于基本类型的域，以及对象引用域。当双重检查模式（double-check idiom）或者单重检查模式（single-check idiom）应用到数值型的基本类型域时，就会用0来检查这个域（这是数值型基本变量的默认值），而不是用null。

　　如果你不在意是否每个线程都重新计算域的值，并且域的类型为基本类型，而不是long或者double类型，就可以选择从单重检查模式的域声明中删除volatile修饰符。这种变体称之为racy single-check idiom。它加快了某些架构上的域访问，代价是增加了额外的初始化（直到访问该域的每个线程都进行一次初始化）。这显然是一种特殊的方法，不适合于日常的使用。然而，String实例却用它来缓存它们的散列码。

　　简而言之，大多数的域应该正常地进行初始化，而不是延迟初始化。如果为了达到性能目标，或者为了破坏有害的初始化循环，而必须延迟初始化一个域，就可以使用相应的延迟初始化方法。对于实例域，就使用双重检查模式（double-check idiom）；对于静态域，则使用lazy initialization holder class idiom。对于可以接受重复初始化的实例域，也可以考虑使用单重检查模式（single-check idiom）。

## 第72条：不要依赖于线程调度器

当有多个线程可以运行时，由线程调度器（thread scheduler）决定哪些线程将会运行，以及运行多长时间。任何一个合理的操作系统在做出这样的决定时，都会努力做到公正，但是所采用的策略却大相径庭。因此，编写良好的程序不应该依赖于这种策略的细节。任何依赖于线程调度器来达到正确性或者性能要求的程序，很有可能都是不可移植的。

要编写健壮的、响应良好的、可移植的多线程应用程序，最好的办法是确保可运行线程的平均数量不明显多于处理器的数量。这使得线程调度器没有更多的选择：它只需要运行这些可运行的线程，直到它们不再可运行为止。即使在根本不同的线程调度算法下，这些程序的行为也不会有很大的变化。注意可运行线程的数量并不等于线程的总数量，前者可能更多。在等待的线程并不是可运行的。

保持可运行线程数量尽可能少的主要方法是，让每个线程做些有意义的工作，然后等待更多有意义的工作。如果线程没有在做有意义的工作，就不应该运行。根据Executor Framework（见第68条），这意味着适当地规定了线程池的大小[Goetz06 8.2]，并且使任务保持适当地小，彼此独立。任务不应该太小，否则分配的开销也会影响到性能。

线程不应该一直处于忙-等（busy-wait）的状态，即反复地检查一个共享对象，以等待某些事情发生。除了使程序易受到调度器的变化影响之外，忙-等这种做法也会极大地增加处理器的负担，降低了同一机器上其他进程可以完成的有用工作量。作为一个极端的反面例子，考虑下面这个CountDownLatch的不正当的重新实现：

```
// Awful CountDownLatch implementation - busy-waits incessantly!
public class SlowCountDownLatch {
    private int count;
    public SlowCountDownLatch(int count) {
        if (count < 0)
            throw new IllegalArgumentException(count + " < 0");
        this.count = count;
    }

    public void await() {
        while (true) {
            synchronized(this) {
                if (count == 0) return;
            }
        }
    }
    public synchronized void countDown() {
        if (count != 0)
            count--;
    }
}
```

在我的机器上，当1000个线程在锁存器（latch）中等待的时候，SlowCountDownLatch比

CountDownLatch慢了大约2000倍。虽然这个例子可能显得有点牵强，但是系统中有一个或者多个线程处于不必要的可运行状态，这种现象并不少见。结果虽然不像SlowCountDownLatch那么悲惨，但是性能和可移植性都可能受到损害。

如果某一个程序不能工作，是因为某些线程无法像其他线程那样获得足够的CPU时间，那么，不要企图通过调用**Thread.yield**来"修正"该程序。你可能好不容易成功地让程序能够工作，但这样得到的程序仍然是不可移植的。同一个yield调用在一个JVM实现上能提高性能，而在另一个JVM实现上却有可能会更差，在第三个JVM实现上则可能没有影响。**Thread.yield**没有可测试的语义（testable semantic）。更好的解决办法是重新构造应用程序，以减少可并发运行的线程数量。

有一种相关的方法是调整线程优先级（thread priority），同样有类似的警告。线程优先级是Java平台上最不可移植的特征了。通过调整某些线程的优先级来改善应用程序的响应能力，这样做并非不合理，却是不必要的，也是不可移植的。通过调整线程的优先级来解决严重的活性问题是不合理的。在你找到并修正底层的真正原因之前，这个问题可能会再次出现。

在本书第一版中说过，对于大多数程序员来说，Thread.yield的唯一用途是在测试期间人为地增加程序的并发性。意思就是，通过探查程序中更大部分的状态空间，可以发现一些隐蔽的Bug。这种方法曾经十分奏效，但从来不能保证一定可行。在Java语言规范中，Thread.yield根本不做实质性的工作，只是将控制权返回给它的调用者。有些现代的VM实际上正是这种功能。因此，应该使用Thread.sleep(1)代替Thread.yield来进行并发测试。千万不要使用Thread.sleep(0)，它会立即返回。

简而言之，不要让应用程序的正确性依赖于线程调度器。否则，结果得到的应用程序将既不健壮，也不具有可移植性。作为推论，不要依赖Thread.yield或者线程优先级。这些设施仅仅对调度器作些暗示。线程优先级可以用来提高一个已经能够正常工作的程序的服务质量，但永远不应该用来"修正"一个原本并不能工作的程序。

## 第 73 条：避免使用线程组

除了线程、锁和监视器之外，线程系统还提供了一个基本的抽象，即线程组（thread group）。线程组的初衷是作为一种隔离applet（小程序）的机制，当然是出于安全的考虑。但是它们从来没有真正履行这个承诺，它们的安全价值已经差到根本不在Java安全模型的标准工作中提及的地步[Gong03]。

既然线程组并没有提供所提及的任何安全功能，那么它们到底提供了什么功能呢？不多。它们允许你同时把Thread的某些基本功能应用到一组线程上。其中有一些基本功能已经被废弃了，剩下的也很少使用。

具有讽刺意味的是，从线程安全性的角度来看，ThreadGroup API非常弱。为了得到一个线程组中的活动线程列表，你必须调用enumerate方法，它有一个数组参数，并且数组的容量必须足够大，以便容纳所有的活动线程。activeCount方法返回一个线程组中活动线程的数量，但是，一旦这个数组进行了分配，并传递给了enumerate方法，就不保证原先得到的活动线程数仍是正确的。如果线程数增加了，而数组太小，enumerate方法就会悄然地忽略掉无法在数组中容纳的线程。

列出线程组中子组的API也有类似的缺陷。虽然通过增加新的方法，这些问题都有可能得到修正，但是，它们目前还没有被修正，因为线程组已经过时了，所以实际上根本没有必要修正。

在Java 1.5发行版本之前，有一种小功能只有ThreadGroup API才有：当线程抛出未被捕捉的异常时，ThreadGroup.uncaughtException方法是获得控制权的唯一方式。这项功能很有用，例如，为了把堆栈轨迹定向到一个特定于应用程序的日志中。然而，自从Java 1.5发行版本之后，Thread的setUncaughtExceptionHandler方法也提供了同样的功能。

总而言之，线程组并没有提供太多有用的功能，而且它们提供的许多功能还都是有缺陷的。我们最好把线程组看作是一个不成功的试验，你可以忽略掉它们，就当它们根本不存在一样。如果你正在设计的一个类需要处理线程的逻辑组，或许就应该使用线程池executor（见第68条）。

# 第11章

# 序 列 化

**本**章关注对象序列化（object serialization）API，它提供了一个框架，用来将对象编码成字节流，并从字节流编码中重新构建对象。"将一个对象编码成一个字节流"，称作将该对象序列化（serializing）；相反的处理过程被称作反序列化（deserializing）。一旦对象被序列化后，它的编码就可以从一台正在运行的虚拟机被传递到另一台虚拟机上，或者被存储到磁盘上，供以后反序列化时用。序列化技术为远程通信提供了标准的线路级（wire-level）对象表示法，也为JavaBeans组件结构提供了标准的持久化数据格式。本章中有一项值得特别提及的特性，就是序列化代理（serialization proxy）模式（见第78条），它可以帮助你避免对象序列化的许多缺陷。

## 第 74 条：谨慎地实现 Serializable 接口

要想使一个类的实例可被序列化，非常简单，只要在它的声明中加入"implements Serializable"字样即可。正因为太容易了，所以普遍存在这样一种误解，认为程序员毫不费力就可以实现序列化。实际的情形要复杂得多。虽然使一个类可被序列化的直接开销非常低，甚至可以忽略不计，但是为了序列化而付出的长期开销往往是实实在在的。

**实现Serializable接口而付出的最大代价是，一旦一个类被发布，就大大降低了"改变这个类的实现"的灵活性。**如果一个类实现了Serializable接口，它的字节流编码（或者说序列化形式，serialized form）就变成了它的导出的API的一部分。一旦这个类被广泛使用，往往必须永远支持这种序列化形式，就好像你必须要支持导出的API的所有其他部分一样。如果你不努力设计一种自定义的序列化形式（custom serialized form），而仅仅接受了默认的序列化形式，这种序列化形式将被永远地束缚在该类最初的内部表示法上。换句话说，如果你接受了默认的序列化形式，这个类中私有的和包级私有的实例域将都变成导出的API的一部分，这不符合"最低限度地访问域"的实践准则（见第13条），从而它就失去了作为信息隐藏工具的有效性。

如果你接受了默认的序列化形式，并且以后又要改变这个类的内部表示法，结果可能导致序列化形式的不兼容。客户端程序企图用这个类的旧版本来序列化一个类，然后用新版本进行反序列化，结果将导致程序失败。在改变内部表示法的同时仍然维持原来的序列化形式（使用ObjectOutputStream.putFields和ObjectInputStream.readFields），这也是可能的，但是做起来比较困难，并且会在源代码中留下一些明显的隐患。因此，你应该仔细地设计一种高质量的序列化形式，并且在很长时间内都愿意使用这种形式（见第75，78条）。这样做将会增加开发的初始成本，但这是值得的。设计良好的序列化形式也许会给类的演变带来限制；但是设计不好的序列化形式则可能会使类根本无法演变。

序列化会使类的演变受到限制，这种限制的一个例子与流的唯一标识符（**stream unique identifier**）有关，通常它也被称为序列版本UID（**serial version UID**）。每个可序列化的类都有一个唯一标识号与它相关联。如果你没有在一个名为serialVersionUID的私有静态final的long域中显式地指定该标识号，系统就会自动地根据这个类来调用一个复杂的运算过程，从而在运行时产生该标识号。这个自动产生的值会受到类名称、它所实现的接口的名称、以及所有公有的和受保护的成员的名称所影响。如果你通过任何方式改变了这些信息，比如，增加了一个不是很重要的工具方法，自动产生的序列版本UID也会发生变化。因此，如果你没有声明一个显式的序列版本UID，兼容性将会遭到破坏，在运行时导致InvalidClassException异常。

**实现Serializable的第二个代价是，它增加了出现Bug和安全漏洞的可能性**。通常情况下，对象是利用构造器来创建的；序列化机制是一种语言之外的对象创建机制（extralinguistic mechanism）。无论你是接受了默认的行为，还是覆盖了默认的行为，反序列化机制（deserialization）都是一个"隐藏的构造器"，具备与其他构造器相同的特点。因为反序列化机制中没有显式的构造器，所以你很容易忘记要确保：反序列化过程必须也要保证所有"由真正的构造器建立起来的约束关系"，并且不允许攻击者访问正在构造过程中的对象的内部信息。依靠默认的反序列化机制，很容易使对象的约束关系遭到破坏，以及遭受到非法访问（见第76条）。

**实现Serializable的第三个代价是，随着类发行新的版本，相关的测试负担也增加了**。当一个可序列化的类被修订的时候，很重要的一点是，要检查是否可以"在新版本中序列化一个实例，然后在旧版本中反序列化"，反之亦然。因此，测试所需的工作量与"可序列化的类的数量和发行版本号"的乘积成正比，这个乘积可能会非常大。这些测试不可能自动构建，因为除了二进制兼容性（**binary compatibility**）以外，你还必须测试语义兼容性（**semantic compatibility**）。换句话说，你必须既要确保"序列化－反序列化"过程成功，也要确保结果产生的对象真正是原始对象的复制品。可序列化类的变化越大，它就越需要测试。如果在最初编写一个类的时候，就精心设计了自定义的序列化形式，测试的要求就可以有所降低，但是也不能完全没有测试。

**实现Serializable接口并不是一个很轻松就可以做出的决定**。它提供了一些实在的益处：

如果一个类将要加入到某个框架中，并且该框架依赖于序列化来实现对象传输或者持久化，对于这个类来说，实现Serializable接口就非常有必要。更进一步来看，如果这个类要成为另一个类的一个组件，并且后者必须实现Serializable接口，若前者也实现了Serializable接口，它就会更易于被后者使用。然而，有许多实际的开销都与实现Serializable接口有关。每当你实现一个类的时候，都需要权衡一下所付出的代价和带来的好处。根据经验，比如Date和BigInteger这样的值类应该实现Serializable，大多数的集合类也应该如此。代表活动实体的类，比如线程池（thread pool），一般不应该实现Serializable。

为了继承而设计的类（见第17条）应该尽可能少地去实现**Serializable**接口，用户的接口也应该尽可能少地继承Serializable接口。如果违反了这条规则，扩展这个类或者实现这个接口的程序员就会背上沉重的负担。然而在有些情况下违反这条规则却是合适的。例如，如果一个类或者接口存在的目的主要是为了参与到某个框架中，该框架要求所有的参与者都必须实现Serializable接口，那么，对于这个类或者接口来说，实现或者扩展Serializable接口就是非常有意义的。

在为了继承而设计的类中，真正实现了Serializable接口的有Throwable类、Component和HttpServlet抽象类。因为Throwable类实现了Serializable接口，所以RMI的异常可以从服务器端传到客户端。Component实现了Serializable接口，因此GUI可以被发送、保存和恢复。HttpServlet实现了Serializable接口，因此会话状态（session state）可以被缓存。

如果你实现了一个带有实例域的类，它是可序列化和可扩展的，你就应该担心这样一条告诫。如果类有一些约束条件，当类的实例域被初始化成它们的默认值（整数类型为0，boolean为false，对象引用类型为null）时，就会违背这些约束条件，这时候你就必须给这个类添加这个readObjectNoData方法：

```
// readObjectNoData for stateful extendable serializable classes
private void readObjectNoData() throws InvalidObjectException {
    throw new InvalidObjectException("Stream data required");
}
```

Java 1.4的版本中就增加了这个readObjectNoData方法，还包含了一些冷僻的用例，包括给现有的可序列化类添加可序列化的超类。如果你有兴趣，可以在序列化规范中找到详细的信息[Serialization，3.5]。⊖

有一条告诫与"不要实现Serializable接口"有关。如果一个专门为了继承而设计的类不是可序列化的，就不可能编写出可序列化的子类。特别是，如果超类没有提供可访问的无参构造器，子类也不可能做到可序列化。因此，对于为继承而设计的不可序列化的类，你应该考虑提供一个无参构造器。这通常并不需要付出特别的努力，因为许多为继承而设计的类都不具有状态，但是情况并不总是这样的。

---

⊖   Java序列化规范的地址为：http://java.sun.com/jzse/1.5/pdf/serial-1.5.0.pdf或http://java.sun.com/javase/6/docs/
platform/serialization/spec/serialToc.heml。——译者注

　　最好在所有的约束关系都已经建立的情况下再创建对象（见第15条）。如果为了建立这些约束关系而要求客户端提供一些数据，这实际上就排除了使用无参构造器的可能性。盲目地为一个类增加无参构造器和单独的初始化方法，而它的约束关系仍由其他的构造器来建立，这样做会使该类的状态空间更加复杂，并且增加出错的可能性。

　　有一种办法可以给"不可序列化但可扩展的类"增加无参构造器，同时避免以上的不足。假设该类有这样一个构造器：

```
public AbstractFoo(int x, int y) { ... }
```

　　下面的转换增加了一个受保护的无参构造器，和一个初始化方法。初始化方法与正常的构造器具有相同的参数，并且也建立起同样的约束关系。注意保存对象状态（x和y）的变量不能是final的，因为它们是由initialize方法设置的：

```java
// Nonserializable stateful class allowing serializable subclass
public abstract class AbstractFoo {
    private int x, y;  // Our state

    // This enum and field are used to track initialization
    private enum State { NEW, INITIALIZING, INITIALIZED };
    private final AtomicReference<State> init =
        new AtomicReference<State>(State.NEW);

    public AbstractFoo(int x, int y) { initialize(x, y); }

    // This constructor and the following method allow
    // subclass's readObject method to initialize our state.
    protected AbstractFoo() { }
    protected final void initialize(int x, int y) {
        if (!init.compareAndSet(State.NEW, State.INITIALIZING))
            throw new IllegalStateException(
                "Already initialized");
        this.x = x;
        this.y = y;
        ... // Do anything else the original constructor did
        init.set(State.INITIALIZED);
    }

     // These methods provide access to internal state so it can
     // be manually serialized by subclass's writeObject method.
    protected final int getX() { checkInit(); return x; }
    protected final int getY() { checkInit(); return y; }
    // Must call from all public and protected instance methods
    private void checkInit() {
        if (init.get() != State.INITIALIZED)
            throw new IllegalStateException("Uninitialized");
    }
    ... // Remainder omitted
}
```

　　AbstractFoo中所有公有的和受保护的实例方法在开始做任何其他工作之前都必须先调用checkInit。这样可以确保如果有编写不好的子类没有初始化实例，该方法调用就可以快速而干净地失败。注意init域是一个原子引用（**atomic reference**）（java.util. concurrent.atomic.

AtomicReference）。在遇到特定的情况时，确保对象的完整性是很有必要的。如果没有这样
的防范机制，万一有个线程要在某一个实例上调用initialize，而另一个线程又要企图使用这个
实例，第二个线程就有可能看到这个实例处于不一致的状态。这种模式利用compareAndSet方
法来操作枚举的原子引用，这是一个很好的线程安全状态机（**thread-safe state machine**）的
通用实现。如果有了这样的机制做保证，实现一个可序列化的子类就非常简单明了：

```java
// Serializable subclass of nonserializable stateful class
public class Foo extends AbstractFoo implements Serializable {
    private void readObject(ObjectInputStream s)
            throws IOException, ClassNotFoundException {
        s.defaultReadObject();

        // Manually deserialize and initialize superclass state
        int x = s.readInt();
        int y = s.readInt();
        initialize(x, y);
    }
    private void writeObject(ObjectOutputStream s)
            throws IOException {
        s.defaultWriteObject();

        // Manually serialize superclass state
        s.writeInt(getX());
        s.writeInt(getY());
    }

    // Constructor does not use the fancy mechanism
    public Foo(int x, int y) { super(x, y); }

    private static final long serialVersionUID = 1856835860954L;
}
```

　　内部类（**inner class**）（见第22条）不应该实现Serializable。它们使用编译器产生的合成
域（**synthetic field**）来保存指向外围实例（**enclosing instance**）的引用，以及保存来自外围
作用域的局部变量的值。"这些域如何对应到类定义中"并没有明确的规定，就好像没有指定
匿名类和局部类的名称一样。因此，内部类的默认序列化形式是定义不清楚的。然而，静态
成员类（**static member class**）却可以实现Serializable接口。

　　简而言之，千万不要认为实现Serializable接口会很容易。除非一个类在用了一段时间之
后就会被抛弃，否则，实现Serializable接口就是个很严肃的承诺，必须认真对待。如果一个
类是为了继承而设计的，则更加需要加倍小心。对于这样的类而言，在"允许子类实现
Serializable接口"或"禁止子类实现Serializable接口"两者之间的一个折衷设计方案是，提
供一个可访问的无参构造器。这种设计方案允许（但不要求）子类实现Serializable接口。

## 第 75 条：考虑使用自定义的序列化形式

当你在时间紧迫的情况下设计一个类时，一般合理的做法是把工作重心集中在设计最佳的 API 上。有时候，这意味着要发行一个"用完后即丢弃"的实现，因为你知道以后会在新版本中将它替换掉。正常情况下，这不成问题，但是，如果这个类实现了 Serializable 接口，并且使用了默认的序列化形式，你就永远无法彻底摆脱那个应该丢弃的实现了。它将永远牵制住这个类的序列化形式。这不只是一个纯理论的问题，在 Java 平台类库中已经有几个类出现了这样的问题，比如 BigInteger。

如果没有先认真考虑默认的序列化形式是否合适，则不要贸然接受。接受默认的序列化形式是一个非常重要的决定，你需要从灵活性、性能和正确性多个角度对这种编码形式进行考察。一般来讲，只有当你自行设计的自定义序列化形式与默认的序列化形式基本相同时，才能接受默认的序列化形式。

考虑以一个对象为根的对象图，相对于它的物理表示法而言，该对象的默认序列化形式是一种比较有效的编码形式。换句话说，默认的序列化形式描述了该对象内部所包含的数据，以及每一个可以从这个对象到达的其他对象的内部数据。它也描述了所有这些对象被链接起来后的拓扑结构。对于一个对象来说，理想的序列化形式应该只包含该对象所表示的逻辑数据，而逻辑数据与物理表示法应该是各自独立的。

如果一个对象的物理表示法等同于它的逻辑内容，可能就适合于使用默认的序列化形式。例如，对于下面这些仅仅表示人名的类，默认的序列化形式就是合理的：

```java
// Good candidate for default serialized form
public class Name implements Serializable {
    /**
     * Last name. Must be non-null.
     * @serial
     */
    private final String lastName;

    /**
     * First name. Must be non-null.
     * @serial
     */
    private final String firstName;
    /**
     * Middle name, or null if there is none.
     * @serial
     */
    private final String middleName;

    ... // Remainder omitted
}
```

从逻辑的角度而言，一个名字包含三个字符串，分别代表姓、名和中间名。Name 中的实例域精确地反映了它的逻辑内容。

即使你确定了默认的序列化形式是合适的，通常还必须提供一个**readObject**方法以保证约束关系和安全性。对于Name这个类而言，readObject方法必须确保lastName和firstName是非null的。第76条和第78条将详细地讨论这个问题。

注意，虽然lastName、firstName和middleInitial域是私有的，但是它们仍然有相应的注释文档。这是因为，这些私有域定义了一个公有的API，即这个类的序列化形式，并且该公有的API必须建立文档。@serial标签告诉Javadoc工具，把这些文档信息放在有关序列化形式的特殊文档页中。

下面的类与Name不同，它是另一个极端，该类表示了一个字符串列表（此刻我们暂时忽略关于"最好使用标准类库中List实现"的建议）：

```
// Awful candidate for default serialized form
public final class StringList implements Serializable {
    private int size = 0;
    private Entry head = null;

    private static class Entry implements Serializable {
        String data;
        Entry  next;
        Entry  previous;
    }

    ... // Remainder omitted
}
```

从逻辑意义上讲，这个类表示了一个字符串序列。但是从物理意义上讲，它把该序列表示成一个双向链表。如果你接受了默认的序列化形式，该序列化形式将不遗余力地镜像出（mirror）链表中的所有项，以及这些项之间的所有双向链接。

当一个对象的物理表示法与它的逻辑数据内容有实质性的区别时，使用默认序列化形式会有以下4个缺点：

- **它使这个类的导出API永远地束缚在该类的内部表示法上。**在上面的例子中，私有的StringList.Entry类变成了公有API的一部分。如果在将来的版本中，内部表示法发生了变化，StringList类仍将需要接受链表形式的输入，并产生链表形式的输出。这个类永远也摆脱不掉维护链表项所需的所有代码，即使它不再使用链表作为内部数据结构了，也仍然需要这些代码。

- **它会消耗过多的空间。**在上面的例子中，序列化形式既表示了链表中的每个项，也表示了所有的链接关系，这是不必要的。这些链表项以及链接只不过是实现细节，不值得记录在序列化形式中。因为这样的序列化形式过于庞大，所以，把它写到磁盘中，或者在网络上发送都将非常慢。

- **它会消耗过多的时间**。序列化逻辑并不了解对象图的拓扑关系，所以它必须要经过一个昂贵的图遍历（traversal）过程。在上面的例子中，沿着next引用进行遍历是非常简单的。

- **它会引起栈溢出**。默认的序列化过程要对对象图执行一次递归遍历，即使对于中等规模的对象图，这样的操作也可能会引起栈溢出。在我的机器上，如果StringList实例包含1258个元素，对它进行序列化就会导致栈溢出。到底多少个元素会引发栈溢出，这要取决于JVM的具体实现以及Java启动时的命令行参数，（比如Heap Size的-Xms与-Xmx的值）有些实现可能根本不存在这样的问题。

对于StringList类，合理的序列化形式可以非常简单，只需先包含链表中字符串的数目，然后紧跟着这些字符串即可。这样就构成了StringList所表示的逻辑数据，与它的物理表示细节脱离。下面是StringList的一个修订版本，它包含writeObject和readObject方法，用来实现这样的序列化形式。顺便提醒一下，transient修饰符表明这个实例域将从一个类的默认序列化形式中省略掉：

```java
// StringList with a reasonable custom serialized form
public final class StringList implements Serializable {
    private transient int size   = 0;
    private transient Entry head = null;

    // No longer Serializable!
    private static class Entry {
        String data;
        Entry  next;
        Entry  previous;
    }

    // Appends the specified string to the list
    public final void add(String s) { ... }

    /**
     * Serialize this {@code StringList} instance.
     *
     * @serialData The size of the list (the number of strings
     * it contains) is emitted ({@code int}), followed by all of
     * its elements (each a {@code String}), in the proper
     * sequence.
     */
    private void writeObject(ObjectOutputStream s)
            throws IOException {
        s.defaultWriteObject();
        s.writeInt(size);

        // Write out all elements in the proper order.
        for (Entry e = head; e != null; e = e.next)
            s.writeObject(e.data);
    }

    private void readObject(ObjectInputStream s)
            throws IOException, ClassNotFoundException {
```

```
        s.defaultReadObject();
        int numElements = s.readInt();

        // Read in all elements and insert them in list
        for (int i = 0; i < numElements; i++)
            add((String) s.readObject());
    }

    ... // Remainder omitted
}
```

注意，尽管StringList的所有域都是瞬时的（transient），但writeObject方法的首要任务仍是调用defaultWriteObject，readObject方法的首要任务则是调用defaultReadObject。如果所有的实例域都是瞬时的，从技术角度而言，不调用**defaultWriteObject**和**defaultReadObject**也是允许的，但是不推荐这样做。即使所有的实例域都是transient的，调用defaultWriteObject也会影响该类的序列化形式，从而极大地增强灵活性。这样得到的序列化形式允许在以后的发行版本中增加非transient的实例域，并且还能保持向前或者向后兼容性。如果某一个实例将在未来的版本中被序列化，然后在前一个版本中被反序列化，那么，后增加的域将被忽略掉。如果旧版本的readObject方法没有调用defaultReadObject，反序列化过程将失败，引发StreamCorrupted Exception异常。

注意，尽管writeObject方法是私有的，它也有文档注释。这与Name类中私有域的文档注释是同样的道理。该私有方法定义了一个公有的API，即序列化形式，并且这个公有的API应该建立文档。如同域的@serial标签一样，方法的@serialData标签也告知Javadoc工具，要把该文档信息放在有关序列化形式的文档页上。

套用以前对性能的讨论形式，如果平均字符串长度为10个字符，StringList修订版本的序列化形式就只占用原序列化形式一半的空间。在我的机器上，同样是10个字符长度的情况下，StringList修订版的序列化速度比原版本的快2倍。最终，修订版中不存在栈溢出的问题，因此，对于可被序列化的StringList的大小也没有实际的上限。

虽然默认的序列化形式对于StringList类来说只是不适合而已，对于有些类，情况却变得更加糟糕。对于StringList，默认的序列化形式不够灵活，并且执行效果不佳，但是序列化和反序列化StringList实例会产生对原始对象的忠实拷贝，它的约束关系没有被破坏，从这个意义上讲，这个序列化形式是正确的。但是，如果对象的约束关系要依赖于特定于实现的细节，对于它们来说，情况就不是这样了。

例如，考虑散列表的情形。它的物理表示法是一系列包含"键－值（key-value）"项的散列桶。到底一个项将被放在哪个桶中，这是该键的散列码的一个函数，一般情况下，不同的JVM实现不保证会有同样的结果。实际上，即使在同一个JVM实现中，也无法保证每次运行都会一样。因此，对于散列表而言，接受默认的序列化形式将会构成一个严重的Bug。对散列表对象进行序列化和反序列化操作所产生的对象，其约束关系会遭到严重的破坏。

无论你是否使用默认的序列化形式，当defaultWriteObject方法被调用的时候，每一个未被标记为transient的实例域都会被序列化。因此，每一个可以被标记为transient的实例域都应该做上这样的标记。这包括那些冗余的域，即它们的值可以根据其他"基本数据域"计算而得到的域，比如缓存起来的散列值。它也包括那些"其值依赖于JVM的某一次运行"的域，比如一个long域代表了一个指向本地数据结构的指针。在决定将一个域做成非transient的之前，请一定要确信它的值将是该对象逻辑状态的一部分。如果你正在使用一种自定义的序列化形式，大多数实例域，或者所有的实例域则都应该被标记为transient，就像上面例子中的StringList那样。

如果你正在使用默认的序列化形式，并且把一个或者多个域标记为transient，则要记住，当一个实例被反序列化的时候，这些域将被初始化为它们的默认值（**default value**）：对于对象引用域，默认值为null；对于数值基本域，默认值为0；对于boolean域，默认值为false[JLS，4.12.5]。如果这些值不能被任何transient域所接受，你就必须提供一个readObject方法，它首先调用defaultReadObject，然后把这些transient域恢复为可接受的值（见第76条）。另一种方法是，这些域可以被延迟到第一次被使用的时候才真正被初始化（见第71条）。

无论你是否使用默认的序列化形式，如果在读取整个对象状态的任何其他方法上强制任何同步，则也必须在对象序列化上强制这种同步。因此，如果你有一个线程安全的对象（见第70条），它通过同步每个方法实现了它的线程安全，并且你选择使用默认的序列化形式，就要使用下列的writeObject方法：

```
// writeObject for synchronized class with default serialized form
private synchronized void writeObject(ObjectOutputStream s)
        throws IOException {
    s.defaultWriteObject();
}
```

如果你把同步放在writeObject方法中，就必须确保它遵守与其他动作相同的锁排列（lock-ordering）约束条件，否则就有遭遇资源排列（resource-ordering）死锁的危险[Goetz06，10.1.5]。

不管你选择了哪种序列化形式，都要为自己编写的每个可序列化的类声明一个显式的序列版本UID（**serial version UID**）。这样可以避免序列版本UID成为潜在的不兼容根源（见第74条）。而且，这样做也会带来小小的性能好处。如果没有提供显式的序列版本UID，就需要在运行时通过一个高开销的计算过程产生一个序列版本UID。

要声明一个序列版本UID非常简单，只要在你的类中增加下面一行：

```
private static final long serialVersionUID = randomLongValue;
```

　　在编写新的类时，为randomLongValue选择什么值并不重要。通过在该类上运行serialver工具，你就可以得到一个这样的值，但是，如果你凭空编造一个数值，那也是可以的。如果你想修改一个没有序列版本UID的现有的类，并希望新的版本能够接受现有的序列化实例，就必须使用那个自动为旧版本生成的值。如通过在旧版的类上运行serialver工具⊖，可以得到这个数值——被序列化的实例为之存在的那个数值。

　　如果你想为一个类生成一个新的版本，这个类与现有的类不兼容（incompatible），那么你只需修改序列版本UID声明中的值即可。结果，前一版本的实例经序列化之后，再做反序列化时会引发InvalidClassException异常而失败。

　　总而言之，当你决定要将一个类做成可序列化的时候（见第74条），请仔细考虑应该采用什么样的序列化形式。只有当默认的序列化形式能够合理地描述对象的逻辑状态时，才能使用默认的序列化形式；否则就要设计一个自定义的序列化形式，通过它合理地描述对象的状态。你应该分配足够多的时间来设计类的序列化形式，就好像分配足够多的时间来设计它的导出方法一样（见第40条）。正如你无法在将来的版本中去掉导出方法一样，你也不能去掉序列化形式中的域；它们必须被永久地保留下去，以确保序列化兼容性（serialization compalibility）。选择错误的序列化形式对于一个类的复杂性和性能都会有永久的负面影响。

---

⊖　serialver用法：serialver [-classpath类路径][-show][类名称…]。——译者注

## 第 76 条：保护性编写 readObject 方法

第39条介绍了一个不可变的日期范围类，它包含可变的私有Date域。该类通过在其构造器和访问方法（accessor）中保护性地拷贝Date对象，极力地维护其约束条件和不可变性。下面就是这个类：

```
// Immutable class that uses defensive copying
public final class Period {
    private final Date start;
    private final Date end;

    /**
     * @param  start the beginning of the period
     * @param  end the end of the period; must not precede start
     * @throws IllegalArgumentException if start is after end
     * @throws NullPointerException if start or end is null
     */
    public Period(Date start, Date end) {
        this.start = new Date(start.getTime());
        this.end   = new Date(end.getTime());
        if (this.start.compareTo(this.end) > 0)
            throw new IllegalArgumentException(
                            start + " after " + end);
    }

    public Date start () { return new Date(start.getTime()); }

    public Date end ()   { return new Date(end.getTime()); }

    public String toString() { return start + " - " + end; }

    ... // Remainder omitted
}
```

假设你决定要把这个类做成可序列化的。因为Period对象的物理表示法正好反映了它的逻辑数据内容，所以，使用默认的序列化形式并没有什么不合理的（见第75条）。因此，为了使这个类成为可序列化的，似乎你所需要做的也就是在类的声明中增加"implements Serializable"字样。然而，如果你真的这样做，那么这个类将不再保证它的关键约束了。

问题在于，readObject方法实际上相当于另一个公有的构造器，如同其他的构造器一样，它也要求注意同样的所有注意事项。构造器必须检查其参数的有效性（见第38条），并且在必要的时候对参数进行保护性拷贝（见第39条），同样地，readObject方法也需要这样做。如果readObject方法无法做到这两者之一，对于攻击者来说，要违反这个类的约束条件相对就比较简单了。

不严格地说，readObject是一个"用字节流作为唯一参数"的构造器。在正常使用的情况下，对一个正常构造的实例进行序列化可以产生字节流。但是，当面对一个人工仿造的字节流时，readObject产生的对象会违反它所属的类的约束条件，这时问题就产生了。假设我们仅仅在Period类的声明中加上了"implements Serializable"字样。那么，这个不完整的程序将产生一个Period实例，它的结束时间比起始时间还要早：

```
public class BogusPeriod {
    // Byte stream could not have come from real Period instance!
    private static final byte[] serializedForm = new byte[] {
      (byte)0xac, (byte)0xed, 0x00, 0x05, 0x73, 0x72, 0x00, 0x06,
      0x50, 0x65, 0x72, 0x69, 0x6f, 0x64, 0x40, 0x7e, (byte)0xf8,
      0x2b, 0x4f, 0x46, (byte)0xc0, (byte)0xf4, 0x02, 0x00, 0x02,
      0x4c, 0x00, 0x03, 0x65, 0x6e, 0x64, 0x74, 0x00, 0x10, 0x4c,
      0x6a, 0x61, 0x76, 0x61, 0x2f, 0x75, 0x74, 0x69, 0x6c, 0x2f,
      0x44, 0x61, 0x74, 0x65, 0x3b, 0x4c, 0x00, 0x05, 0x73, 0x74,
      0x61, 0x72, 0x74, 0x71, 0x00, 0x7e, 0x00, 0x01, 0x78, 0x70,
      0x73, 0x72, 0x00, 0x0e, 0x6a, 0x61, 0x76, 0x61, 0x2e, 0x75,
      0x74, 0x69, 0x6c, 0x2e, 0x44, 0x61, 0x74, 0x65, 0x68, 0x6a,
      (byte)0x81, 0x01, 0x4b, 0x59, 0x74, 0x19, 0x03, 0x00, 0x00,
      0x78, 0x70, 0x77, 0x08, 0x00, 0x00, 0x00, 0x66, (byte)0xdf,
      0x6e, 0x1e, 0x00, 0x78, 0x73, 0x71, 0x00, 0x7e, 0x00, 0x03,
      0x77, 0x08, 0x00, 0x00, 0x00, (byte)0xd5, 0x17, 0x69, 0x22,
      0x00, 0x78 };

    public static void main(String[] args) {
        Period p = (Period) deserialize(serializedForm);
        System.out.println(p);
    }

    // Returns the object with the specified serialized form
    private static Object deserialize(byte[] sf) {
        try {
            InputStream is = new ByteArrayInputStream(sf);
            ObjectInputStream ois = new ObjectInputStream(is);
            return ois.readObject();
        } catch (Exception e) {
            throw new IllegalArgumentException(e);
        }
    }
}
```

被用来初始化serializedForm的byte数组常量是这样产生的：首先对一个正常的Period实例进行序列化，然后对得到的字节流进行手工编辑。对于这个例子而言，字节流的细节并不重要，但是如果你很好奇的话，可以在《Java™ Object Serialization Specification》[Serialization, 6]中查到有关序列化字节流格式的描述信息。如果你运行这个程序，它会打印出"Fri Jan 01 12:00:00 PST 1999 - Sun Jan 01 12:00:00 PST 1984"。只要把Period声明成可序列化的，就会使我们创建出违反其类约束条件的对象。

为了修正这个问题，你可以为Period提供一个readObject方法，该方法首先调用defaultReadObject，然后检查被反序列化之后的对象的有效性。如果有效性检查失败，readObject方法就抛出一个InvalidObjectException异常，使反序列化过程不能成功地完成：

```
// readObject method with validity checking
private void readObject(ObjectInputStream s)
        throws IOException, ClassNotFoundException {
    s.defaultReadObject();

    // Check that our invariants are satisfied
```

```
        if (start.compareTo(end) > 0)
            throw new InvalidObjectException(start +" after "+ end);
    }
```

尽管这样的修正避免了攻击者创建无效的Period实例，但是，这里仍然隐藏着一个更为微妙的问题。通过伪造字节流，要想创建可变的Period实例仍是有可能的，做法是：字节流以一个有效的Period实例开头，然后附加上两个额外的引用，指向Period实例中的两个私有的Date域。攻击者从ObjectInputStream中读取Period实例，然后读取附加在其后面的"恶意编制的对象引用"。这些对象引用使得攻击者能够访问到Period对象内部的私有Date域所引用的对象。通过改变这些Date实例，攻击者可以改变Period实例。下面的类演示了这种攻击：

```
public class MutablePeriod {
    // A period instance
    public final Period period;

    // period's start field, to which we shouldn't have access
    public final Date start;

    // period's end field, to which we shouldn't have access
    public final Date end;
    public MutablePeriod() {
        try {
            ByteArrayOutputStream bos =
                new ByteArrayOutputStream();
            ObjectOutputStream out =
                new ObjectOutputStream(bos);

            // Serialize a valid Period instance
            out.writeObject(new Period(new Date(), new Date()));

            /*
             * Append rogue "previous object refs" for internal
             * Date fields in Period. For details, see "Java
             * Object Serialization Specification," Section 6.4.
             */
            byte[] ref = { 0x71, 0, 0x7e, 0, 5 }; // Ref #5
            bos.write(ref); // The start field
            ref[4] = 4;     // Ref # 4
            bos.write(ref); // The end field

            // Deserialize Period and "stolen" Date references
            ObjectInputStream in = new ObjectInputStream(
            new ByteArrayInputStream(bos.toByteArray()));
            period = (Period) in.readObject();
            start  = (Date)   in.readObject();
            end    = (Date)   in.readObject();
        } catch (Exception e) {
            throw new AssertionError(e);
        }
    }
}
```

运行下面的程序，可以看到攻击的效果：

```
public static void main(String[] args) {
    MutablePeriod mp = new MutablePeriod();
    Period p = mp.period;
    Date pEnd = mp.end;
```

```
        // Let's turn back the clock
        pEnd.setYear(78);
        System.out.println(p);

        // Bring back the 60s!
        pEnd.setYear(69);
        System.out.println(p);
    }
```

运行这个程序，产生如下的输出结果：

```
Wed Apr 02 11:04:26 PDT 2008 - Sun Apr 02 11:04:26 PST 1978
Wed Apr 02 11:04:26 PDT 2008 - Wed Apr 02 11:04:26 PST 1969
```

虽然Period实例被创建之后，它的约束条件没有被破坏，但是要随意地修改它的内部组件仍然是有可能的。一旦攻击者获得了一个可变的Period实例，他就可以将这个实例传递给一个"安全性依赖于Period的不可变性"的类，从而造成更大的危害。这种推断并不牵强：实际上，有许多类的安全性就是依赖于String的不可变性。

问题的根源在于，Period的readObject方法并没有完成足够的保护性拷贝。当一个对象被反序列化的时候，对于客户端不应该拥有的对象引用，如果哪个域包含了这样的对象引用，就必须要做保护性拷贝，这是非常重要的。因此，对于每个可序列化的不可变类，如果它包含了私有的可变组件，那么在它的readObject方法中，必须要对这些组件进行保护性拷贝。下面的readObject方法可以确保Period的约束条件不会遭到破坏，以保持它的不可变性：

```
// readObject method with defensive copying and validity checking
private void readObject(ObjectInputStream s)
        throws IOException, ClassNotFoundException {
    s.defaultReadObject();

    // Defensively copy our mutable components
    start = new Date(start.getTime());
    end   = new Date(end.getTime());

    // Check that our invariants are satisfied
    if (start.compareTo(end) > 0)
        throw new InvalidObjectException(start +" after "+ end);
}
```

注意，保护性拷贝是在有效性检查之前进行的，而且，我们没有使用Date的clone方法来执行保护性拷贝。这两个细节对于保护Period免受攻击是必要的（见第39条）。同时也要注意到，对于final域，保护性拷贝是不可能的。为了使用readObject方法，我们必须要将start和end域做成非final的。这是很遗憾的，但是这还算是相对比较好的做法。有了这个新的readObject方法，并去掉了start和end域的final修饰符之后，MutablePeriod类将不再有效。此时，上面的攻击程序会产生这样的输出：

```
Wed Apr 02 11:05:47 PDT 2008 - Wed Apr 02 11:05:47 PDT 2008
Wed Apr 02 11:05:47 PDT 2008 - Wed Apr 02 11:05:47 PDT 2008
```

在Java 1.4发行版本中，为了阻止恶意的对象引用攻击，同时节省保护性拷贝的开销，在ObjectOutputStream中增加了writeUnshared和readUnshared方法[Serialization]。遗憾的是，这些方法都很容易受到复杂的攻击，即本质上与第77条中所述的ElvisStealer攻击相似的攻击。**不要使用writeUnshared和readUnshared方法**。它们通常比保护性拷贝更快，但是它们不提供必要的安全性保护。

有一个简单的"石蕊"测试，可以用来确定默认的readObject方法是否可以被接受。测试方法：增加一个公有的构造器，其参数对应于该对象中每个非transient的域，并且无论参数的值是什么，都是不进行检查就可以保存到相应的域中的。对于这样的做法，你是否会感到很舒适？如果你对这个问题的回答是否定的，就必须提供一个显式的readObject方法，并且它必须执行构造器所要求的所有有效性检查和保护性拷贝。另一种方法是，可以使用序列化代理模式（**serialization proxy pattern**），见第78条。

对于非final的可序列化的类，在readObject方法和构造器之间还有其他类似的地方。readObject方法不可以调用可被覆盖的方法，无论是直接调用还是间接调用都不可以（见第17条）。如果违反了这条规则，并且覆盖了该方法，被覆盖的方法将在子类的状态被反序列化之前先运行。程序很可能会失败[Bloch05，Puzzle91]。

总而言之，每当你编写readObject方法的时候，都要这样想：你正在编写一个公有的构造器，无论给它传递什么样的字节流，它都必须产生一个有效的实例。不要假设这个字节流一定代表着一个真正被序列化过的实例。虽然在本条目的例子中，类使用了默认的序列化形式，但是，所有讨论到的有可能发生的问题也同样适用于使用自定义序列化形式的类。下面以摘要的形式给出一些指导方针，有助于编写出更加健壮的readObject方法：

- 对于对象引用域必须保持为私有的类，要保护性地拷贝这些域中的每个对象。不可变类的可变组件就属于这一类别。

- 对于任何约束条件，如果检查失败，则抛出一个InvalidObjectException异常。这些检查动作应该跟在所有的保护性拷贝之后。

- 如果整个对象图在被反序列化之后必须进行验证，就应该使用ObjectInputValidation接口[JavaSE6，Serialization]。

- 无论是直接方式还是间接方式，都不要调用类中任何可被覆盖的方法。

## 第 77 条：对于实例控制，枚举类型优先于 readResolve

第3条讲述了Singleton模式，并且给出了以下这个Singleton类的示例。这个类限制了对其构造器的访问，以确保永远只创建一个实例：

```
public class Elvis {
    public static final Elvis INSTANCE = new Elvis();
    private Elvis() { ... }

    public void leaveTheBuilding() { ... }
}
```

正如在第3条中提到的，如果这个类的声明中加上了 "implements Serializable" 的字样，它就不再是一个Singleton。无论该类使用了默认的序列化形式，还是自定义的序列化形式（见第75条），都没有关系；也跟它是否提供了显式的readObject方法（见第76条）无关。任何一个readObject方法，不管是显式的还是默认的，它都会返回一个新建的实例，这个新建的实例不同于该类初始化时创建的实例。

readResolve特性允许你用readObject创建的实例代替另一个实例[Serialization, 3.7]。对于一个正在被反序列化的对象，如果它的类定义了一个readResolve方法，并且具备正确的声明，那么在反序列化之后，新建对象上的readResolve方法就会被调用。然后，该方法返回的对象引用将被返回，取代新建的对象。在这个特性的绝大多数用法中，指向新建对象的引用不需要再被保留，因此立即成为垃圾回收的对象。

如果Elvis类要实现Serializable接口，下面的readResolve方法就足以保证它的Singleton属性：

```
// readResolve for instance control - you can do better!
private Object readResolve() {
    // Return the one true Elvis and let the garbage collector
    // take care of the Elvis impersonator.
    return INSTANCE;
}
```

该方法忽略了被反序列化的对象，只返回该类初始化时创建的那个特殊的Elvis实例。因此，Elvis实例的序列化形式并不需要包含任何实际的数据；所有的实例域都应该被声明为transient的。事实上，如果依赖**readResolve**进行实例控制，带有对象引用类型的所有实例域则都必须声明为**transient**的。否则，那种破釜沉舟式的攻击者，就有可能在readResolve方法被运行之前，保护指向反序列化对象的引用，采用的方法类似于在第76条中提到过的MutablePeriod攻击。

这种攻击有点复杂，但是背后的思想却很简单。如果Singleton包含一个非transient的对象引用域，这个域的内容就可以在Singleton的readResolve方法运行之前被反序列化。当对象引用域的内容被反序列化时，它就允许一个精心制作的流"盗用"指向最初被反序列化的Singleton的引用。

以下是它更详细的工作原理。首先，编写一个"盗用者"类，它既有readResolver方法，又有实例域，实例域指向被序列化的Singleton的引用，"盗用者"类就"潜伏"在其中。在序列化流中，用"盗用者"类的实例代替Singleton的非transient时域。你现在就有了一个循环：Singleton包含"盗用者"类，"盗用者"类则引用该Singleton。

由于Singleton包含"盗用者"类，当这个Singleton被反序列化时，"盗用者"类的readResolve方法先运行。因此，当"盗用者"的readResolve方法运行时，它的实例域仍然引用被部分反序列化（并且也还没有被解析）的Singleton。

"盗用者"的readResolve方法从它的实例域中将引用复制到静态域中，以便该引用可以在readResolve方法运行之后被访问到。然后这个方法为它所藏身的那个域返回一个正确的类型值。如果没有这么做，当序列化系统试着将"盗用者"引用保存到这个域中时，VM就会抛出ClassCastException。

为了更具体地说明这一点，我们来考虑下面这个有问题的Singleton：

```java
// Broken singleton - has nontransient object reference field!
public class Elvis implements Serializable {
    public static final Elvis INSTANCE = new Elvis();
    private Elvis() { }

    private String[] favoriteSongs =
        { "Hound Dog", "Heartbreak Hotel" };
    public void printFavorites() {
        System.out.println(Arrays.toString(favoriteSongs));
    }

    private Object readResolve() {
        return INSTANCE;
    }
}
```

下面是个"盗用者"类，是根据上述的描述构造的：

```java
public class ElvisStealer implements Serializable {
    static Elvis impersonator;
    private Elvis payload;

    private Object readResolve() {
        // Save a reference to the "unresolved" Elvis instance
        impersonator = payload;

        // Return an object of correct type for favorites field
        return new String[] { "A Fool Such as I" };
    }
    private static final long serialVersionUID = 0;
}
```

最后，这是一个不完整的程序，它反序列化一个手工制作的流，为那个有缺陷的Singleton产生两个截然不同的实例。这个程序中省略了反序列化方法，因为它与第267页中的一样：

```java
public class ElvisImpersonator {
    // Byte stream could not have come from real Elvis instance!
    private static final byte[] serializedForm = new byte[] {
      (byte)0xac, (byte)0xed, 0x00, 0x05, 0x73, 0x72, 0x00, 0x05,
      0x45, 0x6c, 0x76, 0x69, 0x73, (byte)0x84, (byte)0xe6,
      (byte)0x93, 0x33, (byte)0xc3, (byte)0xf4, (byte)0x8b,
      0x32, 0x02, 0x00, 0x01, 0x4c, 0x00, 0x0d, 0x66, 0x61, 0x76,
      0x6f, 0x72, 0x69, 0x74, 0x65, 0x53, 0x6f, 0x6e, 0x67, 0x73,
      0x74, 0x00, 0x12, 0x4c, 0x6a, 0x61, 0x76, 0x61, 0x2f, 0x6c,
      0x61, 0x6e, 0x67, 0x2f, 0x4f, 0x62, 0x6a, 0x65, 0x63, 0x74,
      0x3b, 0x78, 0x70, 0x73, 0x72, 0x00, 0x0c, 0x45, 0x6c, 0x76,
      0x69, 0x73, 0x53, 0x74, 0x65, 0x61, 0x6c, 0x65, 0x72, 0x00,
      0x00, 0x00, 0x00, 0x00, 0x00, 0x00, 0x02, 0x00, 0x01,
      0x4c, 0x00, 0x07, 0x70, 0x61, 0x79, 0x6c, 0x6f, 0x61, 0x64,
      0x74, 0x00, 0x07, 0x4c, 0x45, 0x6c, 0x76, 0x69, 0x73, 0x3b,
      0x78, 0x70, 0x71, 0x00, 0x7e, 0x00, 0x02
    };
    public static void main(String[] args) {
        // Initializes ElvisStealer.impersonator and returns
        // the real Elvis (which is Elvis.INSTANCE)
        Elvis elvis = (Elvis) deserialize(serializedForm);
        Elvis impersonator = ElvisStealer.impersonator;

        elvis.printFavorites();
        impersonator.printFavorites();
    }
}
```

运行这个程序会产生下列输出，最终证明可以创建两个截然不同的Elvis实例（包含两种不同的音乐品位）：

```
[Hound Dog, Heartbreak Hotel]
[A Fool Such as I]
```

通过将favorites域声明为transient，可以修正这个问题，但是最好把Elvis做成是一个单元素的枚举类型（见第3条）进行修正。从历史上看，readResolve方法被用于所有可序列化的实例受控（instance-Controlled）的类。自从Java 1.5发行版本以来，它就不再是在可序列化的类中维持实例控制的最佳方法了。就如ElvisStealer攻击所示范的，这种方法很脆弱，需要万分谨慎。

如果反过来，你将一个可序列化的实例受控的类编写成枚举，就可以绝对保证除了所声明的常量之外，不会有别的实例。JVM对此提供了保障，这一点你可以确信无疑。从你这方面来讲，并不需要特别注意什么。以下是把Elvis写成枚举的例子：

```java
// Enum singleton - the preferred approach
public enum Elvis {
    INSTANCE;
    private String[] favoriteSongs =
        { "Hound Dog", "Heartbreak Hotel" };
    public void printFavorites() {
```

```
            System.out.println(Arrays.toString(favoriteSongs));
    }
}
```

用readResolve进行实例控制并不过时。如果必须编写可序列化的实例受控的类，它的实例在编译时还不知道，你就无法将类表示成一个枚举类型。

**readResolve**的可访问性（**accessibility**）很重要。如果把readResolve方法放在一个final类上，它就应该是私有的。如果把readResolver方法放在一个非final的类上，就必须认真考虑它的可访问性。如果它是私有的，就不适用于任何子类。如果它是包级私有的，就只适用于同一个包中的子类。如果它是受保护的或者公有的，就适用于所有没有覆盖它的子类。如果readResolve方法是受保护的或者公有的，并且子类没有覆盖它，对序列化过的子类实例进行反序列化，就会产生一个超类实例，这样有可能导致ClassCastException异常。

总而言之，你应该尽可能地使用枚举类型来实施实例控制的约束条件。如果做不到，同时又需要一个既可序列化又是实例受控（instance-controlled）的类，就必须提供一个readResolver方法，并确保该类的所有实例域都为基本类型，或者是transient的。

## 第 78 条：考虑用序列化代理代替序列化实例

正如第74条中提到以及本章中所讨论的，决定实现Serializable接口，会增加出错和出现安全问题的可能性，因为它导致实例要利用语言之外的机制来创建，而不是用普通的构造器。然而，有一种方法可以极大地减少这些风险。这种方法就是序列化代理模式（**serialization proxy pattern**）。

序列化代理模式相当简单。首先，为可序列化的类设计一个私有的静态嵌套类，精确地表示外围类的实例的逻辑状态。这个嵌套类被称作序列化代理（**serialization proxy**），它应该有一个单独的构造器，其参数类型就是那个外围类。这个构造器只从它的参数中复制数据：它不需要进行任何一致性检查或者保护性拷贝。从设计的角度来看，序列化代理的默认序列化形式是外围类最好的序列化形式。外围类及其序列代理都必须声明实现Serializable接口。

例如，考虑第39条中编写的不可变的Period类，并在第76条中做成可序列化的。以下是这个类的一个序列化代理。Period是如此简单，以致它的序列化代理有着与类完全相同的域：

```java
// Serialization proxy for Period class
private static class SerializationProxy implements Serializable {
    private final Date start;
    private final Date end;

    SerializationProxy(Period p) {
        this.start = p.start;
        this.end = p.end;
    }

    private static final long serialVersionUID =
        234098243823485285L; // Any number will do (Item 75)
}
```

接下来，将下面的writeReplace方法添加到外围类中。通过序列化代理，这个方法可以被逐字地复制到任何类中：

```java
// writeReplace method for the serialization proxy pattern
private Object writeReplace() {
    return new SerializationProxy(this);
}
```

这个方法的存在导致序列化系统产生一个SerializationProxy实例，代替外围类的实例。换句话说，writeReplace方法在序列化之前，将外围类的实例转变成了它的序列化代理。

有了这个writeReplace方法之后，序列化系统永远不会产生外围类的序列化实例，但是攻击者有可能伪造，企图违反该类的约束条件。为了确保这种攻击无法得逞，只要在外围类中添加这个readObject方法即可：

```
// readObject method for the serialization proxy pattern
private void readObject(ObjectInputStream stream)
        throws InvalidObjectException {
    throw new InvalidObjectException("Proxy required");
}
```

最后，在SerializationProxy类中提供一个readResolve方法，它返回一个逻辑上相当的外围类的实例。这个方法的出现，导致序列化系统在反序列化时将序列化代理转变回外围类的实例。

这个readResolve方法仅仅利用它的公有API创建外围类的一个实例，这正是该模式的魅力之所在。它极大地消除了序列化机制中语言本身之外的特征，因为反序列化实例是利用与任何其他实例相同的构造器、静态工厂和方法而创建的。这样你就不必单独确保被反序列化的实例一定要遵守类的约束条件。如果该类的静态工厂或者构造器建立了这些约束条件，并且它的实例方法在维持着这些约束条件，你就可以确信序列化也会维持这些约束条件。

以下是上述Period.SerializationProxy的readResolve方法：

```
// readResolve method for Period.SerializationProxy
private Object readResolve() {
    return new Period(start, end);  // Uses public constructor
}
```

正如保护性拷贝方法一样（见第269页），序列化代理方法可以阻止伪字节流的攻击（见第267页）以及内部域的盗用攻击（见第268页）。与前两种方法不同，这种方法允许Period的域为final的，为了确保Period类真正是不可变的（见第15条），这一点很有必要。与前两种方法不同的还有，这种方法不需要太费心思。你不必知道哪些域可能受到狡猾的序列化攻击的威胁，你也不必显式地执行有效性检查，作为反序列化的一部分。

还有一种方法，利用这种方法时，序列化代理模式的功能比保护性拷贝的更加强大。序列化代理模式允许反序列化实例有着与原始序列化实例不同的类。你可能认为这在实际应用中没有什么作用，其实不然。

考虑EnumSet的情况（见第32条）。这个类没有公有的构造器，只有静态工厂。从客户的角度来看，它们返回EnumSet实例，但是实际上，它们是返回两种子类之一，具体取决于底层枚举类型的大小（见第1条，第6页）。如果底层的枚举类型有64个或者少于64个的元素，静态工厂就返回一个RegularEnumSet；否则，它们就返回一个JumboEnumSet。现在考虑这种情况：如果序列化一个枚举集合，它的枚举类型有60个元素，然后给这个枚举类型再增加5个元素，之后反序列化这个枚举集合。当它被序列化的时候，是一个RegularEnumSet实例，但是一旦它被反序列化，它最好是一个JumboEnumSet实例。实际发生的情况正是如此，因为EnumSet使用序列化代理模式。如果你有兴趣，可以看看EnumSet的这个序列化代理，它实际上就这么简单：

```
// EnumSet's serialization proxy
private static class SerializationProxy <E extends Enum<E>>
        implements Serializable {
    // The element type of this enum set.
    private final Class<E> elementType;

    // The elements contained in this enum set.
    private final Enum[] elements;

    SerializationProxy(EnumSet<E> set) {
        elementType = set.elementType;
        elements = set.toArray(EMPTY_ENUM_ARRAY);  // (Item 43)
    }

    private Object readResolve() {
        EnumSet<E> result = EnumSet.noneOf(elementType);
        for (Enum e : elements)
            result.add((E)e);
        return result;
    }
    private static final long serialVersionUID =
        362491234563181265L;
}
```

序列化代理模式有两个局限性。它不能与可以被客户端扩展的类兼容（见第17条）。它也不能与对象图中包含循环的某些类兼容：如果你企图从一个对象的序列化代理的readResolve方法内部调用这个对象中的方法，就会得到一个ClassCastException异常，因为你还没有这个对象，只有它的序列化代理。

最后，序列化代理模式所增强的功能和安全性并不是没有代价的。在我的机器上，通过序列化代理来序列化和反序列化Period实例的开销，比用保护性拷贝进行的开销增加了14%。

总而言之，每当你发现自己必须在一个不能被客户端扩展的类上编写readObject或者writeObject方法的时候，就应该考虑使用序列化代理模式。要想稳健地将带有重要约束条件的对象序列化时，这种模式可能是最容易的方法。

# 附　录

## 第1版与第2版条目对照

| 第1版条目 | 第2版条目 |
|---|---|
| 第1条 | 第1条：考虑用静态工厂方法代替构造器 |
| 第2条 | 第3条：用私有构造器或者枚举类型强化Singleton属性 |
| 第3条 | 第4条：通过私有构造器强化不可实例化的能力 |
| 第4条 | 第5条：避免创建不必要的对象 |
| 第5条 | 第6条：消除过期的对象引用 |
| 第6条 | 第7条：避免使用终结方法 |
| 第7条 | 第8条：覆盖equals时请遵守通用约定 |
| 第8条 | 第9条：覆盖equals时总要覆盖hashCode |
| 第9条 | 第10条：始终要覆盖toString |
| 第10条 | 第11条：谨慎地覆盖clone |
| 第11条 | 第12条：考虑实现Comparable接口 |
| 第12条 | 第13条：使类和成员的可访问性最小化 |
| 第13条 | 第15条：使可变性最小化 |
| 第14条 | 第16条：复合优先于继承 |
| 第15条 | 第17条：要么为继承而设计，并提供文档说明，要么就禁止继承 |
| 第16条 | 第18条：接口优于抽象类 |
| 第17条 | 第19条：接口只用于定义类型 |
| 第18条 | 第22条：优先考虑静态成员类 |
| 第19条 | 第14条：在公有类中使用访问方法而非公有域 |
| 第20条 | 第20条：类层次优于标签类 |
| 第21条 | 第30条：用enum代替int常量 |
| 第22条 | 第21条：用函数对象表示策略 |
| 第23条 | 第38条：检查参数的有效性 |
| 第24条 | 第39条：必要时进行保护性拷贝 |
| 第25条 | 第40条：谨慎设计方法签名 |
| 第26条 | 第41条：慎用重载 |
| 第27条 | 第43条：返回零长度的数组或者集合，而不是null |
| 第28条 | 第44条：为所有导出的API元素编写文档注释 |
| 第29条 | 第45条：将局部变量的作用域最小化 |

（续）

| 第1版条目 | 第2版条目 |
|---|---|
| 第30条 | 第47条：了解和使用类库 |
| 第31条 | 第48条：如果需要精确的答案，请避免使用float和double |
| 第32条 | 第50条：如果其他类型更适合，则尽量避免使用字符串 |
| 第33条 | 第51条：当心字符串连接的性能 |
| 第34条 | 第52条：通过接口引用对象 |
| 第35条 | 第53条：接口优先于反射机制 |
| 第36条 | 第54条：谨慎地使用本地方法 |
| 第37条 | 第55条：谨慎地进行优化 |
| 第38条 | 第56条：遵守普遍接受的命名惯例 |
| 第39条 | 第57条：只针对异常的情况才使用异常 |
| 第40条 | 第58条：对可恢复的情况使用受检异常，对编程错误使用运行时异常 |
| 第41条 | 第59条：避免不必要地使用受检的异常 |
| 第42条 | 第60条：优先使用标准的异常 |
| 第43条 | 第61条：抛出与抽象相对应的异常 |
| 第44条 | 第62条：每个方法抛出的异常都要有文档 |
| 第45条 | 第63条：在细节消息中包含能捕获失败的信息 |
| 第46条 | 第64条：努力使失败保持原子性 |
| 第47条 | 第65条：不要忽略异常 |
| 第48条 | 第66条：同步访问共享的可变数据 |
| 第49条 | 第67条：避免过度同步 |
| 第50条 | 第69条：并发工具优先于wait和notify |
| 第51条 | 第72条：不要依赖于线程调度器 |
| 第52条 | 第70条：线程安全性的文档化 |
| 第53条 | 第73条：避免使用线程组 |
| 第54条 | 第74条：谨慎地实现Serializable接口 |
| 第55条 | 第75条：考虑使用自定义的序列化形式 |
| 第56条 | 第76条：保护性地编写readObject方法 |
| 第57条 | 第77条：对于实例控制，枚举类型优先于readResolve |
|  | 第78条：考虑用序列化代理代替序列化实例 |

# 中英文术语对照

access control　访问控制

accessibility　可访问能力，可访问性

accessor method　访问方法

adapter pattern　适配器模式

annotation type　注解类型

anonymous class　匿名类

antipattern　反模式

API (Application Programming Interface)　应用编程接口

API element　API元素

array　数组

assertion　断言

binary compatibility　二进制兼容性

bit field　位域

bounded wildcard type　有限制的通配符类型

boxed primitive type　基本包装类型

callback　回调

callback framework　回调框架

checked exception　受检异常

class　类

client　客户端

code inspection　代码检验

comparator　比较器

composition　复合

concrete strategy　具体策略

constant interface　常量接口

constant-specific class body　特定于常量的类主体

constant-specific method implementation　特定于常量的方法实现

copy constructor　拷贝构造器

covariant　协变的

covariant return type　协变返回类型

custom serialized form　自定义的序列化形式

decorator pattern　装饰模式

default access　缺省访问

default constructor　缺省构造器

defensive copy　保护性拷贝

delegation　委托

deserializing　反序列化

design pattern　设计模式

documentation comment　文档注释

double-check idiom　双重检查模式，双检法

dynamically cast　动态地转换

encapsulation　封装

enclosing instance　外围实例

enum type　枚举类型

erasure　擦除

exception　异常

exception chaining　异常链

exception translation　异常转换

explicit type parameter　显式的类型参数

exponentiation　求幂

exported API　导出的API

extend　扩展

failure atomicity  失败原子性

field  域

finalizer guardian  终结方法守卫者

forwarding  转发

forwarding method  转发方法

function object  函数对象

function pointer  函数指针

general contract  通用约定

generic  泛型

generic array creation  泛型数组创建

generic method  泛型方法

generic singleton factory  泛型单例工厂

generic static factory method  泛型静态工厂方法

generification  泛型化

heterogeneous  异构的

idiom  习惯用法，模式

immutable  不可变的

implement  实现（用作动词）

implementation  实现（用作名词）

implementation inheritance  实现继承

information hiding  信息隐藏

inheritance  继承

inner class  内部类

int enum pattern  int枚举模式

interface  接口

interface inheritance  接口继承

invariant  不可变的

lazy initialization  延迟初始化

local class  局部类

marker annotation  标记注解

marker interface  标记接口

member  成员

member class  成员类

member interface  成员接口

memory footprint  内存占用

memory model  内存模型

meta-annotation  元注解

method  方法

migration compatibility  移植兼容性

mixin  混合类型

module  模块

mutator  设值方法

naming convention  命名惯例

naming pattern  命名模式

native method  本地方法

native object  本地对象

nested class  嵌套类

non-reifiable  不可具体化的

nonstatic member class  非静态的成员类

object  对象

object pool  对象池

object serialization  对象序列化

obsolete reference  过期引用

open call  开放调用

operation code  操作码

overload  重载

override  覆盖

package-private  包级私有

parameterized type  参数化的类型

performance model  性能模型

postcondition  后置条件

precondition  前提条件

precondition violation  前提违例

primitive  基本类型

private  私有的

public  公有的

raw type  原生态类型

recursive type bound  递归类型限制

redundant field  冗余域

reference type  引用类型

reflection  反射机制

register  注册

reifiable  可具体化的

reified   具体化的

remainder   求余

restricted marker interface   有限制的标记
接口

rounding mode   舍入模式

runtime exception   运行时异常

safety   安全性

scalar type   标量类型

semantic compatibility   语义兼容性

serial version UID   序列版本UID

serialization proxy   序列化代理

serialized form   序列化形式

serializing   序列化

service provider framework   服务提供者
框架

signature   签名

singleton   单例

singleton pattern   单例模式

skeletal implementation   骨架实现

state transition   状态转变

stateless   无状态的

static factory method   静态工厂方法

static member class   静态成员类

storage pool   存储池

strategy enum   策略枚举

strategy interface   策略接口

strategy pattern   策略模式

stream unique identifier   流的唯一标识符

subclassing   子类化

subtyping   子类型化

synthetic field   合成域

thread group   线程组

thread safety   线程安全性

thread-safe   线程安全的

top-level class   顶级类，顶层类

type inference   类型推导

type parameter   类型参数

typesafe   类型安全

typesafe enum pattern   类型安全的枚举模
式

typesafe heterogeneous container   类型
安全的异构容器

unbounded wildcard type   无限制的通配
符类型

unchecked exception   未受检异常

unintentional object retention   无意识的
对象保持

utility class   工具类

value class   值类

value type   值类型

view   视图

virgin state   空白状态

worker thread   工作线程

wrapper class   包装类

# 参 考 文 献

[Arnold05]    Arnold, Ken, James Gosling, and David Holmes. *The Java™ Programming Language, Fourth Edition.* Addison-Wesley, Boston, 2005. ISBN: 0321349806.

[Asserts]     *Programming with Assertions.* Sun Microsystems. 2002. <http://java.sun.com/javase/6/docs/technotes/guides/language/assert.html>

[Beck99]      Beck, Kent. *Extreme Programming Explained: Embrace Change.* Addison-Wesley, Reading, MA, 1999. ISBN: 0201616416.

[Beck04]      Beck, Kent. *JUnit Pocket Guide.* O'Reilly Media, Inc., Sebastopol, CA, 2004. ISBN: 0596007434.

[Bloch01]     Bloch, Joshua. *Effective Java™ Programming Language Guide.* Addison-Wesley, Boston, 2001. ISBN: 0201310058.

[Bloch05]     Bloch, Joshua, and Neal Gafter. *Java™ Puzzlers: Traps, Pitfalls, and Corner Cases.* Addison-Wesley, Boston, 2005. ISBN: 032133678X.

[Bloch06]     Bloch, Joshua. Collections. In *The Java™ Tutorial: A Short Course on the Basics, Fourth Edition.* Sharon Zakhour et al. Addison-Wesley, Boston, 2006. ISBN: 0321334205. Pages 293–368. Also available as <http://java.sun.com/docs/books/tutorial/collections/index.html>.

[Bracha04]    Bracha, Gilad. *Generics in the Java Programming Language.* 2004. <http://java.sun.com/j2se/1.5/pdf/generics-tutorial.pdf>

[Burn01]            Burn, Oliver. *Checkstyle*. 2001–2007.
                    <http://checkstyle.sourceforge.net>

[Collections]       *The Collections Framework*. Sun Microsystems. March 2006.
                    <http://java.sun.com/javase/6/docs/technotes/guides/collections/
                    index.html>

[Gafter07]          Gafter, Neal. *A Limitation of Super Type Tokens*. 2007.
                    <http://gafter.blogspot.com/2007/05/
                    limitation-of-super-type-tokens.html>

[Gamma95]           Gamma, Erich, Richard Helm, Ralph Johnson, and John Vlissides.
                    *Design Patterns: Elements of Reusable Object-Oriented Software*.
                    Addison-Wesley, Reading, MA, 1995. ISBN: 0201633612.

[Goetz06]           Goetz, Brian, with Tim Peierls et al. *Java Concurrency in Practice*.
                    Addison-Wesley, Boston, 2006. ISBN: 0321349601.

[Gong03]            Gong, Li, Gary Ellison, and Mary Dageforde. *Inside Java™ 2
                    Platform Security, Second Edition*. Addison-Wesley, Boston, 2003.
                    ISBN: 0201787911.

[HTML401]           *HTML 4.01 Specification*. World Wide Web Consortium.
                    December 1999.
                    <http://www.w3.org/TR/1999/REC-html401-19991224/>

[Jackson75]         Jackson, M. A. *Principles of Program Design*. Academic Press,
                    London, 1975. ISBN: 0123790506.

[Java5-feat]        *New Features and Enhancements J2SE 5.0*. Sun Microsystems.
                    2004.
                    <http://java.sun.com/j2se/1.5.0/docs/relnotes/features.html>

[Java6-feat]        *Java™ SE 6 Release Notes: Features and Enhancements*. Sun
                    Microsystems. 2008.
                    <http://java.sun.com/javase/6/webnotes/features.html>

[JavaBeans]         *JavaBeans™ Spec*. Sun Microsystems. March 2001.
                    <http://java.sun.com/products/javabeans/docs/spec.html>

[Javadoc-5.0]    *What's New in Javadoc 5.0*. Sun Microsystems. 2004.
                 <http://java.sun.com/j2se/1.5.0/docs/guide/javadoc/
                 whatsnew-1.5.0.html>

[Javadoc-guide]  *How to Write Doc Comments for the Javadoc Tool*. Sun
                 Microsystems. 2000–2004.
                 <http://java.sun.com/j2se/javadoc/writingdoccomments/
                 index.html>

[Javadoc-ref]    *Javadoc Reference Guide*. Sun Microsystems. 2002–2006.
                 <http://java.sun.com/javase/6/docs/technotes/tools/solaris/
                 javadoc.html>
                 <http://java.sun.com/javase/6/docs/technotes/tools/windows/
                 javadoc.html>

[JavaSE6]        *Java™ Platform, Standard Edition 6 API Specification*. Sun
                 Microsystems. March 2006.
                 <http://java.sun.com/javase/6/docs/api/>

[JLS]            Gosling, James, Bill Joy, and Guy Steele, and Gilad Bracha. *The
                 Java™ Language Specification, Third Edition*. Addison-Wesley,
                 Boston, 2005. ISBN: 0321246780.

[Kahan91]        Kahan, William, and J. W. Thomas. *Augmenting a Programming
                 Language with Complex Arithmetic*. UCB/CSD-91-667, University
                 of California, Berkeley, 1991.

[Knuth74]        Knuth, Donald. Structured Programming with go to Statements. In
                 *Computing Surveys* 6 (1974): 261–301.

[Langer08]       Langer, Angelika. *Java Generics FAQs — Frequently Asked Ques-
                 tions*. 2008.
                 <http://www.angelikalanger.com/GenericsFAQ/
                 JavaGenericsFAQ.html>

[Lea00]          Lea, Doug. *Concurrent Programming in Java™: Design Principles
                 and Patterns, Second Edition*, Addison-Wesley, Boston, 2000.
                 ISBN: 0201310090.

[Lieberman86]    Lieberman, Henry. Using Prototypical Objects to Implement

Shared Behavior in Object-Oriented Systems. In *Proceedings of the First ACM Conference on Object-Oriented Programming Systems, Languages, and Applications*, pages 214–223, Portland, September 1986. ACM Press.

[Liskov87]      Liskov, B. Data Abstraction and Hierarchy. In *Addendum to the Proceedings of OOPSLA '87* and *SIGPLAN Notices,* Vol. 23, No. 5: 17–34, May 1988.

[Meyers98]      Meyers, Scott. *Effective C++, Second Edition: 50 Specific Ways to Improve Your Programs and Designs.* Addison-Wesley, Reading, MA, 1998. ISBN: 0201924889.

[Naftalin07]    Naftalin, Maurice, and Philip Wadler. *Java Generics and Collections.* O'Reilly Media, Inc., Sebastopol, CA, 2007. ISBN: 0596527756.

[Parnas72]      Parnas, D. L. On the Criteria to Be Used in Decomposing Systems into Modules. In *Communications of the ACM* 15 (1972): 1053–1058.

[Posix]         9945-1:1996 (ISO/IEC) [IEEE/ANSI Std. 1003.1 1995 Edition] Information Technology—Portable Operating System Interface (POSIX)—Part 1: System Application: Program Interface (API) C Language] (ANSI), IEEE Standards Press, ISBN: 1559375736.

[Pugh01]        *The "Double-Checked Locking is Broken" Declaration.* Ed. William Pugh. University of Maryland. March 2001. <http://www.cs.umd.edu/~pugh/java/memoryModel/ DoubleCheckedLocking.html>

[Serialization] *Java™ Object Serialization Specification.* Sun Microsystems. March 2005. <http://java.sun.com/javase/6/docs/platform/serialization/spec/ serialTOC.html>

[Sestoft05]     Sestoft, Peter. *Java Precisely, Second Edition.* The MIT Press, Cambridge, MA, 2005. ISBN: 0262693259.

[Smith62]       Smith, Robert. Algorithm 116 Complex Division.

In *Communications of the ACM*, 5.8 (August 1962): 435.

[Snyder86]      Snyder, Alan. Encapsulation and Inheritance in Object-Oriented Programming Languages. In *Object-Oriented Programming Systems, Languages, and Applications Conference Proceedings*, 38–45, 1986. ACM Press.

[Thomas94]      Thomas, Jim, and Jerome T. Coonen. Issues Regarding Imaginary Types for C and C++. In *The Journal of C Language Translation*, 5.3 (March 1994): 134–138.

[ThreadStop]    *Why Are `Thread.stop`, `Thread.suspend`, `Thread.resume` and `Runtime.runFinalizersOnExit` Deprecated?* Sun Microsystems. 1999.
                <http://java.sun.com/j2se/1.4.2/docs/guide/misc/threadPrimitiveDeprecation.html>

[Viega01]       Viega, John, and Gary McGraw. *Building Secure Software: How to Avoid Security Problems the Right Way.* Addison-Wesley, Boston, 2001. ISBN: 020172152X.

[W3C-validator] *W3C Markup Validation Service.* World Wide Web Consortium. 2007.
                <http://validator.w3.org/>

[Wulf72]        Wulf, W. A Case Against the GOTO. In *Proceedings of the 25th ACM National Conference* 2 (1972): 791–797.

# 探秘核心Java技术

《Java EE 5 权威指南（原书第3版）》
作者：Eric Jendrock
书号：978-7-111-22886-8
定价：95.00元

《Java编程思想 第4版》
作者：Bruce Eckel
书号：978-7-111-21382-6
定价：108.00元

《Java编程思想（英文版·第4版）》
作者：Bruce Eckel
书号：978-7-111-21250-8
定价：79.00元

《Java核心技术 卷I：
基础知识》（原书第8版）
作者：Cay S Horstmann;
　　　Gary Cornell
书号：978-7-111-23950-5
定价：98.00元

《Java核心技术
卷II：高级特性》（原书第8版）
作者：Cay S Horstmann;
　　　Gary Cornell
预计出版时间：2008年12月

《Java动画、图形
和极富客户端效果开发》
作者：Chet Haase;
　　　Romain Guy
书号：978-7-111-23841-6
定价：49.00元

《Java脚本化编程》
作者：Dejan Bosanac
书号：978-7-111-23849-2
定价：45.00元

一本打开的书，
一扇开启的门，
通向科学圣殿的阶梯，
托起一流人才的基石。

华章图书

# 华章程序员书库
## 为程序员量身定做的图书馆

《安全编程:代码静态分析》

作者: Brian Chess; Jacob West
书号: 978-7-111-23321-3
定价: 56.00元（附光盘）

《CMMI成功项目管理 7个CMMI过程域》

作者: James Persse
书号: 978-7-111-23960-4
定价: 35.00元

《持续集成》

作者: Paul M. Duvall;
Steve Matyas; Andrew Glover
书号: 978-7-111-22921-6
定价: 35.00元

《Windows编程启示录》

作者: Raymond Chen
书号: 978-7-111-21919-4
定价: 49.00元

《EJB 3.0专家编程》

作者: Mike Keith; Merrick Schincariol
书号: 978-7-111-22489-1
定价: 49.00元

《Groovy入门经典》

作者: Kenneth Barclay; John Savage
书号: 978-7-111-22493-8
定价: 49.00元

《软件安全测试艺术》

作者: Chris Wysopal
书号: 978-7-111-21973-6
定价: 32.00元

《MySQL开发者SQL权威指南》

作者: Rick F. Van Der Lans
书号: 978-7-111-22708-3
定价: 75.00元

《程序员密码学》

作者: Tom St Denis; Simon Johnson
书号: 978-7-111-21660-5
定价: 39.00元

专业成就人生
立体服务大众

www.hzbook.com

填写读者调查表　加入华章书友会
获赠精彩技术书　参与活动和抽奖

**尊敬的读者：**

　　感谢您选择华章图书。为了聆听您的意见，以便我们能够为您提供更优秀的图书产品，敬请您抽出宝贵的时间填写本表，并按底部的地址邮寄给我们（您也可通过www.hzbook.com填写本表）。您将加入我们的"华章书友会"，及时获得新书资讯，免费参加书友会活动。我们将定期选出若干名热心读者，免费赠送我们出版的图书。请一定填写书名书号并留全您的联系信息，以便我们联络您，谢谢！

书名：　　　　　　　　　　　　　　　书号：7-111-(　　　　　　　　　)

| 姓名： | 性别：□男　　□女 | 年龄： | 职业： |
|---|---|---|---|
| 通信地址： | | E-mail： | |
| 电话： | 手机： | 邮编： | |

**1. 您是如何获知本书的：**

□ 朋友推荐　　□ 书店　　□ 图书目录　　□ 杂志、报纸、网络等　　□ 其他

**2. 您从哪里购买本书：**

□ 新华书店　　□ 计算机专业书店　　□ 网上书店　　□ 其他

**3. 您对本书的评价是：**

技术内容　　□ 很好　　□ 一般　　□ 较差　　□ 理由＿＿＿＿＿＿

文字质量　　□ 很好　　□ 一般　　□ 较差　　□ 理由＿＿＿＿＿＿

版式封面　　□ 很好　　□ 一般　　□ 较差　　□ 理由＿＿＿＿＿＿

印装质量　　□ 很好　　□ 一般　　□ 较差　　□ 理由＿＿＿＿＿＿

图书定价　　□ 太高　　□ 合适　　□ 较低　　□ 理由＿＿＿＿＿＿

**4. 您希望我们的图书在哪些方面进行改进？**

＿＿＿＿＿＿＿＿＿＿＿＿＿＿＿＿＿＿＿＿＿＿＿＿＿＿＿＿＿＿＿＿＿

＿＿＿＿＿＿＿＿＿＿＿＿＿＿＿＿＿＿＿＿＿＿＿＿＿＿＿＿＿＿＿＿＿

**5. 您最希望我们出版哪方面的图书？如果有英文看到请写出书名。**

＿＿＿＿＿＿＿＿＿＿＿＿＿＿＿＿＿＿＿＿＿＿＿＿＿＿＿＿＿＿＿＿＿

＿＿＿＿＿＿＿＿＿＿＿＿＿＿＿＿＿＿＿＿＿＿＿＿＿＿＿＿＿＿＿＿＿

**6. 您有没有写作或翻译技术图书的想法？**

□ 是，我的计划是＿＿＿＿＿＿＿＿＿＿＿＿＿＿＿＿＿＿＿＿＿　□ 否

**7. 您希望获取图书信息的形式：**

□ 邮件　　□ 信函　　□ 短信　　□ 其他＿＿＿＿＿＿

**请寄：北京市西城区百万庄南街1号　机械工业出版社　华章公司　计算机图书策划部收**

邮编：100037　电话：(010) 88379512　传真：(010) 68311602　E-mail: hzjsj@hzbook.com